Y0-ABB-424

二〇一六猴年運程

蘇民峰　長髮，生於一九六〇年，人稱現代賴布衣，對風水命理等術數有獨特之個人見解。憑着天賦之聰敏及與術數的緣分，對於風水命理之判斷既快且準，往往一針見血，疑難盡釋。

以下是蘇民峰這三十年之簡介：

八三年　開始業餘性質會客以汲取實際經驗。

八六年　正式開班施教，包括面相、掌相及八字命理。

八七年　毅然拋開一切，隻身前往西藏達半年之久。期間曾遊歷西藏佛教聖地「神山」、「聖湖」，並深入西藏各處作實地體驗，對日後人生之看法實跨進一大步。回港後開設多間店鋪（石頭店），售賣西藏密教法器及日常用品予有緣人士，又於店內以半職業形式為各界人士看風水命理。

八八年　夏天受聘往北歐勘察風水，足跡遍達瑞典、挪威、丹麥及南歐之西班牙，回港後再受聘往加拿大等地勘察。同年接受《繽紛雜誌》訪問。

八九年　再度前往美加，為當地華人服務，期間更多次前往新加坡、日本、台灣等地。同年接受《城市周刊》訪問。

九〇年　夏冬兩次前往美加勘察，更多次前往台灣，又接受台灣之《翡翠雜誌》、《生活報》等多本雜誌訪問。同年授予三名入室弟子蘇派風水。

九一年　續去美加、台灣勘察。是年接受《快報》、亞洲電視及英國 BBC 國家電視台訪問。所有訪問皆詳述風水命理對人生的影響，目的為使讀者及觀眾能以正確態度去面對人生。同年又出版了「現代賴布衣手記之風水入門」錄影帶，以滿足對風水命理有研究興趣之讀者。

九二年 續去美加及東南亞各地勘察風水，同年 BBC 之訪問於英文電視台及衛星電視「出位旅程」播出。此年正式開班教授蘇派風水。

九四年 首次前往南半球之澳洲勘察，研究澳洲計算八字的方法與北半球是否不同。同年接受兩本玄學雜誌《奇聞》及《傳奇》之訪問。是年創出寒熱命論。

九五年 再度發行「風水入門」之錄影帶。同年接受《星島日報》及《星島晚報》之訪問。

九六年 受聘前往澳洲、三藩市、夏威夷、台灣及東南亞等地勘察風水。同年接受《凸周刊》、《一本便利》、《優閣雜誌》及美聯社、英國 MTV 電視節目之訪問。是年正式將寒熱命論授予學生。

九七年 首次前往南非勘察當地風水形勢。同年接受日本 NHK 電視台、丹麥電視台、《置業家居》、《投資理財》及《成報》之訪問。同年創出風水之五行化動土局。

九八年 首次前往意大利及英國勘察。同年接受《TVB 周刊》、《B International》、《壹周刊》等雜誌之訪問，並應邀前往有線電視、新城電台、商業電台作嘉賓。

九九年 再次前往歐洲勘察，同年接受《壹周刊》、《東周刊》、《太陽報》及無數雜誌、報章訪問，同時應邀往商台及各大電視台作嘉賓及主持。此年推出首部著作，名為《蘇民峰觀相知人》，並首次推出風水鑽飾之「五行之飾」、「陰陽」、「天圓地方」系列，另多次接受雜誌進行有關鑽飾系列之訪問。

二千年 再次前往歐洲、美國勘察風水，並首次前往紐約，同年 masterso.com 網站正式成立，並接受多本雜誌訪問關於網站之內容形式，及接受校園雜誌《Varsity》、日本之《Marie Claire》、復康力量出版之《香港 100 個叻人》、《君子》、《明報》等雜誌報章作個人訪問。同年首次推出第一部風水著作《蘇民峰風生水起（巒頭篇）》、第一部流年運程書《蛇年運程》及再次推出新一系列關於風水之五行鑽飾，並應無線電視、商業電台、新城電台作嘉賓主持。

〇一年 再次前往歐洲勘察風水，同年接受《南華早報》、《忽然一週》、《蘋果日報》、日本雜誌《花時間》、NHK 電視台、關西電視台及《讀賣新聞》之訪問，以及應紐約華語電台邀請作玄學節目嘉賓主持。同年再次推出第二部風水著作《蘇民峰風生水起（理氣篇）》及《馬年運程》。

〇二年 再一次前往歐洲及紐約勘察風水。續應紐約華語電台邀請作玄學節目嘉賓主持，及應邀往香港電台作嘉賓主持。是年出版《蘇民峰玄學錦囊（相掌篇）》、《蘇民峰八字論命》、《蘇民峰玄學錦囊（姓名篇）》。同年接受《3 週刊》、《家週刊》、《快週刊》及日本的《讀賣新聞》之訪問。

〇三年 再次前往歐洲勘察風水，並首次前往荷蘭，續應紐約華語電台邀請作玄學節目嘉賓主持。同年接受《星島日報》、《東方日報》、《成報》、《太陽報》、《壹周刊》、《一本便利》、《蘋果日報》、《新假期》、《文匯報》、《自主空間》之訪問，及出版《蘇民峰玄學錦囊（風水天書）》與漫畫《蘇民峰傳奇 1》。

〇四年 再次前往西班牙、荷蘭、歐洲勘察風水，續應紐約華語電台邀請作風水節目嘉賓主持，及應有線電視、華娛電視之邀請作其節目嘉賓，同年接受《新假期》、《MAXIM》、《壹周刊》、《太陽報》、《東方日報》、《星島日報》、《成報》、《經濟日報》、《快週刊》、《Hong Kong Tatler》之訪問，及出版《蘇民峰之生活玄機點滴》、漫畫《蘇民峰傳奇2》、《家宅風水基本法》、《The Essential Face Reading》、《The Enjoyment of Face Reading and Palmistry》、《Feng Shui by Observation》及《Feng Shui — A Guide to Daily Applications》。

○五年始

應邀為無線電視、有線電視、亞洲電視、商業電台、日本NHK電視台作嘉賓或主持，同時接受《壹本便利》、《味道雜誌》、《三週刊》、《HMC》雜誌、《壹週刊》之訪問，並出版《觀掌知心（入門篇）》、《中國掌相》、《八字萬年曆》、《八字入門捉用神》、《八字進階論格局看行運》、《生活風水點滴》、《風生水起（商業篇）》、《如何選擇風水屋》、《談情說相》、《峰狂遊世界》、《瘋蘇Blog Blog趣》、《師傅開飯》、《蘇民峰美食遊蹤》、《A Complete Guide to Feng Shui》、《Practical Face Reading & Palmistry》、《Feng Shui — a Key to Prosperous Business》、五行化動土局套裝、《相學全集一至四》、《風生水起（理氣篇）》、《風生水起（巒頭篇）》、《風生水起（例證篇）》、《八字秘法（全集）》等。

蘇民峰顧問有限公司
電話：2780 3675　傳真：2780 1489
網址：http://www.masterso.com
預約及會客時間：星期一至五下午二時至五時）

蘇民峰二〇一六猴年運程

第五章：吉日一覽

第六章：猴年通勝

第一章

猴年概論

十二生肖出生時間

肖猴者出生時間：

1932年2月5日8時26分至1933年2月4日14時55分
1944年2月5日6時22分至1945年2月4日12時16分
1956年2月5日4時10分至1957年2月4日9時58分
1968年2月5日2時17分至1969年2月4日8時09分
1980年2月5日0時11分至1981年2月4日6時01分
1992年2月4日21時53分至1993年2月4日3時40分
2004年2月4日19時51分至2005年2月4日1時29分
2016年2月4日17時53分至2017年2月3日23時48分

肖雞者出生時間：

1933年2月4日14時55分至1934年2月4日20時04分
1945年2月4日12時16分至1946年2月4日18時11分
1957年2月4日9時58分至1958年2月4日15時56分
1969年2月4日8時09分至1970年2月4日13時33分
1981年2月4日6時01分至1982年2月4日11時52分
1993年2月4日3時40分至1994年2月4日9時30分
2005年2月4日1時29分至2006年2月4日7時23分
2017年2月3日23時48分至2018年2月4日5時41分

肖狗者出生時間：

1922年2月4日22時22分至1923年2月5日3時58分
1934年2月4日20時04分至1935年2月5日2時54分
1946年2月4日18時11分至1947年2月4日23時58分
1958年2月4日15時56分至1959年2月4日21時46分
1970年2月4日13時33分至1971年2月4日19時32分
1982年2月4日11時52分至1983年2月4日17時45分
1994年2月4日9時30分至1995年2月4日15時23分
2006年2月4日7時23分至2007年2月4日13時12分

肖豬者出生時間：

1923年2月5日3時58分至1924年2月5日9時57分
1935年2月5日2時54分至1936年2月5日7時39分
1947年2月4日23時58分至1948年2月5日5時49分
1959年2月4日21時46分至1960年2月5日3時24分
1971年2月4日19時32分至1972年2月5日1時28分
1983年2月4日17時45分至1984年2月4日23時29分
1995年2月4日15時23分至1996年2月4日21時13分
2007年2月4日13時12分至2008年2月4日19時0分

肖鼠者出生時間：

1924年2月5日9時57分至1925年2月4日16時22分
1936年2月5日7時39分至1937年2月4日13時26分
1948年2月5日5時49分至1949年2月4日11時30分
1960年2月5日3時24分至1961年2月4日9時26分
1972年2月5日1時28分至1973年2月4日7時20分
1984年2月4月23時29分至1985年2月4日5時09分
1996年2月4日21時13分至1997年2月4日3時0分
2008年2月4日19時0分至2009年2月4日0時45分

肖牛者出生時間：

1925年2月4日16時22分至1926年2月4日22時14分
1937年2月4日13時26分至1938年2月4日19時16分
1949年2月4日11時30分至1950年2月4日17時22分
1961年2月4日9時26分至1962年2月4日15時16分
1973年2月4日7時20分至1974年2月4日13時03分
1985年2月4日5時09分至1986年2月4日11時14分
1997年2月4日3時0分至1998年2月4日8時47分
2009年2月4日0時45分至2010年2月4日6時42分

肖虎者出生時間：

1926年2月4日22時14分至1927年2月5日3時34分
1938年2月4日19時16分至1939年2月5日1時22分
1950年2月4日17時22分至1951年2月4日23時12分
1962年2月4日15時16分至1963年2月4日21時08分
1974年2月4日13時03分至1975年2月4日18時52分
1986年2月4日11時14分至1987年2月4日16時51分
1998年2月4日8時47分至1999年2月4日14時42分
2010年2月4日6時42分至2011年2月4日12時38分

肖兔者出生時間：

1927年2月5日3時34分至1928年2月5日9時15分
1939年2月5日1時22分至1940年2月5日7時03分
1951年2月4日23時12分至1952年2月5日4時59分
1963年2月4日21時08分至1964年2月5日3時06分
1975年2月4日18時52分至1976年2月5日0時44分
1987年2月4日16時51分至1988年2月4日22時52分
1999年2月4日14時42分至2000年2月4日20時31分
2011年2月4日12時38分至2012年2月4日18時30分

肖龍者出生時間：

1928年2月5日9時15分至1929年2月4日15時19分
1940年2月5日7時03分至1941年2月4日12時53分
1952年2月5日4時59分至1953年2月4日10時49分
1964年2月5日3時06分至1965年2月4日8時49分
1976年2月5日0時44分至1977年2月4日6時37分
1988年2月4日22時52分至1989年2月4日4時35分
2000年2月4日20時31分至2001年2月4日2時21分
2012年2月4日18時30分至2013年2月4日0時17分

肖蛇者出生時間：

1929年2月4日15時19分至1930年2月4日20時59分
1941年2月4日12時53分至1942年2月4日18時46分
1953年2月4日10時49分至1954年2月4日16時39分
1965年2月4日8時49分至1966年2月4日14時45分
1977年2月4日6時37分至1978年2月4日12時14分
1989年2月4日4時35分至1990年2月4日10時10分
2001年2月4日2時21分至2002年2月4日8時10分
2013年2月4日0時17分至2014年2月4日6時03分

肖馬者出生時間：

1930年2月4日20時59分至1931年2月5日2時41分
1942年2月4日18時46分至1943年2月5日0時41分
1954年2月4日16時39分至1955年2月4日22時18分
1966年2月4日14時45分至1967年2月4日20時24分
1978年2月4日12時14分至1979年2月4日18時13分
1990年2月4日10時10分至1991年2月4日16時19分
2002年2月4日8時10分至2003年2月4日14時02分
2014年2月4日6時03分至2015年2月4日11時58分

肖羊者出生時間：

1931年2月5日2時41分至1932年2月5日8時26分
1943年2月5日0時41分至1944年2月5日6時22分
1955年2月4日22時18分至1956年2月5日4時10分
1967年2月4日20時24分至1968年2月5日2時17分
1979年2月4日18時13分至1980年2月5日0時11分
1991年2月4日16時19分至1992年2月4日21時53分
2003年2月4日14時02分至2004年2月4日19時51分
2015年2月4日11時58分至2016年2月4日17時53分

三煞位——今年三煞位在**正南**，而三煞位最忌者為動土，如室外正南動土，或室內正南位動土，亦為犯正三煞，容易引致人口損傷。室外三煞動土，可用五行化動土局化解。如室內三煞位必須動土，就應由東南或西南方開始動土，然後再向南方，這樣可減少動土所帶來的災害。

太歲方——今年太歲在**西南**，太歲方不宜動土，否則會引致人口不和，易生疾病，其化解方法與三煞位動土相同。

沖太歲方——今年**東北**為沖太歲方，亦不宜動土，如要動土則要先由左右兩方開始。

五黃方——今年五黃方在**東北**。如大門、廚房、睡房在東北則易生疾病，五黃大病位尤其不利男性，特別容易引起喉嚨、氣管及骨痛等毛病，其次是腸胃問題。又五黃方不宜動土，唯恐動旺死符，引致疾病連連。如必要動土，亦宜在外圍開始先動，然後慢慢移向東北位置，這樣可減輕動土帶來的影響。

五黃方在大門：可用灰地氈，並在地氈底放一片銅片化解。如疾病依然，即可加音樂盒及掛一風鈴於門上化解。

五黃方在廚房：最為嚴重，因五黃屬土，廚房屬火，火生土旺，生旺五黃而病重。如要化解，可在廚房灶旁放音樂盒，廚櫃門掛銅鈴，廚房門口放灰地氈及銅片化解。亦可多放一點水在廚房內以制火。

五黃方在睡房：化解方法與前兩者一樣。又因今年五黃在東北，所以要盡量避免在室內此方裝修動土，但未入伙的房子則不在此限。

二黑方——今年二黑位在**中宮**，而二黑位最不利女主人，容易引致腹部、腸胃疾病，其次是氣管，尤其對年長女士不利，其化解方法與五黃方相同。又二黑之動土亦會生旺病符。如要動土，亦要由外圍開始，然後動至中宮。

肖猴犯太歲——今年肖猴犯太歲，犯太歲者心情不佳，人事不和。十二歲犯太歲心情不定，情緒不穩。二十四歲犯太歲者易有感情變化、損傷、疾病，特別要注意頭、肺、骨、手腳、肝、膽等疾病，尤其農曆一月及七月為疾病損傷月，所以最好在此兩月去捐血或洗牙以應損傷；農曆七月亦宜外遊化解，寒命人宜去東、南方，熱命人宜往西、北方，至於平命人則無所謂，任何方向皆可，但仍以西、北較為有利。又疾病方面除了可以捐血化解，亦可在家居設置風水布局，在全屋中宮放一桶水化解。三十六歲及四十八歲犯太歲者則情緒不穩、悲觀，事事從壞處想，亦宜在農曆七月外遊化解；一月則宜捐血、洗牙化損傷。六十歲宜注意身體健康。又犯太歲之年易生變化，易見遷移、外出、結婚、分手或添丁等事，所謂「一喜擋三災，無喜是非來」。

肖虎沖太歲——肖虎今年沖太歲，沖者動也，所以今年肖虎者容易有感情變化、事業變化、住屋變化，但變化本身無好壞可言，只不過是出現變化而已，要再配合命格才知道是變好還是變壞。寒命人今年宜守；熱命人則宜攻，新投資更要嘗試；平命人運程亦開始好轉。又今年太歲猴屬金，而虎屬木。金木交戰，要特別注意肺、骨、肝、膽、手腳之疾病，又農曆一月及七月要注意交通意外及損傷，可在家居中宮放一桶水化解。

肖蛇刑太歲——刑者是非較多，人事不和。肖蛇今年為太歲相刑年，是非必然較多。

肖豬太歲相穿——雖然是非稍多，但並不嚴重，可在東南桃花位放水、西北是非位放粉紅色物件旺人緣、化是非。

（註：今年所有犯太歲的生肖，均可在家中東南方放一隻龍形擺設、正北方放一隻鼠形擺設化解。如相信佩帶飾物化解者，亦可佩帶一個鼠形鏈墜，但肖馬者則宜用狗形擺設及鏈墜。）

肖蛇太歲相合——合者人緣好，易得貴人扶助，故今年肖蛇為刑合年，是非較多，但人緣亦佳。

桃花生肖——

肖羊——今年為紅鸞桃花年，而紅鸞為正桃花、好桃花。未有對象者宜把握機會；已有對象者則有婚嫁機會；已婚者宜多加注意，勿使其變成桃花劫而自找麻煩，應盡量利用桃花化成人緣，這樣對事業反而有幫助。

肖牛——今年為天喜桃花，而天喜亦是正桃花，只是力量沒有紅鸞那麼大，但其作用跟紅鸞一樣，故未婚者今年要把握機會，單身的你宜多些外出碰碰機會，即使已婚者亦可利用桃花，化作人緣，這樣間接對事業亦有幫助。

肖雞——今年為咸池桃花生肖，咸池桃花為霧水情緣，易聚易散。此外，特別容易跟已經相識之人發生短暫情緣，但一般會一瞬即逝。

化桃花——

如閣下已婚，又從事一些不常接觸陌生人的工作，則桃花對你根本無用，可以化解。

肖牛——可在家居東北、西南各放一個音樂盒化解。

肖羊——可在家居東北、西南各放一個音樂盒化解。

肖雞——可在家中正北放一杯水化解。

猴年是由西曆二〇一六年二月四日下午五時五十三分立春開始至二〇一七年二月三日廿三時四十八分立春前止。

生於一月（西曆二月四日下午五時五十三分至三月五日上午十一時五十一分）

年月相沖，自小離家，父母性情不合，早年慎防傾跌。

男命一生行運較佳，五十多年大運，尤其是三十歲至六十歲之間最佳。

女命一生行運平穩，宜專業或大機構工作。晚年安樂。

不論男命、女命，命皆喜木、火。

牀頭宜東、南、東南、西南。

顏色宜青、綠、紅、橙、紫。

改名宜用屬木、火之字（可買改名書參考，如《蘇民峰玄學錦囊（姓名篇）》），屬木之字用牙發音，如彥、浩、旭、加等字。屬火之字用舌發音，如利、李、力、彤、琳等。）

生於二月（西曆三月五日上午十一時五十一分至四月四日下午四時四十八分）

月令暗合，早年家庭穩定，父母緣較佳。

男命四十多歲前平穩，宜專業或在大機構工作，四十多歲後有二十年較順運，可自我發展或逐步高陞。

女命一生運程通順，十多歲行運至七十多歲，尤以四十多歲之後二十年最佳，然亦為平穩向上之命，不會大上大落。

命中五行皆可用，然以金、水較佳。
牀頭宜西、北、西北、東北。
顏色宜白、金、銀、黑、灰、藍。
名字宜用屬金、水之字。齒發音之字屬金，如式、先、阡、沖、晨等字。口唇發音之字屬水，如月、明、美、貝、芬等。

生於三月（西曆四月四日下午四時四十八分至五月五日上午十時十四分）

月令暗合，家庭穩定，早年人緣佳。
男命三十多歲前平穩，三十多歲至五十多歲運程漸佳。五十多歲至六十多歲平穩。六十多歲後還有三十年運，晚年安樂。
女命二十多歲入大運，六十年大運，尤其二十多歲至五十多歲最佳，晚運亦亨通。
命中五行皆可為用，然金、水較佳。
牀頭宜西、北、西北、東北。
顏色宜白、金、銀、黑、灰、藍。

生於四月（西曆五月五日上午十時十四分至六月五日下午二時三十分）

男命二十多歲入運至四十多歲，然後稍遜，五十多歲後再行三十年更佳大運，晚運亨通。

女命三十多歲入運至六十多歲，宜好好把握，六十多歲後可退守，到七十多歲後還有二十年晚年運，故晚年必然安穩。

命中五行喜金、水。

牀頭宜西、北、西北、東北。

顏色宜白、金、銀、黑、灰、藍。

名字宜用屬金、水之字。

生於五月（西曆六月五日下午二時三十分至七月七日零時四十八分）

男命十多歲入運至七十多歲，尤其四十多歲至七十多歲之大運最佳。

女命四十歲前平平，四十多歲後開始入運至七十多歲，晚年安樂。

命中五行喜金、水。

牀頭宜西、北、西北、東北。

顏色宜白、金、銀、黑、灰、藍。

名字宜用屬金、水之字。

生於六月（西曆七月七日零時四十八分至八月七日上午十時三十八分）

命帶桃花，早年人緣佳，易得貴人扶助。

男命六十年大運，一生漸入佳境，三十多歲後運最佳，宜好好把握。

女命一生行運平穩，宜專業或入大機構發展，六十歲後入大運為退休好運，安享晚年。子女運亦佳。

命中五行喜金、水。

牀頭宜西、北、西北、東北。

顏色宜白、金、銀、黑、灰、藍。

名字宜用屬金、水之字。

生於七月（西曆八月七日上午十時三十八分至九月七日下午一時二十三分）

男命一生平穩，宜專業或在大機構發展。

女命一生行運較佳，六十年大運，一生漸入佳境，尤其三十多歲之後三十年運最佳。

命中五行喜木、火。

牀頭宜東、南、東南、西南。

顏色宜青、綠、紅、橙、紫。

名字宜用木、火之字。

生於八月（西曆九月七日下午一時二十三分至十月八日上午四時五十三分）

命帶桃花，一生人緣較佳，異性緣亦好，尤其是在三十五歲前。

男命一生平穩，四十多歲入大運至六十多歲，宜好好把握。

女命十多歲入大運至七十多歲，一生漸入佳境，然以五十歲前最佳，然後停十年後，之後還有二十年晚年運。

命中五行喜木、火。

牀頭宜東、南、東南、西南。

顏色宜青、綠、紅、橙、紫。

名字宜用木、火之字。

生於九月（西曆十月八日上午四時五十三分至十一月七日上午七時五十九分）

太歲暗合，父母緣份佳，少年易得貴人、長輩之助。

男命三十多歲入運至五十多歲，宜把握機會，五十多至六十多歲稍停，然後再行三十年運。晚年安樂。

女命二十多歲入運至五十多歲，五十多至六十多歲稍停，六十多歲後的二十年運氣亦佳。晚年安樂。

命中五行喜木、火。

牀頭宜東、南、東南、西南。

顏色宜青、綠、紅、橙、紫。

名字宜用木、火之字。

生於十月（西曆十一月七日上午七時五十九分至十二月七日零時四十五分）

男命二十多歲入運至四十多歲，四十多至五十多歲稍停，然後再有三十年大運。

女命三十多歲入運至六十多歲，三十年大運，必有一番作為。

命中五行喜木、火。

牀頭宜東、南、東南、西南。

顏色宜青、綠、紅、橙、紫。

名字宜用木、火之字。

生於十一月（西曆十二月七日零時四十五分至二〇一七年一月五日上午十一時五十七分）

月令相合，父母緣佳，早年易得貴人扶助。

男命十多歲入運至七十多歲，尤其是四十多歲後更佳，宜把握機會。

女命平穩，宜專業或入大機構工作，四十多五十歲入三十年大運，可發展自己事業，安享晚年。

命中五行喜木、火。

牀頭宜東、南、東南、西南。

顏色宜青、綠、紅、橙、紫。

名字宜用木、火之字。

生於十二月（西曆二〇一七年一月五日上午十一時五十七分至二月三日下午十一時四十八分）

男命一生行運，尤其三十多歲至六十多歲之時最佳，宜把握機會，必有一番作為。

女命一生平穩，宜專業或入大機構發展，五十多歲後有三十年大運，晚年安樂。

命中五行喜木、火。

牀頭宜東、南、東南、西南。

顏色宜青、綠、紅、橙、紫。

名字宜用木、火之字。

註：牀頭宜東、南、東南、西南者，其寫字枱亦宜面向這些方向。顏色方面，只需配合房間牆身及窗簾顏色、長大後車子顏色、辦公室顏色；但衣服顏色則不用配合。

五行化動土局

五行化動土局之由來

五行化動土局，是本人在一九九七年，發現住屋對門之單位在大興土木裝修時所發明的。在風水學上，動土為戊己都天煞，為大煞，為極嚴重之煞氣，輕則引致疾病連連、屢醫無效，重則要開刀做手術，所以不得不加以化解。細想之下，便發明了這個五行化動土局，原理是由八字之五行相生相剋演變而來。本人之住宅大門方向向北，而北方屬水，於是我把金放於最後，然後在金之前再順序放水、木、火、土。土之所以在最前面，是用以剋制北方屬水所帶來之動土煞氣。這原理是金生水、水生木、木生火、火生土，最後用土剋水，從而把煞氣剋出屋外。其後，我再把原理細分為東面及東南面煞氣化解方法、南面煞氣化解方法、西面及西北面煞氣化解方法和東北及西南面之化解方法。之後又為免客人遇有動土卻分不出其方向，便發明圓形之擺法，使其金生水，水生木，木生火，火生土，土生金，五行周流不滯而使煞氣不能侵入。

現在提供五行化動土局如下（本人之著作《風生水起（巒頭篇）》及《風水天書》、《如何選擇風水屋》內有詳細記載），務使各位讀者遇有動土時能加以運用，消災解病。

五行物件

木——任何植物。

火——任何紅色、螢光或發光物件。

土——天然石頭。

金——金屬發聲物件，如風鈴、音樂盒，或六個銅錢亦可，但最簡單為音樂盒，因扭緊發條以後便可發出金屬撞擊聲音，但記住不可使用電子音樂盒，因電屬火，火會剋金，產生相反效果。

水——普通水喉自來水，不要用蒸餾水。

化煞方向

煞在東方及東南方——為木煞，宜先放音樂盒對着有煞方向，然後依次倒序放石頭、紅色物件、植物、水。

動土煞在東方及東南方——↑金、土、火、木、水

煞在南方——為火煞，先放水對着動土之處，再依次倒序放音樂盒、石頭、紅色物件、植物。

動土煞在南方——↑水、金、土、火、木

煞在西南及東北方——為土煞，宜先放植物對着動土方向，然後依次倒序放水、音樂盒、石頭、紅色物件。

動土煞在西南及東北方——➚木、水、金、土、火

煞在西方及西北——為金煞，先放紅色物件對着動土方向，再依次倒序放植物、水、音樂盒、石頭。

動土煞在西方及西北——➚火、木、水、金、土

煞在北方——為水煞，先放石頭對着動土方向，再依次倒序放紅色物件、植物、水、音樂盒。

動土煞在北方——➚土、火、木、水、金

如有動土而不知道方向，可以把以上代表木、火、土、金、水五行之物件圍成圓圈，對着動土方，則任何方向之動土煞皆可化解；當然，其力量不及專門針對特定方向而置之直向五行化煞大局。

煞不知在何方之化解方法

寒熱命論的出現，始於一九八三年開始替人算命至今，加上多年教授學生之經驗，發現古代流傳之書籍以及本人老師吳晚軒先生所傳授之命理知識，實在有不足之處，但又未能找出其究竟為何。在此不是說本人之老師吳晚軒先生所傳授給本人之命理理論有誤，因他已把所知的傾囊傳授，像我對我的學生一樣，毫無保留；只是每一樣理論學說都在不斷演變，從古代看命用五星，至宋代徐子平出現，把五星的方法推翻，令算命從此不用看星，而把星歸納於五行之內，從而轉用十天干、十二地支、五行（木、火、土、金、水）作為算命之依據。此法一直流傳至今，是一個初步之演化程序。但當中一定有不完善的地方，因為算命之術發展至今，還是沿用一千年以前之旺者宜剋宜洩，衰者宜幫宜扶的方法去判斷。雖然已把古代很多無用的東西刪掉，但當中還是存在着很多問題。

在九二至九四年間，寒熱命的理論突然在我腦海中出現。直至九六、九七年間，便正式傳授給我的學生（當然也包括以前所教過的學生）。所以，從學習到醞釀至發明，當中經過了十多年的努力。而寒命、熱命、平命理論一出以後，很多以前未能解決之命理懸案都能一一迎刃而解。因寒命人喜火，以木生火；而熱命人喜水，以金生水；平命人水火不忌，然以水運較佳，又乾土屬火，濕土則屬水。以此理論，當知道一個人的出生年月日時以後，便可以知其一生運程之吉凶，根本不用再詳細計算命者身旺身弱，以何為用神。到近年甚至再推翻根本無從格、化格、只有熱命、寒命、平命而已。

寒命人——生於立秋後、驚蟄前。（西曆八月八日後、三月六日前）

熱命人——生於立夏後、立秋前。（西曆五月六日後、八月八日前）

平命人——生於驚蟄後、立夏前。（西曆三月六日後、五月六日前）

寒熱命用法

當各位知道自己屬寒命、熱命或是平命以後，就可以知道自己一生之運程。寒命喜火以木生火，熱命喜水以金生水，平命喜水不忌火。而土為平，帶水為濕土，帶火為乾土。

然後只要再知道木、火、土、金、水每十二年一個循環、每十二月一個循環和每十二日一個循環，即可計算自己運程之吉凶。簡單而言，一九九八至二〇〇三年為木火，利寒命人；二〇〇四至二〇〇九年為金水，利熱命人；二〇一〇至二〇一五年屬木火，利寒命人；二〇一六至二〇二一年又轉回金水，餘此類推，每六年一個改變，每十二年一個循環，這樣便可以知道自己運程之大概吉凶好壞。如要詳細知道自己大運之情況，可參考本人之《八字•萬年曆》之「寒熱命入門篇」、《八字入門捉用神》、《八字論命》及《八字進階論格局看行運》。

木、火、土、金、水之所屬生肖之年

鼠——屬水　牛——屬土帶水
虎——屬木帶火　兔——屬木
龍——屬土帶水　蛇——屬火
馬——屬火　羊——屬土帶火
猴——屬金帶水　雞——屬金
狗——屬土帶火　豬——屬水

木、火、土、金、水之所屬月份

農曆一月——屬木帶火　農曆二月——屬木
農曆三月——屬土帶水　農曆四月——屬火
農曆五月——屬火　農曆六月——屬土帶火
農曆七月——屬金帶水　農曆八月——屬金
農曆九月——屬土帶火　農曆十月——屬水
農曆十一月——屬水　農曆十二月——屬土帶水

木、火、土、金、水之所屬日子

寅—屬木帶火　卯—屬木
辰—屬土帶水　巳—屬火
午—屬火　未—屬土帶火
申—屬金帶水　酉—屬金
戌—屬土帶火　亥—屬水
子—屬水　丑—屬土帶水

每日之木、火、土、金、水似乎難以得出，但其實只要閣下有電腦，並輸入一組寅、卯、辰、巳、午、未、申、酉、戌、亥、子、丑以後，以此再排，就可以得出前前後後每年每月每日之木、火、土、金、水。下表提供二〇一六年西曆一月一日開始之第一組午、未、申、酉、戌、亥……只要依次排列即可。

西曆二〇一六年一月

一日—午
二日—未
三日—申
四日—酉
五日—戌
六日—亥
七日—子
八日—丑
九日—寅
十日—卯
十一日—辰
十二日—巳
十三日—午
十四日—未
十五日—申
十六日—酉
十七日—戌
十八日—亥
十九日—子
二十日—丑
廿一日—寅

第二章 猴年地運預測

二〇一六年丙申年之八字圖

丙申　庚寅　丙辰　丁酉

一月——辛卯
二月——壬辰
三月——癸巳
四月——甲午
五月——乙未
六月——丙申
七月——丁酉
八月——戊戌
九月——己亥
十月——庚子
十一月——辛丑
十二月——壬寅

今年為水火互換年，金木水火土之旺衰情況來個大反轉，二〇一三至二〇一五年最弱之金水，今年成為最旺與次旺之五行，故金價及其他金屬類股份有機會跑贏大市；而屬水之**航運**，**銀行**、**賭業**、**零售**亦有機會復蘇。

至於火土木等行業，皆有下跌之列，故屬火之**電腦**、**科網**、**電話**、**電力**；屬土之**建築**、**基建**；屬木之**紙張**、**時裝**、**木材**皆在下跌軌跡當中。

又今年為金水進氣的等一年，一般經濟都會明顯較為動盪，投資時仍要小心，步步為營，切勿大舉進攻。

金融股票

今年為先跌後升之局，宜上半年入市，秋冬獲利。

樓房地產

投資者，可免則免，自住者亦要三思而後行，好好衡量自己能承受風險之能力。

八運飛星圖

七	三	五
六	八	一
二	四	九

南（上）　北（下）　東（左）　西（右）

二〇一六年飛星圖

1	6	8
9	2	4
5	7	3

南（上）　北（下）　東（左）　西（右）

今年立春八字為金木交戰之年，刀傷、車禍意外事故必然比平常多，駕駛者務要打醒十二分精神，除刀傷、車禍特多外，社會亦必然較為動盪不安，不論治安與經濟都容易遇上突如其來的衝擊。

又今年飛星與二〇〇四年印尼大地震時有些相似，西南四川、雲南、印尼以至印度洋一帶要特別注意；其次東北之俄羅斯、韓國、加拿大東岸等地今年為二黑病符，天災、人禍亦多。西南以農曆四、七月最差，東北則農曆一、四、十這三個月最要注意；其次內陸地區之地殼變動亦為頻繁，地震頻生，而最不利月份為農曆一、七這兩個月份。

又今年為水火互換年，西歐等地經濟應逐漸走出谷底，美國會穩步上揚，唯恐怕香港經濟較為動盪而已。

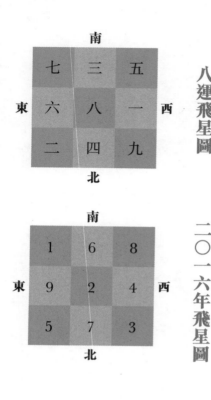

正東——今年為九紫喜慶位，台灣、日本、美加東岸一帶喜訊較多，唯與運星交戰，元首及元老級人物身體易出狀況。

東南——今年為一白桃花，運星為七赤金，金生水旺，有利旅遊、貿易，社會亦會較為和諧。東南方為香港、廣東省與東南亞及澳紐一帶地區。

正南——今年為六白金，有利武職當權，唯八運正南為三碧爭鬥位，故今年恐仍爭吵不絕，但會較二〇一五年緩和。正南指中國南部，中南半島如泰國、馬來西亞及印尼一帶。

西南——今年八白財星飛臨，經濟發展會較為迅速，唯八運二〇〇四至二〇二四此區五黃加臨，天災人禍較多，今年八白土並五黃土，土土相並，地震依然頻繁。西南指四川、巴基斯坦、印度、印尼與印度洋一帶國家。

正西——去年五黃臨正西方，中東、西歐一帶天災人禍頻生，但今年四綠文昌星降臨，爭鬥必然緩和，且文星昌盛，有利文人，加上八運西方為一白星，一與星相會有利文人發展，亦利旅遊、經濟。

西北——今年為三碧爭鬥星，西北俄羅斯、北歐一帶爭鬥較多，唯八運西北為九紫火，木生火旺，既洩爭鬥，亦利喜慶，故西北一帶仍以吉論，唯木生火旺，恐火災、撞車事件較多而已。

正北——今年為七赤星有利經濟，但八運正北為四綠木，金木交戰亦恐車禍、爭鬥之事較多，正北指中國北方內蒙、蒙古及俄羅斯一帶。

東北——今年五黃災星降臨，為今年最凶險之方位，再加八運二黑飛臨東北，與五黃相會，二五疊臨既損主，亦見重病，以地區推算為天災人禍最嚴重之地區，東北地區指中國東三省，俄羅斯東部、韓國、日本北部及加拿大東岸與東阿拉斯加等地。

中宮——指內陸地區，今年二黑飛臨中央，加上本年似二〇〇四年之飛星走向，世界各地地震較多，中央內陸地區亦為高危地區。

第三章

猴年風水布局

正東—今年為九紫喜慶位
（亦為未來之財星）
東南—今年為一白桃花星
正南—今年為六白武曲金星
西南—今年為八白財位
（當運之財星）
正西—今年為四綠文昌位
西北—今年為三碧爭鬥位
正北—今年為七赤破軍金星
（亦為過去之財星）
東北—今年為五黃大病位
中宮—今年為二黑細病位

南

東 / 西

一（桃花位）音樂盒 • 一杯水	六（武曲位）一杯水（催財）• 八粒白石（利升遷）	八（財位）一杯水
九（喜慶位）四盆植物 • 九枝紅花	二（細病位）音樂盒	四（文昌位）四枝富貴竹
五（大病位）音樂盒 • 一杯水	七（破軍位）一杯水	三（爭鬥位）粉紅色物件

北

正東

正東今年是「喜慶位」。要是你蜜運多時，但婚期未定，便可以在屋內正東位置放四盆植物及九枝紅花。當然，任何喜慶的事情都可包括在內，如閣下已經結婚，想要孩子的，亦可以催旺正東位；已經有了孩子，也可以為升職加薪而努力，但就不用放九枝紅花。

東南

東南位今年是「桃花位」，要催旺桃花，可以放一杯水，再在旁邊放一個上鏈發聲音樂盒，宜久不久拉動音樂盒，讓其金屬聲震動旁邊的水以催旺桃花。由於桃花除了代表男女關係外，還包括一般的人際關係，所以，已婚人士也可以催旺桃花，當中特別對想加強人際關係，或從事的工作需要經常應酬和搞好人際關係之人士，都能起到正面的作用，但就不需要再加音樂盒，只放一杯水就可以。

正南

正南今年是「武曲位」，利文職以外的人。渴望升職的話，可以在正南放八粒白色的石頭。如要財源廣進，則要放一杯水。這裏所指的文職以外，可稱之為武職，即如裝設電腦、修理火車路軌、三行工人、紀律部隊或其他技術性人員等。

西南

「八白財星」在西南位，催財可以擺放一杯水、任何水種植物或魚缸在此位，以利財運。

正西

今年「文昌位」在正西。如要催旺正西文昌位，最宜放四枝富貴竹，但單單放一杯水，都有催旺文昌位的作用。文昌位除了對進修和在學人士有影響之外，在訂立契約和處理文件的時候，催旺文昌位都能起到正面的作用。

西北

西北位屬「三碧爭鬥位」，可在家居西北位放置粉紅色物件化解。但若閣下是靠口才為生，則可以不化解。

正北

今年正北是「七赤星」，七赤星目前雖是退氣星，但旺氣仍在，宜在正北位放一杯水以起催財作用。

東北

今年東北是「五黃大病位」，會引起身體不適，而主要影響的身體部位是呼吸系統及腹部，例如肺、喉嚨、氣管、腸胃等疾病。如果家居大門位於東北、廚房在東北，又或者你睡覺的方位在家居的東北，自然病得更加嚴重。要化解疾病位，可以在東北位擺放音樂盒、風鈴或其他可發聲的金屬物件，如多過一條的舊鑰匙亦可。

中宮

中宮今年屬「二黑細病位」，如家居的大門、廚房或睡房位處中宮，居住者即容易生病，而主要病變會集中在呼吸系統，即喉嚨及氣管等，其次為腹部疾病。氣管問題可將風鈴、音樂盒及一些可發出聲音的金屬物件放在中宮位化解，腹瀉、腹痛則放紅地氈化解；兩者可交替使用。

音樂盒——代表任何金屬發聲物件，如銅鈴、鑰匙、銅製錢幣等。

石——任何石製物件或天然石頭。

水——水喉水一杯、水種植物或魚缸。

植物——任何植物，但仙人掌除外。

紅色——任何紅色物件，如利是封、揮春等。

（宜獨立運用，效果更佳，因與其他布局一同運用，唯恐作用互相抵銷。）

催財局

今年喜慶位在正東，七赤位在正北，財位在西南，如要催財，可在此三方放一杯水，並在水中加一粒黑石。注意催財局不可長用，每用三個月便要停一個月，然後再用，否則無效。

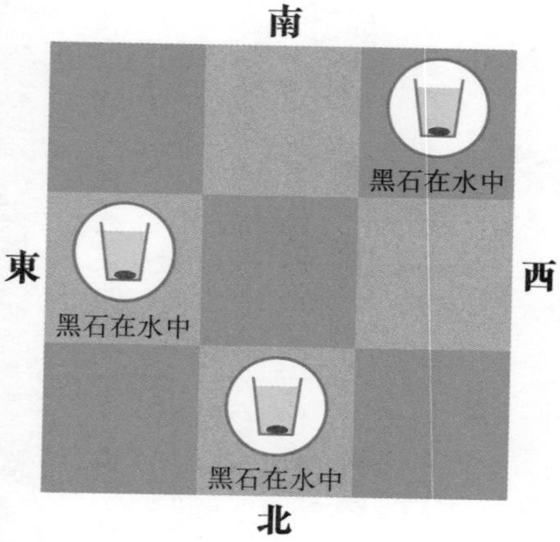

催桃花人緣局

今年桃花位在東南，太歲三合位在正北、東南，可在東南放一杯水加音樂盒以催旺桃花。如再放一隻鼠形擺設在正北、一隻龍形擺設在東南，可增加人緣。桃花、人緣同至，自然馬到功成。但如只要人緣不要桃花，東南則不用放音樂盒。

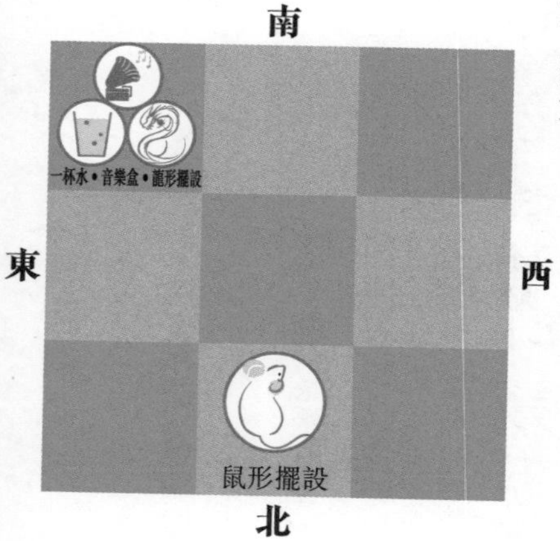

催生意局

如今年生意欠佳，訂單不足，即可在正西文昌位放四枝富貴竹，並於西南財位放八粒白色石春於水中，自然能催旺生意。

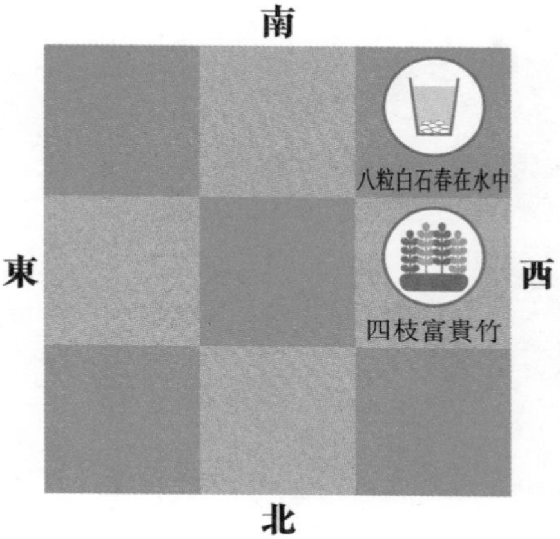

催文昌考試局

要催文昌，需在東南一白方放四枝富貴竹，並於正西四綠方放水一杯，以起一四同宮發科名之效。

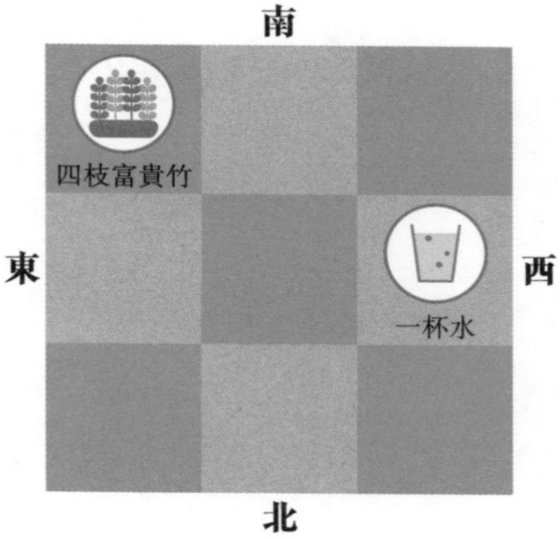

催喜慶姻緣局

今年喜慶位在正東，宜在正東放四棵泥種植物，外面圍九枝紅花，以催旺喜慶。再於東南桃花位放一杯水催旺人緣。

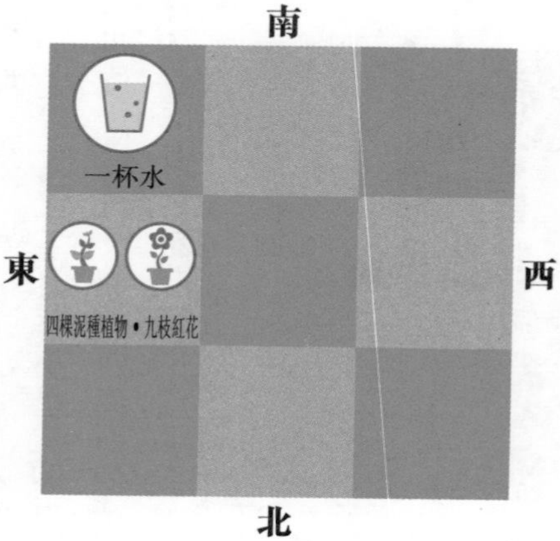

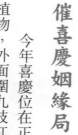

猴年大門地氈顏色旺宅化病方法

正東

正東今年為喜慶位，室外宜放綠色地氈催旺喜慶。

大門開在正東方

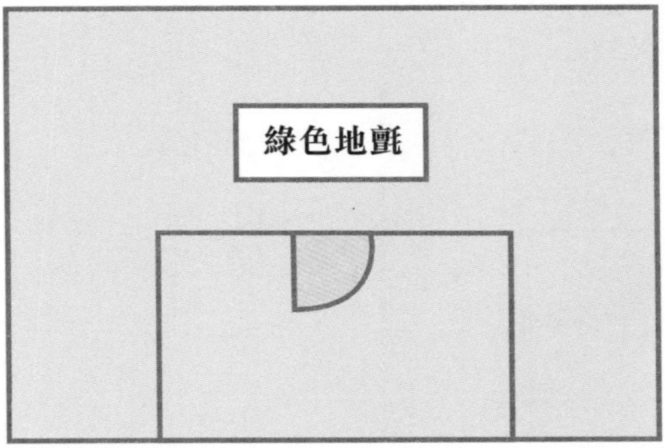

東南

東南今年為一白桃花星，宜放灰或藍色地氈催旺桃花。（如要化桃花，則在屋內放綠色地氈。）

大門開在東南方

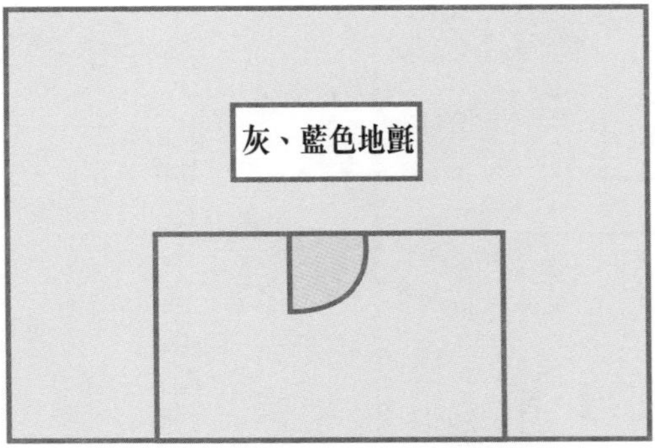

正南

正南今年為武曲位，利文職以外的人士，宜放黃或啡色地氈在屋外以催升職；如催財則可於屋內放灰地氈。

大門開在正南方

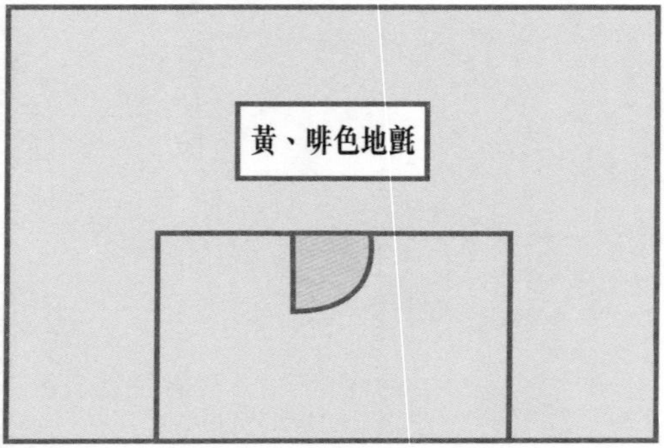

西南

西南今年為八白財星，宜放紅地氈催旺財星。

大門開在西南方

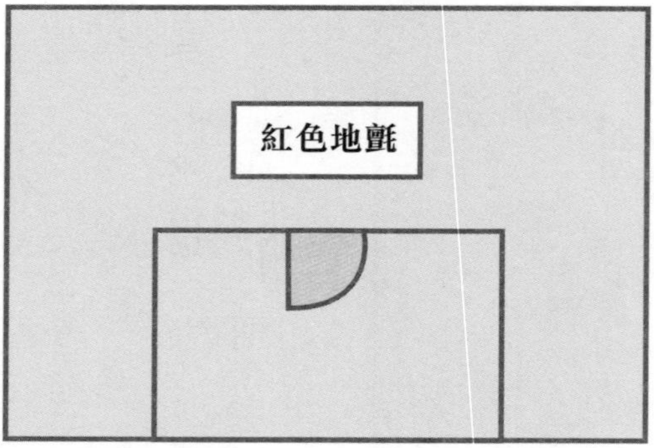

正西

正西今年為文昌位，可放灰地氈，並在地氈底放綠色布以催旺文昌星。（地氈可放門內或門外。）

大門開在正西方

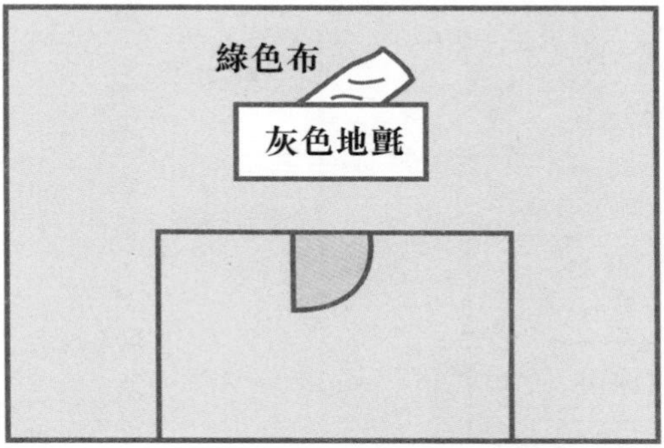

西北

西北今年為三碧爭吵位，宜在大門放粉紅色地氈化解是非。

大門開在西北方

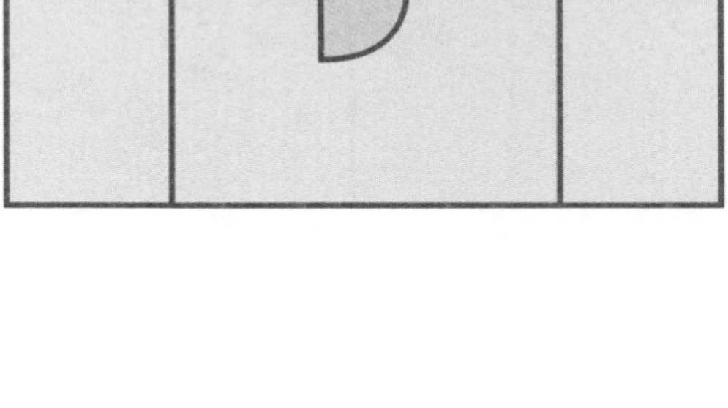

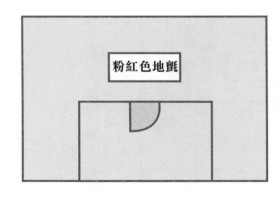

正北

正北今年為七赤破軍星，可放灰色地氈在屋內引財。

大門開在正北方

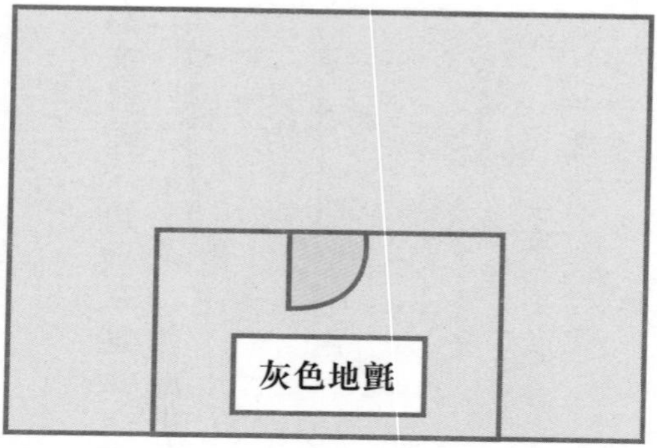

東北

東北本年為大病位，宜用灰地氈，並在地氈底放金屬物件、門內掛鈴或放音樂盒化解。

大門開在東北方

中宮

中宮今年為細病位，宜用灰地氈，並在地氈底放金屬物件以化解病星。

大門開在中宮位置

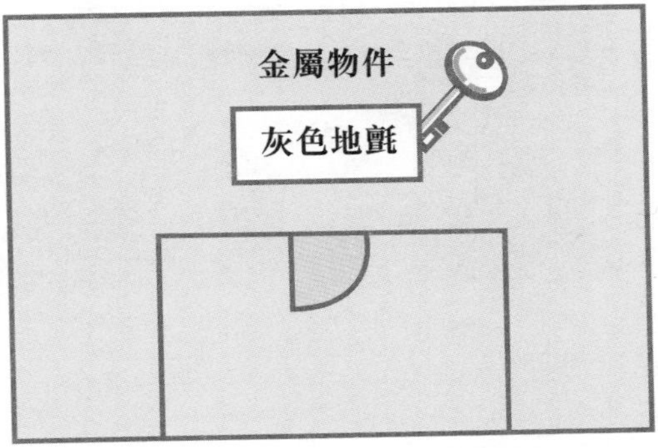

註：大門方向與大門開在哪一方位並無直接關係，現在是要尋找大門開在屋中的哪個方向。（見左圖例）

大門向東

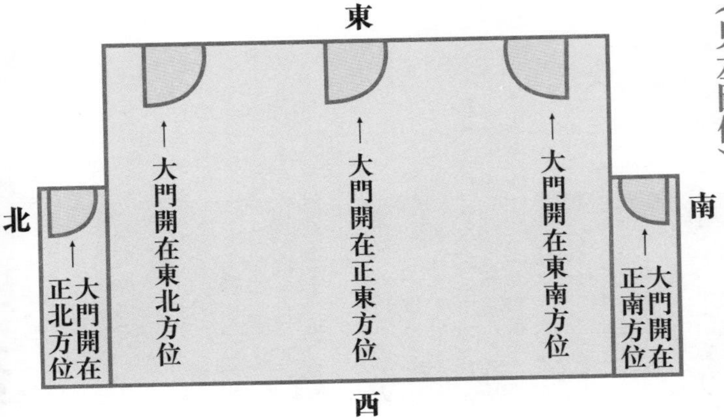

南

一

1	4	7	1
9	3	6	9
8	2	5	8

六

6	9	3	6
5	8	2	5
4	7	1	4

八

8	2	5	8
7	1	4	7
6	9	3	6

東

九

9	3	6	9
8	2	5	8
7	1	4	7

二
（年飛星）

2 十月	5 七月	8 四月	2 一月
1 十一月	4 八月	7 五月	1 二月
9 十二月	3 九月	6 六月	9 三月

四

4	7	1	4
3	6	9	3
2	5	8	2

西

五

5	8	2	5
4	7	1	4
3	6	9	3

七

7	1	4	7
6	9	3	6
5	8	2	5

三

3	6	9	3
2	5	8	2
1	4	7	1

北

二〇一六年流月飛星圖

1	6	8
9	2	4
5	7	3

一月

9	5	7
8	1	3
4	6	2

二月

8	4	6
7	9	2
3	5	1

三月

7	3	5
6	8	1
2	4	9

四月

6	2	4
5	7	9
1	3	8

五月

5	1	3
4	6	8
9	2	7

六月

4	9	2
3	5	7
8	1	6

七月

3	8	1
2	4	6
7	9	5

八月

2	7	9
1	3	5
6	8	4

九月

1	6	8
9	2	4
5	7	3

十月

9	5	7
8	1	3
4	6	2

十一月

8	4	6
7	9	2
3	5	1

十二月

猴年每月風水布局

每月風水布局主要看每月的五黃二黑走向，有否與流年二五疊臨，如有，要多響音樂盒化解，其次九紫火八白土飛至二、五之位，亦會增加其力量。

農曆一月（西曆二月四日至三月五日）

正東——本年正東為九紫火，本月正東亦為九紫火，有利喜慶。

東南——本年東南為一白水，本月東南亦為一白水，可多響音樂盒催旺桃花。

正南——年月正南皆為六白金，可放一杯水催財，放八粒白石利升遷。

西南——年月皆為八白財星，可放一杯水催財。

正西——年月皆四綠文昌位，可放四枝富貴竹利文昌。

西北——年月西北皆為三碧爭鬥星，宜放粉紅色物件化解。

正北——年月皆為七赤星，可放一杯水催財。

東北——年月皆為五黃病位，宜多響音樂盒化病。

中宮——年月皆為二黑病符，宜多響音樂盒化病。

農曆二月（西曆三月五日至四月四日）

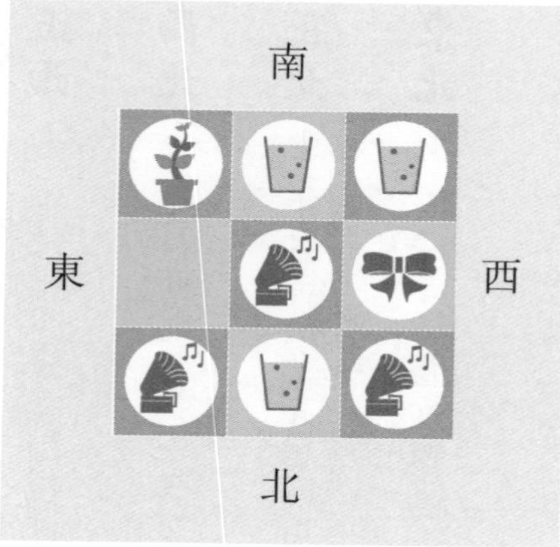

正東——本年正東為九紫火，本月正東為八白土，火生土旺有利財星。

東南——本年東南為一白水，本月東南為九紫火，水火交戰宜放植物化解。

正南——本年正南為六白金，本月正南為五黃病星土，金能洩土洩弱病星，可再放一杯水化解。

西南——本年西南為八白財星，本月西南為七赤過氣財星，可放一杯水催財。

正西——本年正西為文昌位，本月正西為三碧爭鬥星，木見木旺，既利文昌亦旺爭鬥，宜放粉紅色物件化解。

西北——本年西北為三碧木，本月西北為二黑土，二三相遇為鬥牛煞，與訟招災，宜放音樂盒洩土制木。

正北——本年正北為七赤金，本月正北為六白金，六遇七為交劍煞而易見損傷，宜放一杯水化解。

東北——本月東北為五黃土，本月東北為四綠木，木動而剋土恐激怒五黃，宜多響音樂盒洩土制木。

中宮——本年中宮為二黑土，本月中宮為一白水，土剋水而不利泌尿系統，宜多響音樂盒化解。

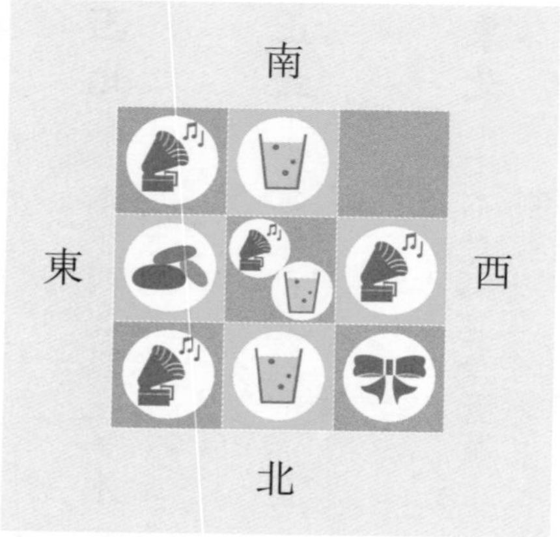

農曆三月（西曆四月四日至五月五日）

正東──本年正東為九紫火，本月正東為七赤金，火金交戰而不利頭、骨、肺，宜放石頭化解。

東南──本年東南為一白水，本月東南為八白土，土剋水而不利泌尿系統，宜放音樂盒化解。

正南──本年正南為六白金，本月正南為四綠木，金木交戰而易見損傷，宜放一杯水化解。

西南──本年西南為八白土，本月西南為六白金，八六相遇而有利升遷。

正西——本年正西為四綠木，本月正西為二黑病符，宜放音樂盒洩土制木。

西北——本年西北為三碧木，本月西北為一白水，水生木旺而生旺是非，放粉紅色物件化解。

正北——本年正北為七赤金，本月正北為五黃土，金能洩土洩弱病星，可再放一杯水化解。

東北——本年東北為五黃土，本月東北為三碧爭鬥位，直多響音樂盒洩土制木。

中宮——本年中宮為二黑土，本月中宮為九紫火，宜放音樂盒及一杯水洩土制火。

農曆四月（西曆五月五日至六月五日）

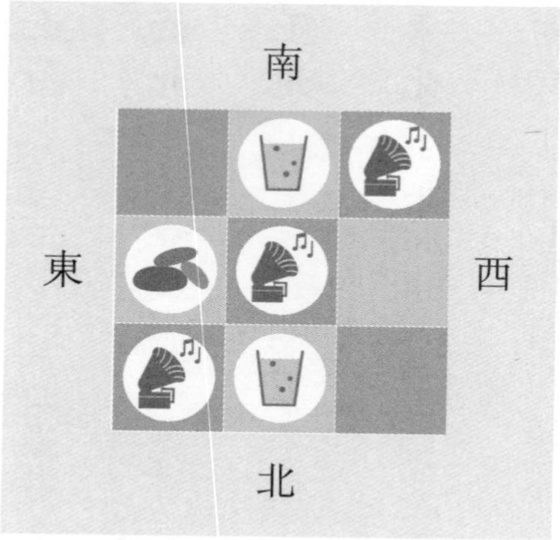

正東——本年正東為九紫火，本月正東為六白金，火金交戰而不利頭、氣管、肺，宜放石頭化解。

東南——本年東南為一白水，本月東南為七赤金，金能生水，既利桃花亦利財。

正南——本年正南為六白金，本月正南為三碧木，金木交戰而易見損傷，宜放一杯水化解。

西南——本年西南為八白土，本月西南為五黃土，土見土旺生旺病星，宜放音樂盒化解。

正西——本年正西為四綠木，本月正西為一白水，水遇木為一四同宮發科名之顯。

西北——本年西北為三碧木，本月西北為九紫火，火能洩木而洩弱爭鬥，而木生火則有利喜慶。

正北——本年正北為七赤金，本月正北為四綠木，金木交戰而易見損傷，宜放一杯水化解。

東北——本月東北為五黃土，本月東北為二黑土，二五疊臨而損主重病，宜多響音樂盒化病。

中宮——本年中宮為二黑土，本月中宮為八白土，土遇土而生旺病星，宜多響音樂盒化病。

農曆五月（西曆六月五日至七月七日）

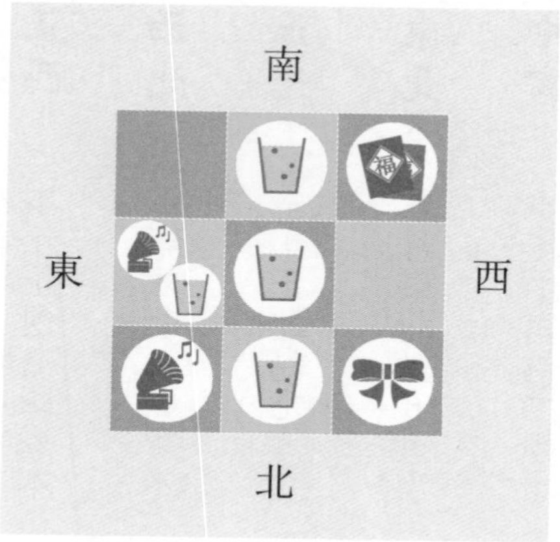

正東——本年正東為九紫火，本月正東為五黃土，火生土旺而生旺病星，宜放音樂盒及一杯水洩土制火。

東南——本年東南為一白水，本月東南為六白金，金生水旺既利桃花亦利財。

正南——本年正南為六白金，本月正南為二黑土，金能洩土洩弱病星，可再放一杯水化病催財。

西南——本年西南為八白土，本月西南為四綠木，木土交戰而不利腸胃，宜放紅色物件化解。

正西——本年正西為四綠木，本月正西為九紫火，木生火旺既利文昌亦利喜慶。

西北——本年西北為三碧木，本月西北為八白土，木土交戰而不利腸胃，宜放粉紅色物件化解。

正北——本年正北為七赤金，本月正北為三碧木，七遇三為穿心煞，宜放一杯水化解。

東北——本年東北為五黃土，本月東北為一白水，土剋水而不利泌尿系統，宜多響音樂盒洩土生水。

中宮——本年中宮為二黑土，本月中宮為七赤金，金能洩土洩弱病星，可再放一杯水催財。

農曆六月（西曆七月七日至八月七日）

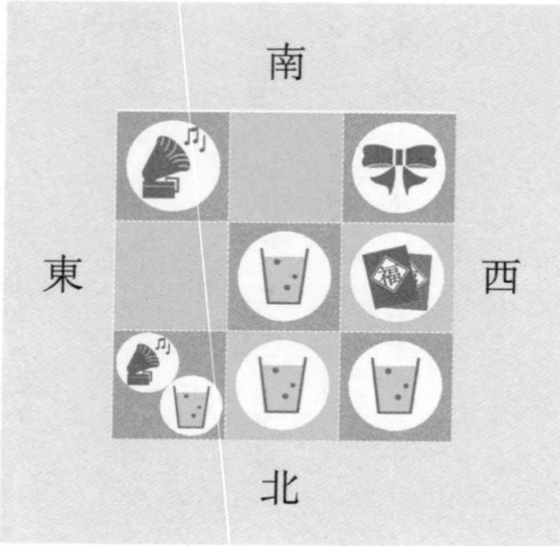

正東——本年正東為九紫火，本月正東為四綠木，木生火旺既利文昌亦利喜慶。

東南——本年東南為一白水，本月東南為五黃土，土剋水而不利泌尿系統，宜放音樂盒洩土生水，既能化病又利桃花。

正南——本年正南為六白金，本月正南為一白水，金生水旺，既利桃花亦利財。

西南——本年西南為八白土，本月西南為三碧木，木土交戰而不利腸胃，宜放粉紅色物件，既化是非亦利腸胃。

正西——本年正西為四綠木，本月正西為八白土，木土交戰宜放紅色物件化病生財。

西北——本年西北為三碧木，本月西北為七赤金，七三相遇為穿心煞恐意外損傷，宜放一杯水化解。

正北——本年正北為七赤金，本月正北為二黑土，金能洩土洩弱病星，可再放一杯水催財。

東北——本年東北為五黃土，本月東北為九紫火，火生土旺生旺病星，宜放音樂盒及一杯水洩土制火。

中宮——本年中宮為二黑土，本月中宮為六白金，金能洩土洩弱病星，可再放一杯水催財。

農曆七月（西曆八月七日至九月七日）

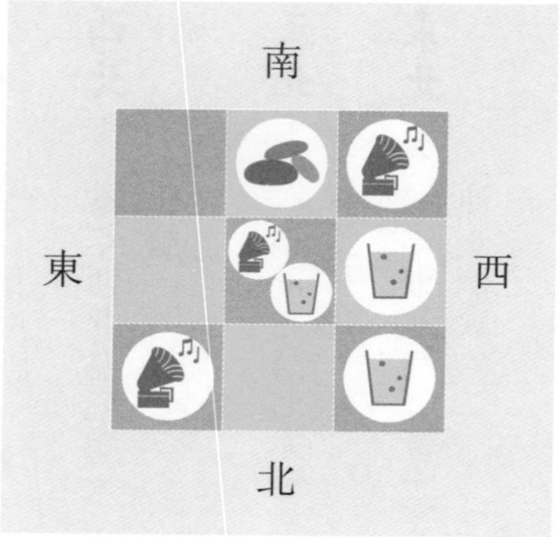

正東——本年正東為九紫火，本月正東為三碧爭鬥木，火能洩木，既能化是非，又可催旺喜慶。

東南——本年東南為一白水，本月東南為四綠木，一四相遇既利文昌亦利考試。

正南——本年正南為六白金，本月正南為九紫火，火剋金而不利頭、骨、肺，宜放石頭化解。

西南——本年西南為八白土，本月西南為二黑土，土見土旺生旺病星，宜放音樂盒化解。

正西——本年正西為四綠木，本月正西為七赤金，金木交戰而易見損傷，宜放一杯水化損傷。

西北——本年西北為三碧木，本月西北為六白金，金木交戰而易見損傷，宜放一杯水化解。

正北——本年正北為七赤金，本月正北為一白水，金能生水，既利桃花亦利財。

東北——本年東北為五黃土，本月東北為八白土，土土見旺生旺病符，宜多響音樂盒化病。

中宮——本年中宮為二黑土，本月中宮為五黃土，二五疊臨既損主亦見重病，宜多響音樂盒再加一杯水化解。

農曆八月（西曆九月七日至十月八日）

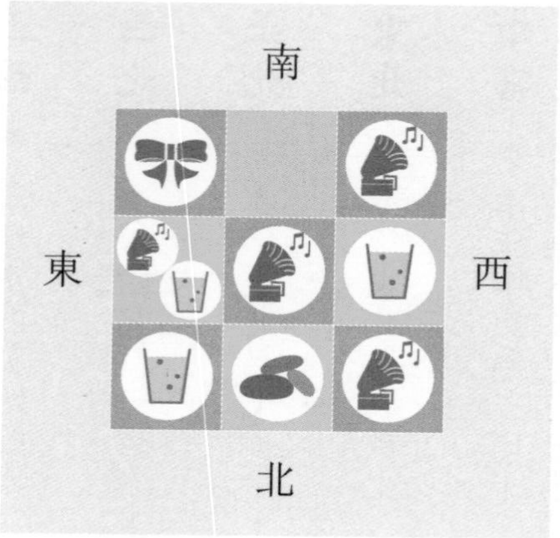

正東——本年正東為九紫火，本月正東為二黑土，火生土旺生旺病星，宜放音樂盒及一杯水洩土制火。

東南——本年東南為一白水，本月東南為三碧木，水生木旺生旺是非，宜放粉紅色物件化解。

正南——本年正南為六白金，本月正南為八白土，土生金旺而有利升遷。

西南——本年西南為八白土，本月西南為一白水，土水交戰而不利泌尿系統，宜放音樂盒化解。

正西——本年正西為四綠木，本月正西為六白金，金木交戰而易見損傷，宜放一杯水化解。

西北——本年西北為三碧木，本月西北為五黃土，木剋土而激怒病符，宜放音樂盒洩土制木。

正北——本年正北為七赤金，本月正北為九紫火，火金交戰而不利肺、骨、喉嚨、氣管，宜放石頭化解。

東北——本年東北為五黃土，本月東北為七赤金，金能洩土洩弱病星，可再放一杯水催財。

中宮——本年中宮為二黑土，本月中宮為四綠木，木動剋土而激怒病符，宜多響音樂盒洩土制木。

農曆九月（西曆十月八日至十一月七日）

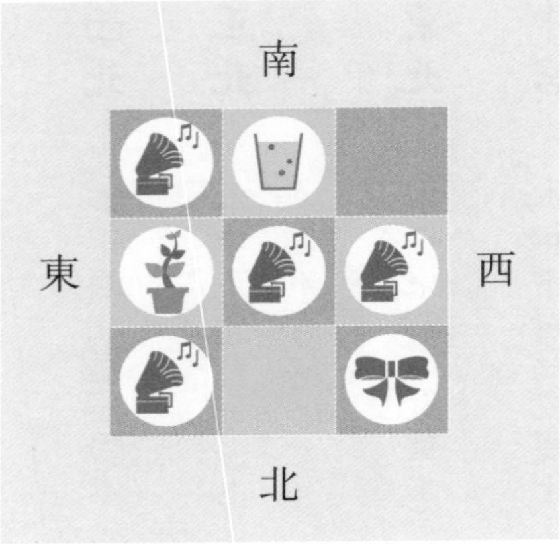

正東——本年正東為九紫火，本月正東為一白水，水火交戰而不利情緒，宜放植物化解。

東南——本年東南為一白水，本月東南為二黑土，土水交戰宜放音樂盒洩土生水。

正南——本年正南為六白金，本月正南為七赤金，六遇七為交劍煞易見損傷，宜放一杯水化解。

西南——本年西南為八白土，本月西南為九紫火，火生土旺有利財星。

正西——本年正西為四綠木，本月正西為五黃土，宜放音樂盒♫洩土利木以化病星。

西北——本年西北為三碧爭鬥木，本月西北為四綠文昌木，木見木旺既利文昌亦旺是非，可放粉紅色物件化解。

正北——本年正北為七赤金，本月正北為八白土，七八相遇而有利財星。

東北——本年東北為五黃土，本月東北為六白金，金能洩土洩弱病星，宜多響音樂盒♫化病。

中宮——本年中宮為二黑土，本月中宮為三碧木，二遇三為鬥牛煞，易招官非、禍事，宜多響音樂盒♫洩土制木。

農曆十月（西曆十一月七日至十二月七日）

正東——本年正東為九紫火，本月正東亦為九紫火，此位本月有利喜慶。

東南——年月皆為一白水，催桃花宜放音樂盒，化桃花宜放植物。

正南——年月皆為六白武曲金，催財宜放一杯水，催升職宜放八粒白石。

西南——年月皆為八白土，此位本月有利財星。

正西——年月皆為四綠文昌星，本月有利考試。

西北——年月皆為三碧爭鬥木，宜放粉紅色物件化爭鬥、是非。

正北——年月皆為七赤金，宜放一杯水催財。

東北——年月皆為五黃死符，宜多響音樂盒化解。

中宮——年月皆為二黑病符，宜多響音樂盒化解。

農曆十一月（西曆十二月七日至二〇一七年一月五日）

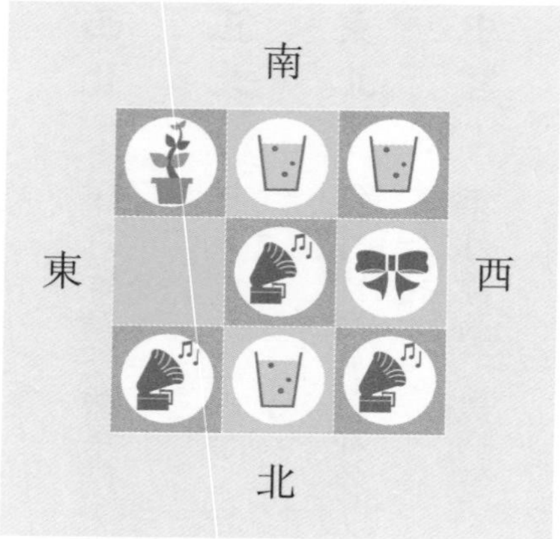

正東——本年正東為九紫火，本月正東為八白土，火生土旺有利財星。

東南——本年東南為一白水，本月東南為九紫火，水火交戰而情緒不穩，宜放植物化解。

正南——本年正南為六白金，本月正南為五黃土，金能洩土洩弱病星，可再放一杯水催財。

西南——本年西南為八白土，本月西南為七赤金，過去現在財星兩相遇，可放一杯水催財。

正西——本年正西為四綠木，本月正西為三碧木，既旺文昌又旺爭鬥，宜放粉紅色物件化是非。

西北——本年西北為三碧木，本月西北為二黑土，二三相遇為鬥牛煞，與訟招災，宜放音樂盒洩土制木。

正北——本年正北為七赤金，本月正北為六白金，六七相遇為交劍煞易見損傷，宜放一杯水化解。

東北——本年東北為五黃土，本月東北為四綠木，木剋土而激怒病星，宜多響音樂盒洩土制木。

中宮——本年中宮為二黑土，本月中宮為一白水，宜放音樂盒洩土生水，既能化病，又利桃花。

農曆十二月（西曆二〇一七年一月五日至二月三日）

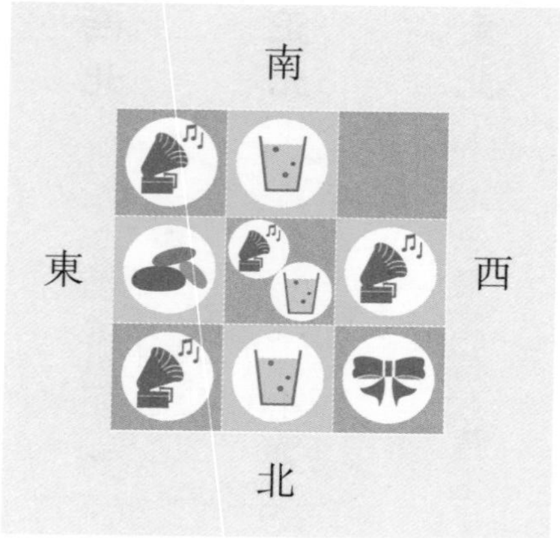

正東——本年正東為九紫火，本月正東為七赤金，火旺剋金而不利肺、骨、喉嚨、氣管，宜放石頭化解。

東南——本年東南為一白水，本月東南為八白土，土水交戰而不利腎、膀胱、泌尿系統，宜放音樂盒化解。

正南——本年正南為六白金，本月正南為四綠木，金木交戰宜放一杯水以化損傷。

西南——本年西南為八白土，本月西南為六白金，六八相遇而有利升遷。

正西——本年正西為四綠木，本月正西為二黑土，木剋土而激怒病星，宜放音樂盒化解。

西北——本年西北為三碧爭鬥木，本月西北為一白水，水生木旺生旺爭鬥，宜粉紅色物件化解。

正北——本年正北為七赤金，本月正北為五黃土，金能洩土洩弱病星，可放一杯水催財。

東北——本年東北為五黃土，本月東北為三碧木，木剋土而激怒死符，宜多響音樂盒洩土制木。

中宮——本年中宮為二黑土，本月中宮為九紫火，火生土旺生旺病星，宜放音樂盒及一杯水洩土制火。

1. 大門向南 172.5 至 202.5 度

i) 一九八四年至二〇〇三年入伙之屋用此圖

南

東 西

北

向午丁

六 4 1	二 8 6	四 6 8
五 5 9	七 3 2	九 1 4
一 9 5	三 7 7	八 2 3

坐子癸

二〇一六飛星圖

1	6	8
9	2	4
5	7	3

ii) 二〇〇四年後入伙之屋用此圖

南

東 西

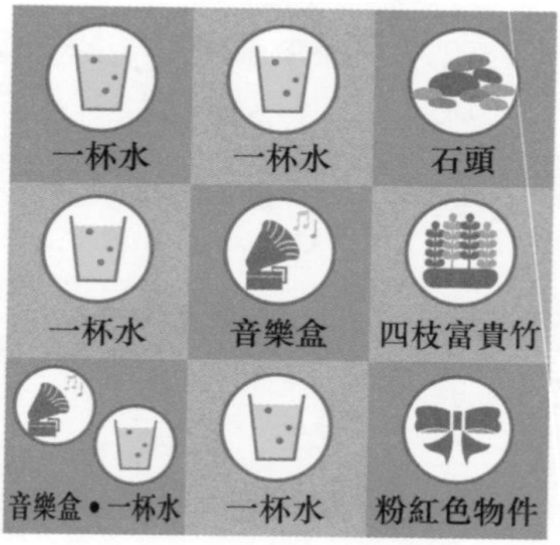

北

向午丁

七 3 4	三 8 8	五 1 6
六 2 5	八 4 3	一 6 1
二 7 9	四 9 7	九 5 2

坐子癸

2. 大門向西南偏南 202.5 至 217.5 度

i) 一九八四年至二〇〇三年入伙之屋用此圖

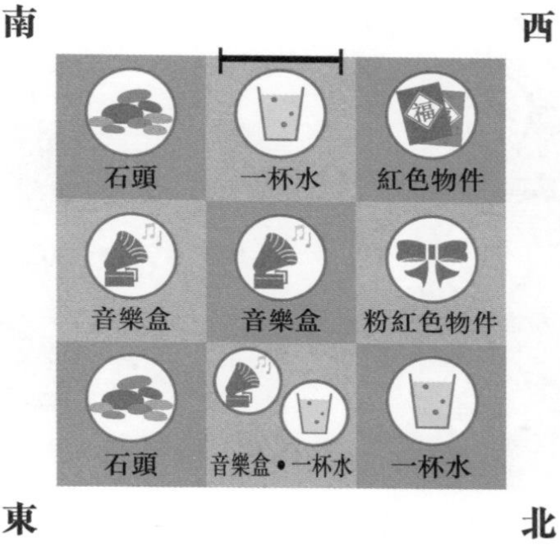

向未

六 9 5	二 5 9	四 7 7
五 8 6	七 1 4	九 3 2
一 4 1	三 6 8	八 2 3

坐丑

二〇一六飛星圖

1	6	8
9	2	4
5	7	3

ii) 二〇〇四年後入伙之屋用此圖

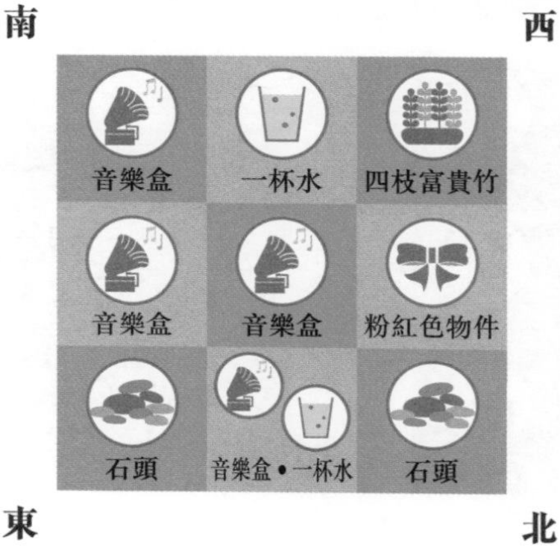

向未

七 3 6	三 7 1	五 5 8
六 4 7	八 2 5	一 9 3
二 8 2	四 6 9	九 1 4

坐丑

3. 大門向西南 217.5 至 247.5 度

i) 一九八四年至二〇〇三年入伙之屋用此圖

南　西

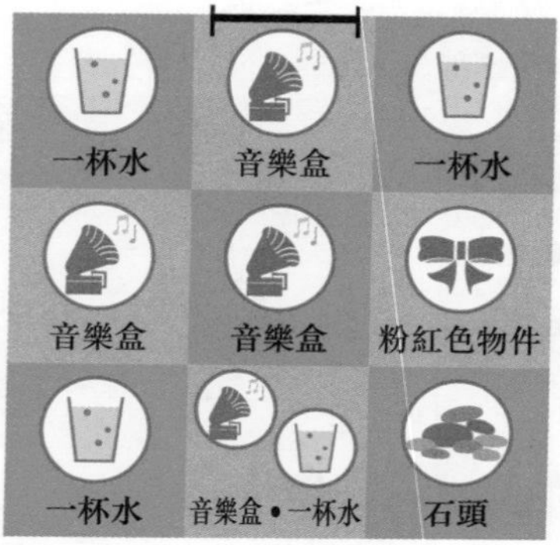

東　北

向坤申

六 2　3	二 6　8	四 4　1
五 3　2	七 1　4	九 8　6
一 7　7	三 5　9	八 9　5

坐艮寅

二〇一六飛星圖

1	6	8
9	2	4
5	7	3

ii) 二〇〇四年後入伙之屋用此圖

南　西

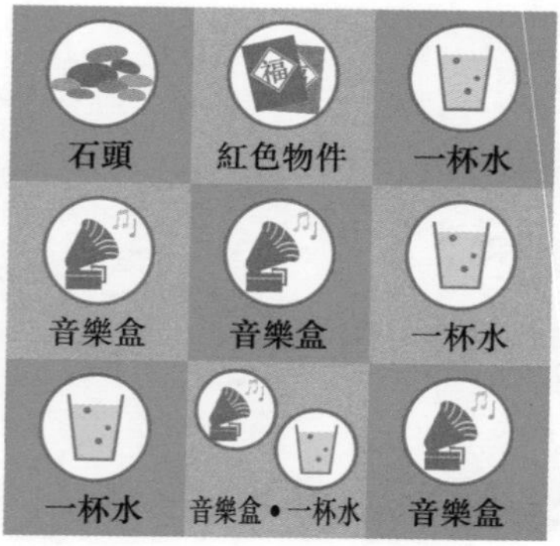

東　北

向坤申

七 1　4	三 6　9	五 8　2
六 9　3	八 2　5	一 4　7
二 5　8	四 7　1	九 3　6

坐艮寅

4. 大門向西偏西南 247.5 至 262.5 度

i) 一九八四年至二〇〇三年入伙之屋用此圖

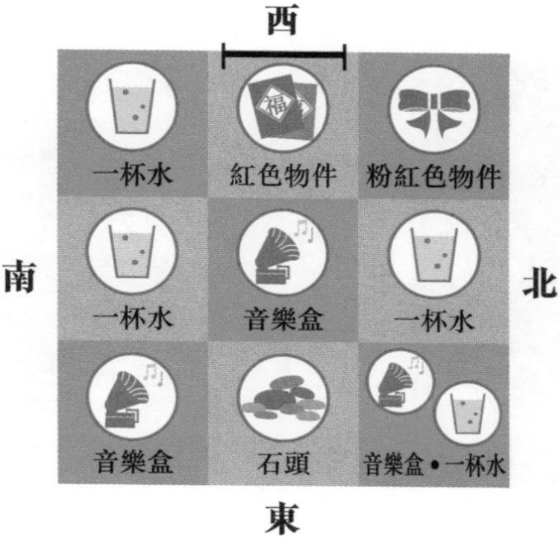

坐甲 / 向庚

六 4 8	二 9 4	四 2 6
五 3 7	七 5 9	九 7 2
一 8 3	三 1 5	八 6 1

二〇一六飛星圖

1	6	8
9	2	4
5	7	3

ii) 二〇〇四年後入伙之屋用此圖

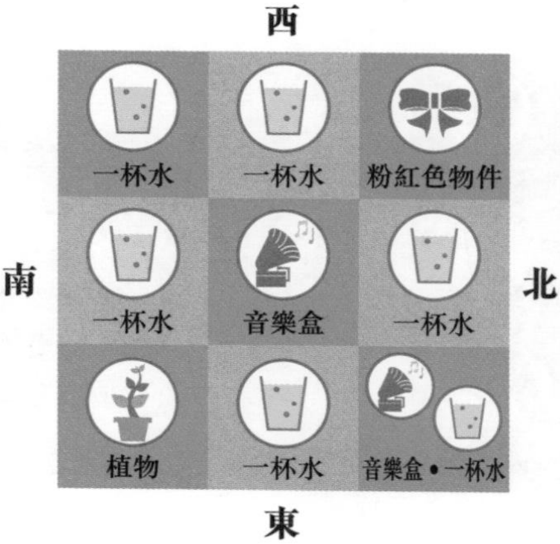

坐甲 / 向庚

七 7 9	三 2 5	五 9 7
六 8 8	八 6 1	一 4 3
二 3 4	四 1 6	九 5 2

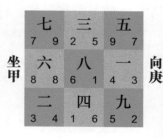

5. 大門向西 262.5 至 292.5 度

i) 一九八四年至二〇〇三年入伙之屋用此圖

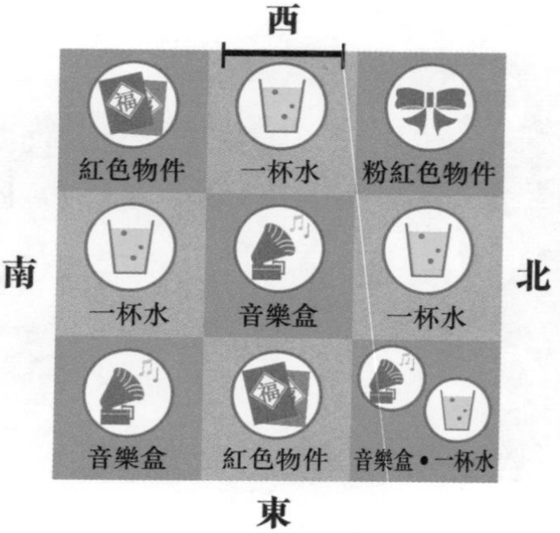

坐卯乙 / 向酉辛

六 6 1	二 1 5	四 8 3
五 7 2	七 5 9	九 3 7
一 2 6	三 9 4	八 4 8

二〇一六飛星圖

1	6	8
9	2	4
5	7	3

ii) 二〇〇四年後入伙之屋用此圖

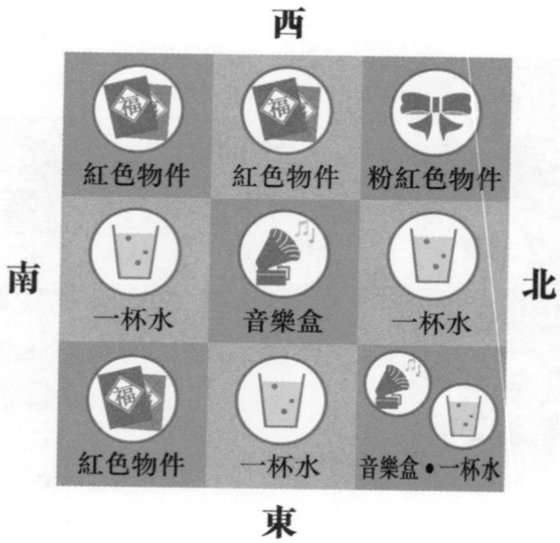

坐卯乙 / 向酉辛

七 5 2	三 1 6	五 3 4
六 4 3	八 6 1	一 8 8
二 9 7	四 2 5	九 7 9

6. 大門向西北偏西 292.5 至 307.5 度

i) 一九八四年至二〇〇三年入伙之屋用此圖

西 北

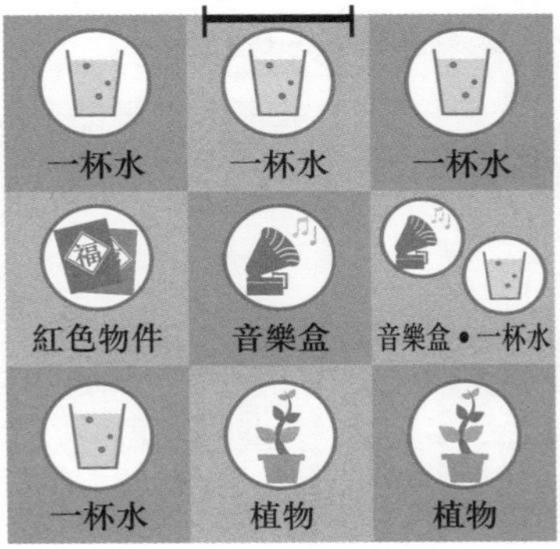

南 東

坐辰

六 7 9	二 2 4	四 9 2
五 8 1	七 6 8	九 4 6
一 3 5	三 1 3	八 5 7

向戌

二〇一六飛星圖

1	6	8
9	2	4
5	7	3

ii) 二〇〇四年後入伙之屋用此圖

西 北

南 東

坐辰

七 6 8	三 2 4	五 4 6
六 5 7	八 7 9	一 9 2
二 1 3	四 3 5	九 8 1

向戌

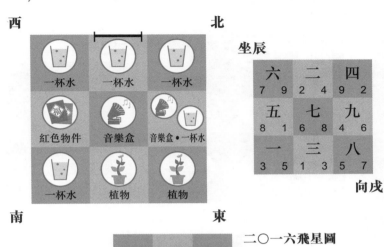

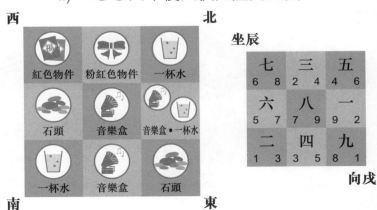

7. 大門向西北 307.5 至 337.5 度

i) 一九八四年至二〇〇三年入伙之屋用此圖

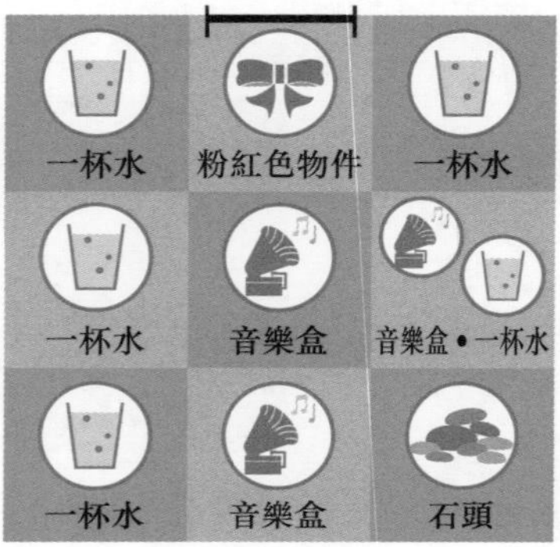

坐巽巳

六 5　7	二 1　3	四 3　5
五 4　6	七 6　8	九 8　1
一 9　2	三 2　4	八 7　9

向乾亥

二〇一六飛星圖

1	6	8
9	2	4
5	7	3

ii) 二〇〇四年後入伙之屋用此圖

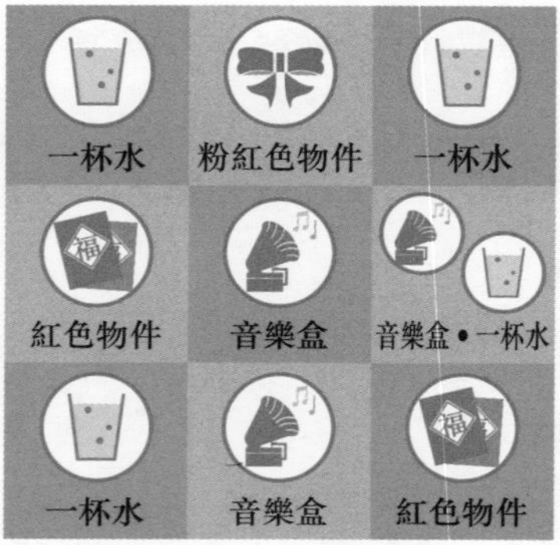

坐巽巳

七 8　1	三 3　5	五 1　3
六 9　2	八 7　9	一 5　7
二 4　6	四 2　4	九 6　8

向乾亥

8. 大門向北偏西北 337.5 至 352.5 度

i) 一九八四年至二〇〇三年入伙之屋用此圖

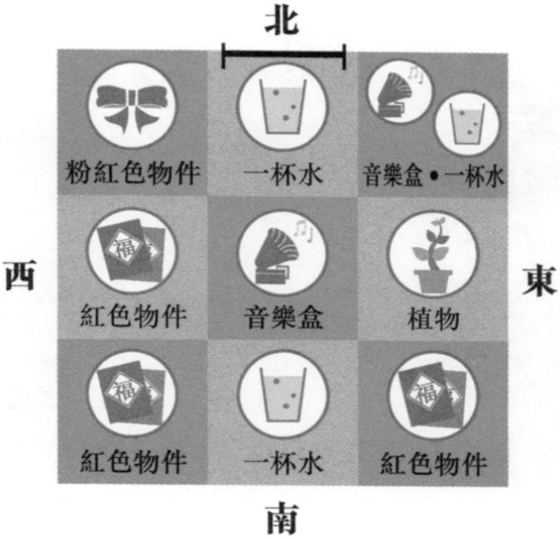

坐丙

六 3 2	二 7 7	四 5 9
五 4 1	七 2 3	九 9 5
一 8 6	三 6 8	八 1 4

向壬

二〇一六飛星圖

1	6	8
9	2	4
5	7	3

ii) 二〇〇四年後入伙之屋用此圖

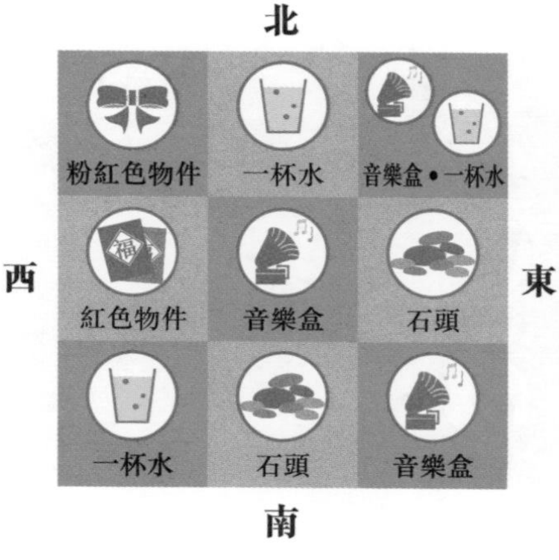

坐丙

七 2 5	三 7 9	五 9 7
六 1 6	八 3 4	一 5 2
二 6 1	四 8 8	九 4 3

向壬

9. 大門向北 352.5 至 22.5 度

i) 一九八四年至二〇〇三年入伙之屋用此圖

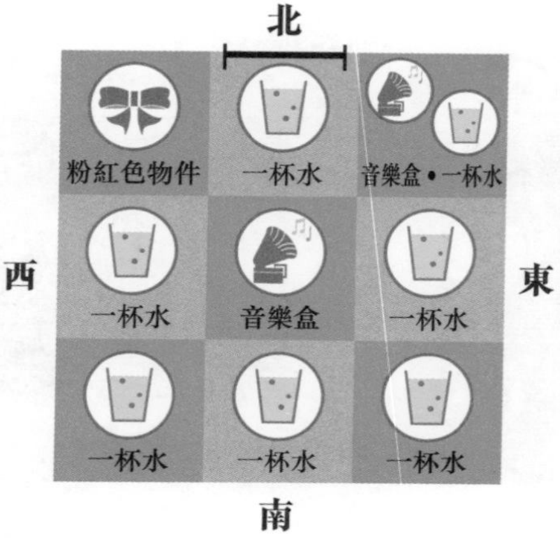

坐午丁

六 1 4	二 6 8	四 8 6
五 9 5	七 2 3	九 4 1
一 5 9	三 7 7	八 3 2

向子癸

二〇一六飛星圖

1	6	8
9	2	4
5	7	3

ii) 二〇〇四年後入伙之屋用此圖

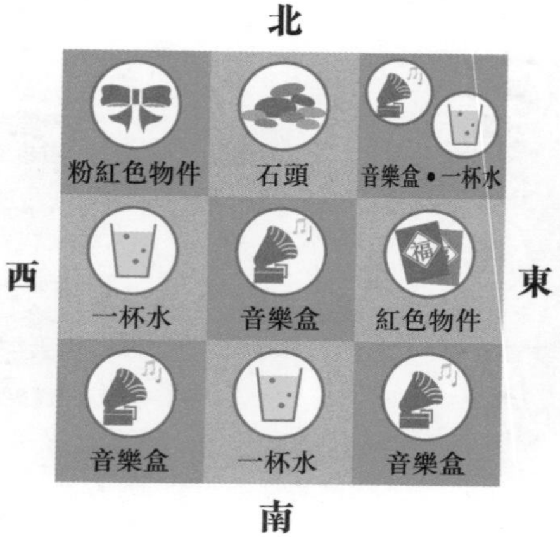

坐午丁

七 4 3	三 8 8	五 6 1
六 5 2	八 3 4	一 1 6
二 9 7	四 7 9	九 2 5

向子癸

10. 大門向東北偏北 22.5 至 37.5 度

i) 一九八四年至二〇〇三年入伙之屋用此圖

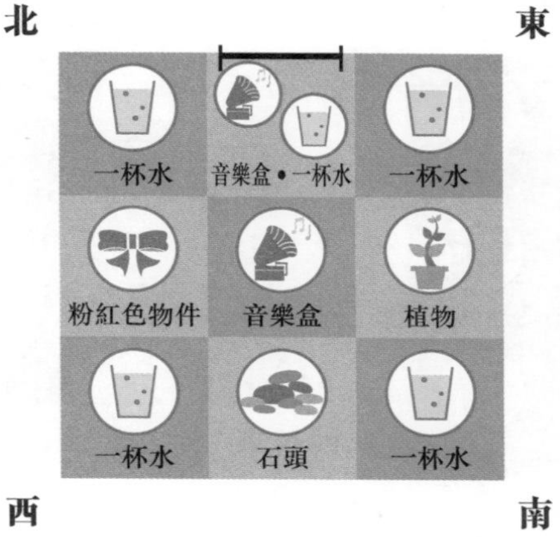

坐未

六 5 9	二 9 5	四 7 7
五 6 8	七 4 1	九 2 3
一 1 4	三 8 6	八 3 2

向丑

二〇一六飛星圖

1	6	8
9	2	4
5	7	3

ii) 二〇〇四年後入伙之屋用此圖

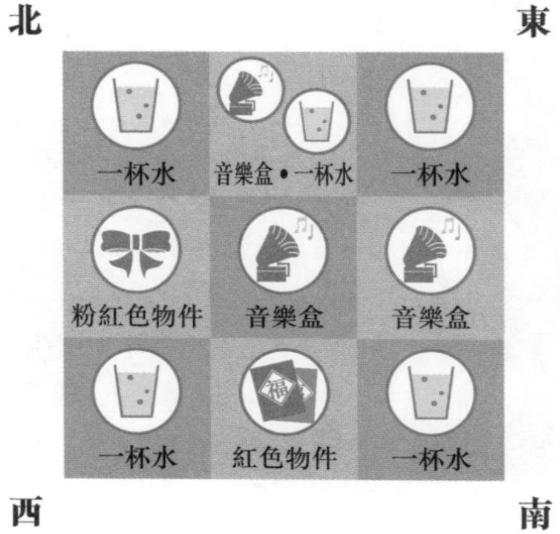

坐未

七 6 3	三 1 7	五 8 5
六 7 4	八 5 2	一 3 9
二 2 8	四 9 6	九 4 1

向丑

11. 大門向東北 37.5 至 67.5 度

i) 一九八四年至二〇〇三年入伙之屋用此圖

北　　　東

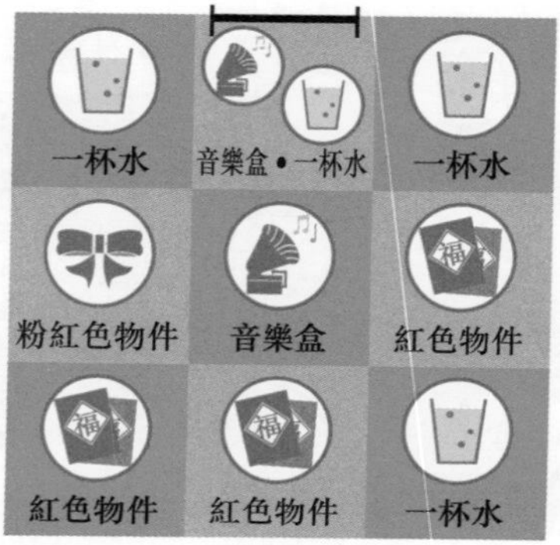

西　　　南

坐坤申

六 3　2	二 8　6	四 1　4
五 2　3	七 4　1	九 6　8
一 7　7	三 9　5	八 5　9

向艮寅

二〇一六飛星圖

1	6	8
9	2	4
5	7	3

ii) 二〇〇四年後入伙之屋用此圖

北　　　東

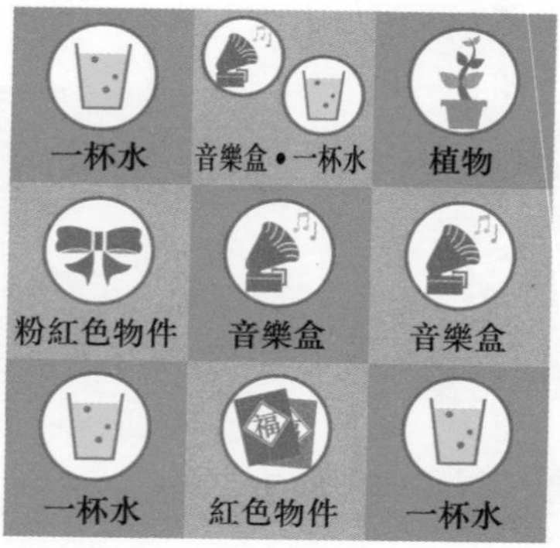

西　　　南

坐坤申

七 4　1	三 9　6	五 2　8
六 3　9	八 5　2	一 7　4
二 8　5	四 1　7	九 6　3

向艮寅

12. 大門向東偏東北 67.5 至 82.5 度

i) 一九八四年至二〇〇三年入伙之屋用此圖

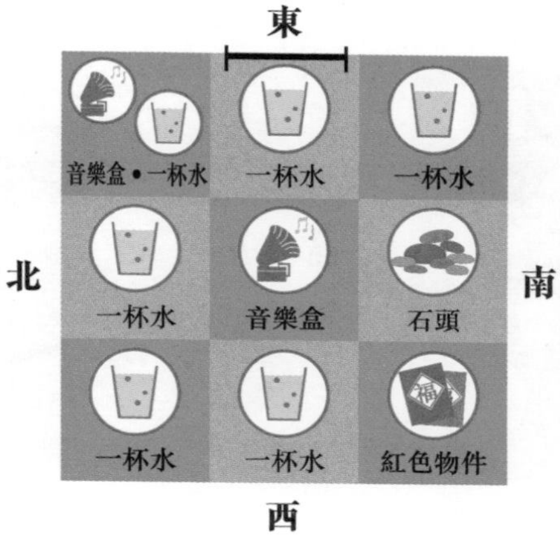

向甲

六 8 4	二 4 9	四 6 2
五 7 3	七 9 5	九 2 7
一 3 8	三 5 1	八 1 6

坐庚

二〇一六飛星圖

1	6	8
9	2	4
5	7	3

ii) 二〇〇四年後入伙之屋用此圖

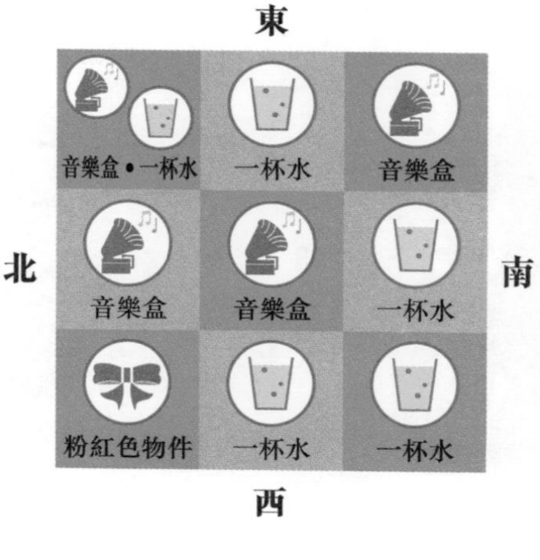

向甲

七 9 7	三 5 2	五 7 9
六 8 8	八 1 6	一 3 4
二 3 4	四 6 1	九 2 5

坐庚

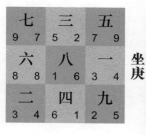

13. 大門向東 82.5 至 112.5 度

i) 一九八四年至二〇〇三年入伙之屋用此圖

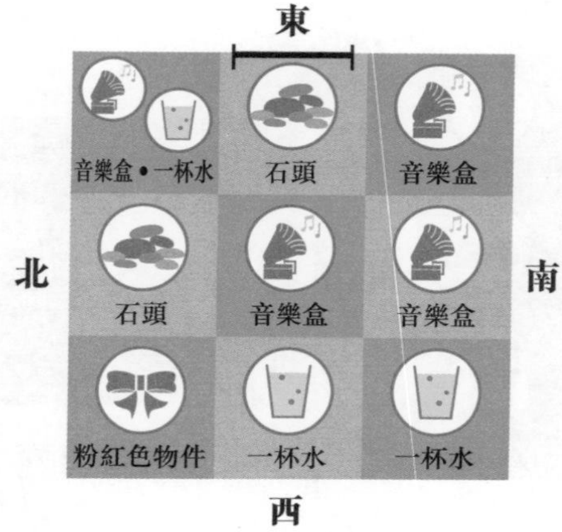

向卯乙 / 坐酉辛

六 1 6	二 5 1	四 3 8
五 2 7	七 9 5	九 7 3
一 6 2	三 4 9	八 8 4

二〇一六飛星圖

1	6	8
9	2	4
5	7	3

ii) 二〇〇四年後入伙之屋用此圖

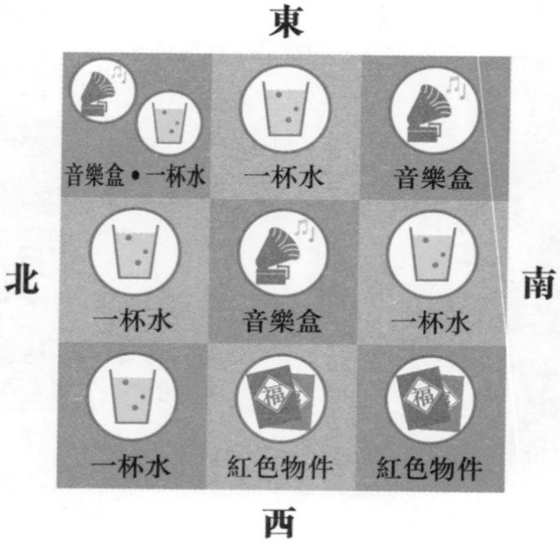

向卯乙 / 坐酉辛

七 2 5	三 6 1	五 4 3
六 3 4	八 1 6	一 8 8
二 7 9	四 5 2	九 9 7

14. 大門向東南偏東 112.5 至 127.5 度

i) 一九八四年至二〇〇三年入伙之屋用此圖

東　南

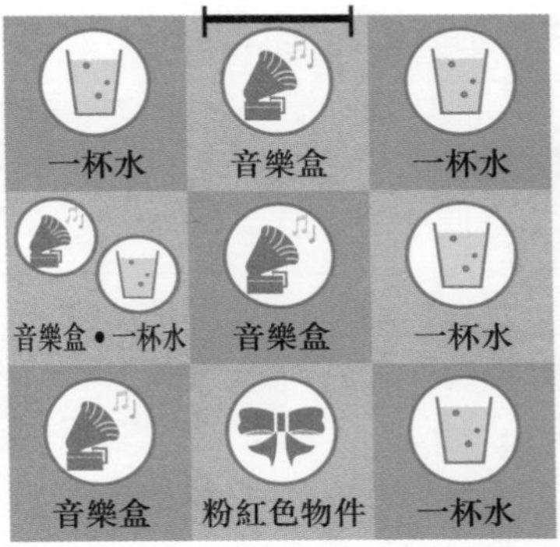

北　西

向辰

六 9　7	二 4　2	四 2　9
五 1　8	七 8　6	九 6　4
一 5　3	三 3　1	八 7　5

坐戌

二〇一六飛星圖

1	6	8
9	2	4
5	7	3

ii) 二〇〇四年後入伙之屋用此圖

東　南

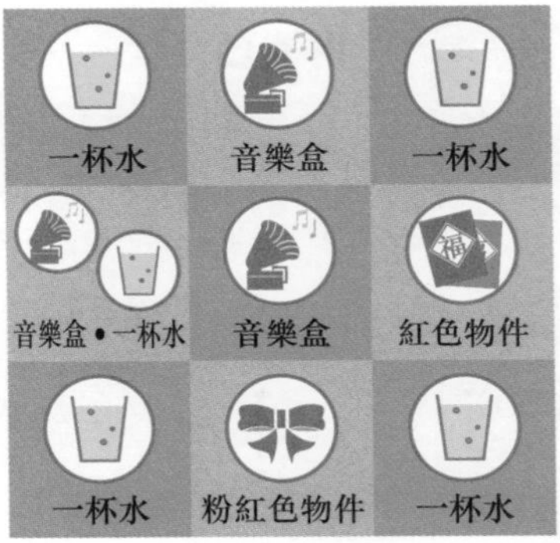

北　西

向辰

七 8　6	三 4　2	五 6　4
六 7　5	八 9　7	一 2　9
二 3　1	四 5　3	九 1　8

坐戌

15. 大門向東南 127.5 至 157.5 度

i) 一九八四年至二〇〇三年入伙之屋用此圖

東　　　　　　　南

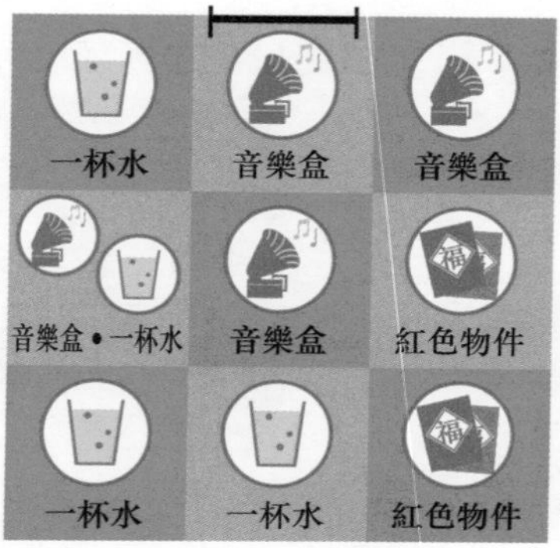

北　　　　　　　西

向巽巳

六 7　5	二 3　1	四 5　3
五 6　4	七 8　6	九 1　8
一 2　9	三 4　2	八 9　7

坐乾亥

二〇一六飛星圖

1	6	8
9	2	4
5	7	3

ii) 二〇〇四年後入伙之屋用此圖

東　　　　　　　南

北　　　　　　　西

向巽巳

七 1　8	三 5　3	五 3　1
六 2　9	八 9　7	一 7　5
二 6　4	四 4　2	九 8　6

坐乾亥

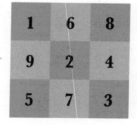

16. 大門向南偏東南 157.5 至 172.5 度

i) 一九八四年至二〇〇三年入伙之屋用此圖

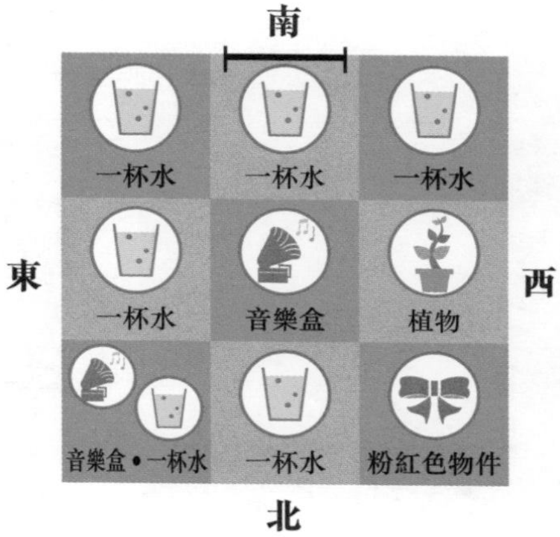

向丙

六 2 3	二 7 7	四 9 5
五 1 4	七 3 2	九 5 9
一 6 8	三 8 6	八 4 1

坐壬

二〇一六飛星圖

1	6	8
9	2	4
5	7	3

ii) 二〇〇四年後入伙之屋用此圖

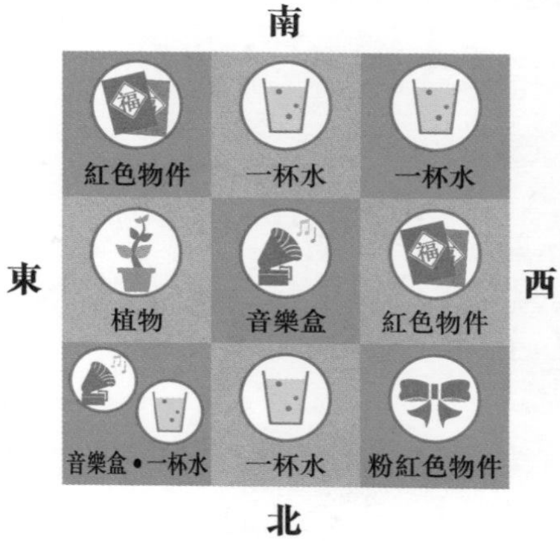

向丙

七 5 2	三 9 7	五 7 9
六 6 1	八 4 3	一 2 5
二 1 6	四 8 8	九 3 4

坐壬

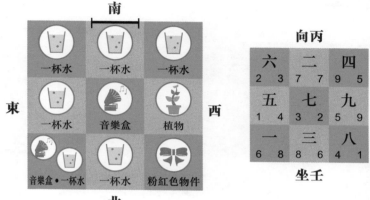

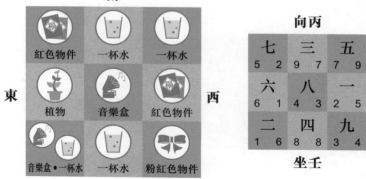

第四章 猴年生肖運程

寒、熱、平命計算方法

寒命人——出生於西曆八月八日後，三月六日前
（即立秋後、驚蟄前）

熱命人——出生於西曆五月六日後，八月八日前
（即立夏後、立秋前）

平命人——出生於西曆三月六日後，五月六日前
（即驚蟄後、立夏前）

寒命人——利木火、東南、青綠紅橙紫。

熱命人——利金水、西北、白金銀黑灰藍。

平命人——木火土金水皆可為用，然金水較佳。

由二〇一六年始至二〇二一年止，這數年都是金水流年，尤其二〇一九至二〇二一為大水年，對熱命人特別有利。故今年開始，熱命人可以放膽嘗試，寒命人宜守不宜攻，平命人亦可進攻。

猴

- 一九三二
- 一九四四
- 一九五六
- 一九六八
- 一九八〇
- 一九九二
- 二〇〇四

寒命人——出生於西曆八月八日後、三月六日前
（即立秋後、驚蟄前）

熱命人——出生於西曆五月六日後、八月八日前
（即立夏後、立秋前）

平命人——出生於西曆三月六日後、五月六日前
（即驚蟄後、立夏前）

肖猴

去年是紅鸞桃花生肖，如已開展一段新感情的話，則今年婚嫁有望，因肖猴今年為犯太歲生肖，正所謂「一喜擋三災，無喜心情壞」，如果有結婚、添丁等喜事，便可以將負面情緒減至最低。

今年雖然為犯太歲年，但與運氣無直接關係。寒命人上半年運程依然不錯；熱命、平命人踏入秋天以後便正式步入六年金水流年，二〇一六至二〇一八年漸有改善，二〇一九至二〇二一年必能更進一步，宜好好把握。

犯太歲年易見損傷、撞車等事，尤其農曆一月、七月宜捐血、洗牙以應損傷，而農曆七月為犯太歲月，是負面情緒最嚴重的一個月，如時間許可的話，最好能外遊散心以紓緩負面情緒帶來的影響，當然，寒命人宜去東、南方；熱命、平命人則宜去西、北方，因去錯方向是會有反效果的。

十二歲仍在學習中的你，要盡量少給自己功課壓力，以避免犯太歲所帶來的負面影響。二十四歲犯太歲者，容易出現感情變化，來一段感情，走一段感情，而結婚、懷孕也算是感情變化。三十六、四十八歲的你，今年受犯太歲影響，是負面情緒嚴重的兩個歲數，故特別要時刻提醒自己，常作正面思想，要是真的出現了情緒問題，記着要多相約朋友外出，總好過一個人獨留家中。六十歲犯太歲則要注意身體健康，如發現嘴歪、牙疏或門牙早已脫落，又或唇色暗黑，則宜作身體檢查，防患未然。至於七十二、八十四歲的你，當然也是要小心注意健康喇！

肖猴今年為權力地位提升年，上班一族固然可以爭取升遷，從商、自僱者亦能趁機提升自己在行內的名氣，長遠來說對事業必然有幫助。

今年吉星全無，缺乏外來助力，一切便要靠自己努力爭取了。

凶星有「劍鋒」、「伏屍」，這是每年犯太歲生肖必然會相遇的凶星，代表易受金屬所傷，故駕駛者尤需打醒十二分精神，尤其在農曆七月犯太歲月，可以的話，最好不要駕駛；其次是農曆一月也需注意。可在農曆一、七月捐血、洗牙以應損傷，亦可在全屋中間放一杯水加以化解。

「指背」，顧名思義就是常常有人在你背後說三道四，講你壞話，但因在背後，想防備也無從，唯有在今年東南桃花位放一杯水、西北爭鬥位放粉紅色物件去旺人緣、化是非。

「太歲」，即犯太歲之意。

其他凶星如「地煞」、「披頭」則無大礙。

寒命人——今年火運終於完結，接下來的是六年金水年，故新投資可免則免，舊有投資亦只宜順其氣勢，切勿盲目冒進。上班一族勿輕言轉工，當中只有二〇一八年是屬火對你較為有利，也是唯一可以作出改變的年份。

熱命人——終於等待到金水年之來臨，今年入秋以後金水進氣，運程會日漸通順，尤其二〇一九至二〇二一為大水年，如遇上機會記着要好好把握。本年運程在入秋以後應該會開始好轉，但因今年是犯太歲的關係，最好還是不要輕舉妄動為上。

平命人——金水年一向對你的幫助比較大，唯今年受犯太歲影響，運程轉好的情況可能不太理想，但由今年開始連續六年的金水流年，對你還是有明顯幫助的。

一九三二年出生的猴——今年為財運年，但相信年紀已不小的你能從工作中獲得財運的機會不大，可能只是投資回報較為理想，又或是晚輩多給你一點零用錢而已，又今年可嘗試多買彩票，看看能否會因此得財。

一九四四年出生的猴——今年為思想學習投資年，年逾古稀的你，新投資恐怕不太適合，還是保守一點為佳。學習方面倒不妨試試，所謂活到老，學到老，不妨參加一些興趣班，吸收自己喜歡的知識。

一九五六年出生的猴——今年為辛苦個人力量得財年，對收入不穩的自僱一族最有幫助，必然能因工作量上升而令收入有所增加；其次是從商的你，工作忙了，洽談生意的機會自然會增多；倒是上班一族可能空自忙碌而已。

一九六八年出生的猴——今年為貴人舒服懶運，踏進四十八歲的你，是時候放慢一下腳步來個中期檢討，考慮是否要作新嘗試又或者留在原來位置直至退休。

一九八〇年出生的猴——今年是權力地位提升年，犯太歲的你亦不妨努力爭取，因犯太歲主要是影響情緒，與運氣並無直接關係。

一九九二年出生的猴——今年為財運年，但因二十四歲的你容易出現感情變化，來一段固然好，走一段的話，則容易因感情而影響到財運及事業進展。

二〇〇四年出生的猴——今年是思想學習考試運，希望十二歲的你不要因情緒問題而影響到學習心情。

財運——今年為權力地位提升年，上班一族如公司已落實你的升遷，財運自然會相應增長；而從商、自僱的你，亦希望可藉着名氣地位提升而帶動到財運有不錯的增長。

事業——權力地位提升年，犯太歲的你今年事業運不錯，不論上班、從商或自僱者，都能藉着權力地位提升之助而令事業有不錯的進展。

感情——犯太歲年，感情易生變化，正所謂「一喜擋三災，無喜心情壞」。二十四歲的女性以結婚機會最大；男性二十四歲結婚則始終太年輕，故以分手機會最大，萬一要分手，切記要好好處理情緒問題。三十六歲犯太歲則以添丁機會較大，故犯太歲、沖太歲年的懷孕機會會較其他年份大。

身體—犯太歲年特別容易遇上意外、損傷，駕駛者尤其要打醒十二分精神，望能避免車禍，當中以農曆一月、七月要特別注意，少駕駛為妙，亦可在全屋中間放一杯水化解，又或者去捐血、洗牙以應損傷。

是非—犯太歲年容易出現負面情緒，有時會因此得罪了別人而不自知，尤其農曆七月犯太歲月，宜盡量減少與客戶應酬，多相約至愛親朋外出，因親屬、朋友都會理解你只因犯太歲而出現情緒波動。

農曆一月

本月為辛苦個人力量得財月，假期才剛結束，工作便排山倒海而來，讓你有點兒不能適應，但能幹的你，不需要用太多時間便能適應這忙碌的步伐。本月為沖財月，財來財去，對收入不穩的自僱一族最有幫助，必能因工作量上升而令收入有所增加。

財運—辛苦個人力量得財月，但對上班一族並無好處，因收入不會因一時的工作量上升而有所改變，倒是從商、自僱一族，必能因接觸客戶的機會多了，令做得成生意的機率也大大增加，財運亦因此而上升。

事業—我且盡其力，厚薄隨其緣。雖然說一年之計在於春，但因今年農曆一、二月工作比較忙碌，根本沒有時間讓你去籌劃；又加上今年是水火互換年，寒命人要在上半年努力爭取，平命、熱命人則要待入秋後運程才會逐漸轉順，故一切都順其自然好了。

感情—犯太歲年因心情不定的關係最容易影響感情，如仍未打算在今年結婚的話，便要好好維繫，以免因負面思想而影響雙方關係，尤其是農曆七月，可以的話，最好一同外遊散心。

身體—犯太歲年必然有「劍鋒」、「伏屍」兩顆凶星相隨，故今年特別容易受金屬所傷，除了駕駛時要加倍小心外，本月亦適宜去捐血、洗牙以應損傷。

是非—口舌是非，在所難免。本年是犯太歲年，本月又是相沖月份，兩者加起來必然會加重是非對你的壞影響，故本月宜盡量減少外出應酬，望能將是非減至最少。

農曆二月

本月亦為辛苦個人力量得財月，但運程比農曆一月穩定得多。本月乃肖猴的暗合月，容易暗中有貴人助你一把，人緣運亦明顯比上月佳，讓自僱者能事半功倍。上班一族雖然工作量與上月差不多，但因本月人緣運與自己心情都明顯比上月佳，故工作起來輕鬆愉快了不少，算是一個不錯的月份。

財運—辛苦得財月，依然對收入不穩的從商、自僱一族幫助較大；但上班一族本月得貴人、上司之助而讓工作順利了不少，心情亦明顯比上月佳，這也算是一種得着。

事業—勞而有功，用力前行。本月仍然是辛苦得財月，且為正財，即是努力工作後所獲得的財富，但本月並非財來財去月，反而是財來合我，即財富是可以留得住，不會一來即走。

感情—本月暗合，感情、人緣運明顯比上月佳，如上月因沖犯太歲而出現風波，本月正好可以讓你作出修補，就多些相約另一半外出好了。

身體—本月並無刑沖，即使在犯太歲年的你，本月健康亦無礙，但本月為本年的交通意外月，整體交通意外會較平常多，故在駕駛時亦要加倍留神，尤其西曆三月十日及三月二十日這兩天要特別小心。

是非—雲散一天星斗煥，風擁四海浪波平。上月之是非與不和，本月隨着貴人之助而煙消雲散，故本月宜多外出與客戶聯絡，藉相合月打好各方關係，希望能盡快收復因沖犯太歲月所帶來的壞影響。

農曆三月

本月為思想學習投資月，但因本年是水火互換年，寒命人運程將會慢下來，新投資在這個時候好像不太適合；而平命、熱命人要待至入秋以後運程才會逐漸轉順，暫時亦不宜作新投資，故不論何種命人，這兩個月都只是適宜學習、進修，新投資可免則免。

財運—思想學習投資月，即使不投資而只去學習，或多或少都會花一點錢，尤幸本月下半旬有暗財，令本月整體財運得到平衡，算是一個財運穩健的月份。

事業—欲進未能進。因本月為思想學習投資月，會突然有些衝動想進取一點，唯現在不是好時機，因寒命人運程將會逐漸慢下來，新投資可以說是能免則免，即使目前情況不差，亦只宜沿着舊有路向擴展；而平命、熱命人運氣將轉而未轉，快者今年入秋以後，慢者要待至二〇一九年才入佳運。

感情—本月依然為肖猴的暗合月，人緣、感情運依然不差，未婚者可趁機好好利用這個月讓雙方感情能推進一步，如打算在本年結婚的話，這個月要開始籌備了，否則要待農曆七月犯太歲月過後才會有另一個好時機。

身體—平地過江江無浪，渡水行舟舟安然。犯太歲的你，本月仍是一切安好，負面情緒並未開始對你造成困擾，加上本月是暗合月，遇上意外、損傷的機會也不大，無需為情緒、健康過分擔心。

是非—履履若平地，此非人所艱。如在平地步行一樣，看不到是非、險阻，就如常地生活好了，暫時仍無需特別提防是非。

農曆四月

本月為思想學習投資加暗中權力提升月，如上月已經開始進修學習，本月仍會繼續，亦可在本月開始進修一些短期課程，反正不論何種命人，入秋前都不宜作新嘗試，既然不宜投資，不如去學習以轉化自己的胡思亂想，否則這個月思緒會較為混亂，是非亦比平常為多。

財運—賺錢不難也不易，財入錢出付水流。因本月為思想學習投資月，或多或少都會比平常用多一點錢，即使不是用作進修短期課程，而是花一筆錢去外遊、體驗一下生活，也是好的，反正今年犯太歲年都適宜多外遊，如時間許可，也不一定要等到農曆七月。

事業—暗中權力提升月，只代表要管的事情多了，責任大了，並不一定能為你在事業上帶來好處，加上本月為刑合月，貴人、小人接踵而來，令你有些兒無所適從，唯有多近貴人、遠離小人好了。

感情—本月為刑合月，時而相好，時而爭吵，感情不會太穩定，尤其是已在交往中但又未想過要在今年結婚的你，更要好好處理，以免因這不穩定月而大吵一場。

身體—本月要小心注意肺、骨、喉嚨、氣管，入夏以後火旺進氣，煎炸燥熱之物要開始少沾，以免燥火上炎。

是非—喜鵲烏鴉，同堂而叫。貴人、小人同聚一堂，唯一可以做的便是遠離小人，無論在你背後說些甚麼，就裝作聽不見好了，這樣反而能夠好好利用貴人的助力。

農曆五月

本月為肖猴的財運月，雖然只是浮財，但最少也算是有錢過手、有錢花，尤其是寒命人，三夏對於你來說比較有利，趁着火運之餘氣，看看這兩個月能否有意外收穫。上班一族依然行暗中權力提升運，可謂名惠而利不至，但這樣也好，起碼代表你在公司裏還有不錯的利用價值。

財運—本月偏財，不求自來，尤其收入不穩的從商、自僱一族，本月容易突然做成一些生意，不管是舊客戶介紹也好，新客戶自己找上門也好，或多或少都能給你帶來一些意外收益。至於收入穩定的上班一族，亦可嘗試多買些彩票，看看能否獲得意外之財。

事業—不雨不晴之日，非寒非暖之時。寒命人的好運氣逐漸完結，平命、熱命人等待佳運來臨，故誰都不宜輕舉妄動作新嘗試，一切仍以守舊為佳，尤其寒命人接下來難言突破，但運程亦未開始逆轉，算是一個平穩普通的月份。

感情—本月較上月平穩，但亦非桃花月，故在感情方面，單身者難以遇上心儀對象，然而本月並未到分手月，一切就如往常一樣。

身體—仍要小心肺、骨、喉嚨、氣管、呼吸系統，燥熱煎炸之物切記少沾，以免皮膚再有敏感不適，除此之外，本月身體狀況是不錯的。

是非—無喜又無樂，名曰寂寞。本月人緣不是特別好，是非亦不顯著，就如平常日子一樣，無需刻意提防，想多留在家中或多外出應酬，就隨自己意願好了。

農曆六月

本月為貴人舒服得財月，財運明顯比上月為佳，加上不是財來財去月，故財來時可以把它留得住。又本月為肖猴的桃花月，單身者可以好好把握，因犯太歲年也是容易突然來一段感情的；如打算在今年結婚，更要利用這個桃花月好好籌備，免得到了下個月犯太歲時多生枝節。

財運—日暖東園花綻錦，雨晴北岸柳搖金。本月財運不錯，寒命人固然佳，平命、熱命亦可藉着這個桃花加財運月再得到一點好處。這月即使不能獲得豐盛財源，至少也可因桃花之助而帶來歡愉的心情。

事業—貴人舒服得財月，不需要刻意努力，財運與事業自然得到增長，加上本月為肖猴的桃花月，又是本年的桃花月，除了自身人緣較佳外，整體社會氣氛亦是良好的，讓你做起事來都特別順暢。

感情—桃花月，感情、人緣佳，單身者還可以藉本月桃花之助，多些外出，看看此桃花月能否為你帶來一段新感情。

身體—本月為肖猴的桃花月又是本年的桃花月，心情與社會氣氛都是良好的，令你每天都懷着愉快心情度過，病菌想入侵亦無從，即使有時放縱一下口福，也不會因此而吃出病來。

是非—日出光輝天一色，月來無影滿天星。肖猴的你本月仍未受到犯太歲負面情緒影響，反而自我感覺良好，而且人緣運亦比上兩個月好，正是「是非不侵，貴人臨門」的好月份。

農曆七月

本月為肖猴的犯太歲月，如果今年打算結婚或現已懷孕有喜，則可沖淡犯太歲所帶來的負面影響，否則本月容易被負面情緒籠罩，做甚麼事都提不起勁來，最好可以抽空外遊散心，寒命人宜去東、南方，熱命、平命人宜去西、北方。駕駛者要打醒十二分精神，駕車時勿胡思亂想，以免發生意外，又或者本月索性不駕車好了。

財運—雖然本月是肖猴的犯太歲月，但對財運並無直接損害，尤其是收入穩定的上班一族，不會因個別月份的吉凶而影響收入。從商、自僱的你，只要好好管理自己情緒，本月收入仍然是可以的。

事業—水淺能容月，山高不礙雲。犯太歲月最大影響是身體及情緒問題，並不會對事業構成直接影響，就只怕肖猴的你會受困於悲觀情緒，以致無心工作，若時間許可，最好能在西曆八月七日前後去外遊散心。

感情—犯太歲月心情不定，最容易影響感情，尤其若本年無喜事發生的話，個人的負面情緒會更加嚴重，唯有希望另一半多加體諒，因犯太歲年每十二年只會遇上一次，而且雙方的機會也是均等的。

身體—犯太歲月，情緒容易不穩，精神亦較不集中，駕車時要打醒十二分精神，或少駕駛為妙。本月亦為損傷意外月，最好去捐血、驗血或洗牙以應損傷。

是非—閉口藏舌，以避是非。本月為肖猴本年最容易惹是非的月份，故要盡量減少公事應酬，希望犯太歲不致牽連到個人事業上，如發現負面情緒嚴重，就相約些好友外出散散心吧！

農曆八月

本月為辛苦個人力量得財月，又是肖猴的霧水桃花月，故事業、財運及人緣都比上月好。上班一族若知道公司準備作內部提升，則不妨努力爭取；從商、自僱者亦能因工作量增加而對收入有正面影響，加上本月得霧水桃花之助，人緣突然好起來，別人看見你都特別容易產生好感。

財運—本月對收入不穩的從商、自僱一族最有幫助，必然能因工作量大增而收入有所增加，即使是收入穩定的上班一族，本月不再受到犯太歲的負面情緒影響，工作儘管忙碌，心情仍是愉快的。

事業—有梯有板，高樓直上不難。肖猴的你今年雖然是犯太歲年，但這與能否升職並無直接關係，所以如果知道公司正準備作內部提升，則不妨努力爭取。從商、自僱者亦能受惠於地位提升之助，讓自己在行內的名聲明顯提高。

感情—霧水桃花月，不管對單身或者已婚的你都能帶來正面影響。單身者固然可趁此月多些外出碰碰機會；已婚者來到霧水桃花月，別人對你的觀感亦會改善，連帶令你的心情都好起來，故間接對事業亦起到正面作用。

身體—除當塗之瓦礫，剪礙道之荊榛。犯太歲月的負面情緒已逐漸消散，加上本月是肖猴的霧水桃花月，人緣運及心情都好起來，抵抗疾病的能力也大大提升，故本月無需刻意提防健康出問題。

是非—雲開月現，波靜風平。此月因犯太歲帶來的負面影響已經消散，宜藉霧水桃花之助，多相約客戶洽談，打好各方關係。

農曆九月

本月為貴人舒服懶月，令犯太歲的你更加連動都不想動，靜下時負面情緒又再發作，會想到那麼辛苦工作到底為了甚麼，不如留在家中不去上班好了，但這些負面情緒是錯的，而且愈不動負面情緒愈會加深，故即使無心工作，本月亦宜多些外出，相約朋友吃飯也好，外遊散心也好，總之不要讓自己一個獨留家中。

財運—貴人舒服懶月，投入工作的時間少了，收入自然隨之下降，這以自僱一族最為明顯，付出少了，收入自然成正比例地下降；其次是從商一族；只有收入穩定的上班一族，並沒有因工作量下降而收入減少。

事業—無甚要緊，不如尋樂。既然工作情緒下降，不如抽多些時間去吃喝玩樂，反正十二年才出現一次犯太歲，有時偷閒一下也是無妨的，而且情緒不穩，強迫自己去努力也無補於事，倒不如放寬心情去輕鬆一下。

感情—本月夫妻位相沖，感情不算太穩定，加上本月為舒服懶月，連相約愛人外出也提不起勁，唯有多發一些電郵、短訊給對方，總比一見面便吵架為佳。

身體—本月腸胃特別容易感到不適，故在飲食上要多加小心，生冷、煎炸之物少沾為妙，雖然肖猴的你並無先天腸胃問題，但本月仍要小心為上。

是非—工作量減少了，接觸客戶與陌生人的機會也大減，故本月是非並沒有比平常多，讓慵懶的你不用分神處理是非，可以自由自在地過一下悠閒的日子。

農曆十月

本月為貴人舒服懶月加思想學習投資月，學習對於寒、熱、平命人皆可，但投資則只有熱命、平命人較為適宜，因寒命人的好運即使能延續至二〇一八年，也只是適宜沿舊有路向發展，新投資可免則免。

財運——既然是貴人舒服懶月加上有學習投資運，本月收入一般，但開支必然比平常多。故本月在金錢運用上要加倍小心，以免開支過多引致財政不穩。

事業——無舵舟，循則游。既然是舒服懶月，一切就順其自然好了，反正今年是犯太歲年，不宜太進取，亦不太適宜急進妄動，故即使眼前有好機會，亦只能牛刀小試而已，且這還需要你是平命或熱命人，因寒命人這幾年下來都是以守為上策。

感情——本月太歲相穿，人緣與感情不太穩定，加上是思想學習投資月，如果沒有投資亦不學習，思想將會無所歸而胡思亂想，影響情緒，進一步影響感情，可以的話，本月宜減少見面，以免見面即吵架，更嚴重地影響感情。

身體——每年到此月你的腎、膀胱、泌尿系統都特別容易出現問題，而本年更要小心，因本年你是犯太歲生肖，而本月亦是本年的太歲相穿月，特別容易出現流行疾病，且你是高危生肖，故在飲食上更要小心，一切生冷、不潔之物不沾為妙。

是非——愁之發兮愁之愁，愁發循環愁必收。本月為本年肖猴最後一個犯太歲月，且受着負面情緒及思想混亂的影響，是非在所難免，唯一可做的就是盡量放鬆心情及減少應酬，待下月太歲相合人緣運好時再去修復各方關係好了。

農曆十一月

本月為辛苦個人力量得財加思想學習投資月，加上本月為肖猴的相合月，又是本年的相合月，整體社會氣氛與肖猴者的人緣皆比上月好多了，令你做起事來心情倍覺輕鬆愉快。財運方面，平命、熱命人可以作新嘗試，寒命人亦能因工作量上升而收入有所增加，這以從商、自僱者最能直接受惠。

財運──勞而有功，用力前行。上半月工作量突然大增，以收入不穩的自僱一族最能受惠，不論何種命人，只要是收入不穩定、從事多勞多得行業者，本月都能因此而受惠。

事業──牛刀小試機會多。下半月有新投資機會，等待已久的熱命人如果想作新嘗試，一嘗做老板滋味的話，本月是一個可以嘗試的時機，但如果仍未準備好的話，也不用急於一時，因往後數年亦是金水年，都是可以嘗試的。

感情──月令相合，情緒明顯較為穩定，連帶感情、男女關係及人緣都顯著好起來。本月可以多些相約另一半外出，尤其是沒打算在今年結婚的你，如果不想分手的話，更要好好維繫。

身體──本月雖然是本年及肖猴的相合月，突然遇上交通意外因而受損傷的機會不大，但在三冬氣寒之時，流感肆虐，而犯太歲的你也算是疾病高危生肖，故本月外出時記着帶些禦寒衣物，望能避過流感。

是非──雲開霧散，天朗氣清。是非月過去，隨之而來的是人緣相合月，本月人緣運佳，別人看見你都比較容易產生好感，故本月宜多些相約客戶、朋友外出，修補一下各方關係。

農曆十二月

本月為辛苦加貴人得財月，上半月工作量依然大，但下半月卻明顯悠閒得多，加上農曆新年來得較早，故下半月工作不到十天便馬上到農曆年假期了，這間接令工作日子明顯地減少，算起來下半月好像不用怎麼工作這個月就完結了。

財運——從商、自僱的你在上半月要好好努力，把整個月的工作與收入賺回來，因本年農曆新年來得較早，若不好好努力，唯恐收入會明顯下降。倒是上班一族較為輕鬆，即使下半月工作壓力不大，工作日子大減，但收入卻不會因此而減少。

事業——上山多費力，有樹可扳枝。本月是肖猴的桃花月，整體人緣運明顯比上月更佳，讓從商、自僱的你，上半月的業績都容易超額完成，令你在下半月可騰出空間來安排一下農曆年的計劃，因不管是留港或外遊，都要花些時間去準備的。

感情——桃花月，感情、人緣佳，但也不要開心得太早，因本年犯太歲是會延續到明秋前，故未婚者要好好把握此月，努力維繫雙方關係。

身體——本月為本年的桃花月，又是肖猴者的桃花月，故整體社會氣氛與肖猴者的情緒都是正面的，思想健康了，連抵抗疾病、細菌的能力也提升了不少，故本月健康運是不錯的。

是非——有求皆自得，無物不從容。年已將盡，各人都要忙於完成手頭工作放假去也，皆無餘暇去惹是生非，加上本月又是肖猴的桃花月，就好好準備農曆年假好了，無需為是非費神。

雞

- 一九三三
- 一九四五
- 一九五七
- 一九六九
- 一九八一
- 一九九三
- 二〇〇五

寒命人——出生於西曆八月八日後、三月六日前
（即立秋後、驚蟄前）

熱命人——出生於西曆五月六日後、八月八日前
（即立夏後、立秋前）

平命人——出生於西曆三月六日後、五月六日前
（即驚蟄後、立夏前）

肖雞的你今年是霧水桃花年，單身者能展開新感情的機會將會大大提升，而已婚或有穩定感情者也能因桃花之助而人緣大大好起來，令到快將行完運的寒命人運程得以延續，而開始進入好運的平命、熱命人轉好運的步伐明顯加快，故本年對肖雞者算是一個不錯的年份。

本年為權力地位名氣提升年，上班一族可以努力爭取升遷，從商、自僱者亦可藉此機會提高自己在行內的名聲，名聲好了，必然對你事業的長遠發展起到正面作用。

今年吉星有「太陽」，代表男貴人之助，如上司、合作夥伴、下屬是男性的話，都有可能是你今年的貴人，故今年就多些留意身邊的男性好了。

「咸池」桃花星，感情、人緣佳，因這個霧水桃花也可以演繹成群眾緣，對經常要接觸陌生人的工作最有幫助。此外，這霧水桃花星特別容易使單身者與已經認識的異性走在一起，同事也好，舊朋友也好，突然間便變成情侶，但因霧水桃花易聚易散，能維持至今年過後才有可能穩定下來。

凶星有「晦氣」，此星最容易影響心情，因代表已擬定的協議，卻容易被合作者突然推翻、拉倒，讓你白忙與空歡喜一場，唯有做好心理準備，只管盡力去做好了。

「天空」，代表計劃容易成空，那就不要太多計劃，事事見步行步好了。

「的煞」，無甚重要，可以不理。

寒命人——火運終於完結，快則入秋後運程轉弱，慢則最多可延至二〇一九年初，但總的來說，今年以後只宜沿着舊有路向發展，新投資可免則免，否則，二〇一九年後運程逆轉時恐不易防守。

熱命人——終於等到金水年之來臨，今年過後連續六年金水年，對熱命的你幫助最大。尤其是二〇一九至二〇二一這三年大水年更可大舉進攻，如確切知道自己已入了大運，今年開始可以大舉嘗試，即使未入大運，承着金水流年之助亦總會比過去數年順利得多。

平命人——一生平穩的你，總結下來也是金水流年對你幫助較大，今年入秋以後，金水開始進氣，對你的運程起到積極的正面作用，這時期不論轉工或新發展，都是適宜的，當中只有二〇一八為火旺年宜守，其餘年份都是可以進攻的。

一九三三年出生的雞——今年為財運年，但年事已高的你從工作上獲得財富的機會不大，可能只是晚輩多給一點零用錢，又或者是自己的投資增值而已。

一九四五年出生的雞——今年為思想學習投資年，雖已年逾古稀，但若有心有力的話，平命、熱命的你仍然可以作新嘗試，又或者去修讀一些興趣班亦無不可，但寒命人則只宜學習不宜投資。

一九五七年出生的雞——今年為辛苦個人力量得財年，整體下來，工作量會比過往大得多，從事件工計算工資的你還好，因收入亦會隨之而上升，但收入穩定的上班一族可能只會加辛，不會加薪。

一九六九年出生的雞——今年是貴人舒服懶年，其實在這時放慢腳步，作一個中期檢討也是非常合適的，否則，可能要到退休後才能作新打算了。

一九八一年出生的雞——今年是權力地位提升年，上班一族固然應努力爭取升遷，從商、自僱者亦可把握機會提升自己在行內的名聲，加上今年是桃花年，打好各方關係也是適宜的。

一九九三年出生的雞——今年是財運年，可能是剛踏社會，初嘗自力更生的滋味，又或者是早踏社會的你今年財運突然間比以往暢順，那就努力一點好了。

二〇〇五年出生的雞——今年是思想學習年，踏入十一歲的你應該沒有甚麼重要試考吧，如有的話，今年考試運是良好的。

財運——今年為權力地位提升年，財運於上班一族最為直接，因爭取到升遷者，財運便一定會相應增加。從商、自僱者今年有望提升自己在行內的名聲，但財運方面恐怕沒有那麼快立竿見影。

事業——今年為權力地位名氣提升年，升遷方面不論何種命人機會都是均等的，故如果知道公司準備作內部提升的話，不妨努力爭取，但整體來說，寒命人在入秋前較為有利，平命、熱命人則在西曆八月七日立秋後較佳，那就好好利用時機好了！

感情——桃花年，感情、人緣佳。單身者固然可以利用這機會開展一段新感情；已有穩定感情者亦可藉此桃花年多些與客戶交往，建立更佳的人際網絡，因有桃花之助，今年別人特別容易對你產生好感。

身體——今年並非流行疾病年，香港亦非處於疾病區，加上肖雞者又無疾病星相隨，故今年身體健康狀況是良好的，無需要特別顧慮。

是非——春日春花紅又綠，秋江秋水碧澄清。今年為霧水咸池桃花年，在男女新開展的感情上代表易聚易散，但在人緣交往上卻百利而無一害，因這霧水桃花在人緣、人際關係上的助力還比「紅鸞」、「天喜」這些正桃花為大，這尤其是對經常接觸陌生人的工作者能起到很大的正面作用，如從事地產營銷、保險、醫生、演藝界、美容，甚至乎如我般從事命相風水等行業的助力最大。

農曆一月

農曆年假期剛結束，馬上便要投入忙碌的工作中，讓你差點兒適應不來，還幸此情況只出現於上半月，下半月一切又回復正常。又本月是肖雞的財運月，從商、自僱等收入不穩的你，更能因工作量上升而收入相應增加，故本月算是一個不錯的月份，只是比較忙碌而已。

財運——月令帶財，不求自來。農曆年假期過後，馬上便要投入忙碌的工作中，根本沒有時間去想及財運會否相應增加，誰知下半月因上半月的努力而得到應得的成果，這算是一點意外收穫了。

事業——不遇而遇，物饒生趣。上半月工作雖然繁忙，但工作情緒其實是蠻好的，可能是經過農曆年假的調息，整個人都回復到最佳狀態。工作雖忙碌，但身心都能應付得來，只是剛度過悠閒的假期回來後有一點兒不習慣而已。

感情——本月並無刑沖，亦非桃花月，感情是平穩的，加上工作量上升，亦抽不出太多時間去處理感情。我想，雙方才剛共度了一個愉快假期，此刻因忙碌未能相伴，這一點小事對方是可以諒解的。

身體——每年初春都是流感高峰季節，工作忙碌的你，記緊要好好爭取充足睡眠，以便可以健康地全力投入工作，不用病倒在牀上輕嘆。

是非——安步當車，有進無退。雖然本月是本年的相沖月，整體社會氣氛不太和諧，但肖雞的你因要全力應付忙碌的工作，根本無暇理會是非，正是「是非終日有，不聽自然無」，不理它反而樂得耳根清淨。

農曆二月

本月為辛苦個人力量得財月，依然對收入不穩的從商、自僱一族幫助最大，但因本月沖財，為財來財去月，如想避免破財的話，宜花錢購買實物以應破財。又本月乃金木交戰，易見損傷，故舟車要謹慎，行路亦要小心防傾跌，方能避免意外、損傷。

財運——本月工作量依然不輕，自僱者，尤其是從事件工計薪酬的你，收入必然因工作量上升而有所增加；其次是從商一族；上班一族則可多買些彩票，看看能否有一點意外之財，但因本月為沖財，財來財去月，財來後宜花錢買點實物以應破財。

事業——應如疾風勁草，再接再厲。本月工作量依然不輕，從商、自僱者應該順勢追擊，讓事業運提升得更高。上班一族雖然未能因工作量上升而獲得額外收益，但工作忙碌也是對自己能力的一種肯定。

感情——本月相沖，連帶感情都不太穩定，加上工作忙碌，亦無暇抽時間去處理感情，那就如上月一樣，少些見面，多傳短訊、電郵好了。

身體——金木相沖，慎防傾跌。本月為傾跌損傷月，駕駛者尤其要打醒十二分精神，小心駕駛；不駕車的你走路也要小心穩步，以免一不留神跌倒在人前，既受傷又丟面，雙重損失，故本月不論駕駛與走路都要穩步為先。

是非——相沖月，是非在所難免，但因工作忙碌，連外出應酬的時間也騰不出來，這樣反而有助減免是非。

農曆三月

本月為思想學習投資月，但本年是水火交換年，於這個月份開始投資，在時機上不是很適宜，因寒命人的好運快要完結，即使能把它延至二〇一八年，亦只宜沿着舊方向發展，新投資可免則免。平命、熱命的你也不用急於一時，因農曆七月以後金水進氣，運程會逐步暢順。

財運——既然是思想學習投資月，開支或會比平常多，即使不投資做生意、不去學習，但來到這個月，總是很想花點錢去買東西，人有時就是會有這種衝動，連自己也想不出一個所以然。

事業——順其自然好了，因上半年仍屬大火年的餘氣，寒命人運程依然可以，但這只是好運的餘氣而已，不足以再擴展新事業，故一切以守舊為佳。平命、熱命人水旺運將至而未至，想作新嘗試也不用急在一時，一切宜守舊好了。

感情——本月為肖雞的相合月，感情運比上月穩定得多，既然工作上不宜作新嘗試，不如多些相約另一半外出，旅行也好，晚飯喝酒也好，給上兩個月被冷落了的另一半作一個補償好了。

身體——本年並非流行疾病年，來到本月腸胃疾病亦不嚴重，流感亦到了尾聲，但農曆三月始終仍是陰濃濕重，一向皮膚容易敏感的你還是要注意一下飲食為佳，陰寒濕重的食物少沾為妙。

是非——月令相合，人緣好而是非不侵，即使多些相約客戶外出打好關係，結果也是正面的多，反正工作不太忙碌，就多抽點時間跟各方交流好了。

農曆四月

本月為思想學習投資加暗中權力提升年，投資方面仍不太適宜，只宜學習或買實物為佳，而暗中權力提升只代表要管的事情多了，責任大了，職位不一定會有改變，但本月亦為肖雞的相合月，人緣還是良好的，故工作起來壓力不大，是非亦不多，算是平穩順逐的一個月份。

財運——細水長流事可全，利旺如瀑身不安。本月財運跟平常並無兩樣，不會多了亦看不見破財，雖然是思想學習投資月，但肖雞的你還是很想花錢去買東西，因這些花費是按照自己意願去花的，所以也不算是破財。

事業——水淺能容月，山高不礙雲。上班一族容易得到公司重用，雖然在這月能升遷的機會不大，但讓你的權力加重，管轄的範圍大了，升遷還會遠嗎？從商、自僱者也可以藉此月把自己在行內的名聲暗中提升，為日後鋪下更好的康莊大道。

感情——本月為肖雞的相合月，不管朋友或男女感情都是穩定的，但單身者仍未到桃花月，能在這月結識到異性、展開新戀情的機會不大；但下月是肖雞的重桃花月，看看能否早作安排，讓自己到時能騰出多一點私人時間來。

身體——要稍為注意皮膚、腸胃，尤其是生於秋冬的你，先天皮膚特別容易敏感，本月要稍為注意一下飲食，燥熱之物少沾為上，因本月才是火運的第一個月，如處理不好，下兩個月會更差。

是非——無是又無非，光陰日影移。本月亦是肖雞的相合月，人緣好而是非遠離，讓你可繼續開拓更佳的人際網絡。

農曆五月

本月為肖雞的重桃花月，對人緣及男女感情都能起到正面作用；但本月亦是相破月，是非亦容易纏繞着你，然而兩者相比，仍是桃花產生的力量大得多，故本月只要接近貴人，遠離小人，不論小人在背後搞甚麼小動作，不去理會便可以了。

財運——本月財運不差，加上又是桃花月，有利人緣交往，小人即使在背後搞些小動作，也不會影響你的財運。又本月為正財月，代表通過自己努力後而應得的財富，收入不穩的從商、自僱一族，要好好加一把勁了。

事業——有梯有板，高樓直上不難。雖然本月仍是暗中權力提升月，上班一族可能還是加辛而不加薪，但得到上司、老板信任，下放權力，這其實也是一種肯定。再加上本月貴人力大而小人力弱，工作上遇到的阻力不是很大，算是一個順暢的好月份。

感情——桃花月，單身者要好好利用此月，多抽些時間，旅遊也好，晚飯夜蒲也好，總之要多外出接觸陌生人，給自己製造機會，因為即使是桃花年、桃花月，如你每天仍是上班、下班再回家，這樣桃花是不會上門按鈴來找你的。

身體——本月午酉相破，即火剋金的月份，因金代表肺、骨、喉嚨、氣管、呼吸系統，本月它們便最容易出現毛病，且本月是桃花月，外出吃飯的時間多了，所以更要小心，煎炸燥熱之物要切記少沾。

是非——喜鵲烏鴉同堂而至，唯一要注意的就是近貴人而遠小人，多跟一些與你投緣的人外出，針對你的人就讓他繼續針對好了，不用理會，因本月始終是貴人的力量大得多。

本月為貴人舒服得財月，容易有意想不到之收穫，從商、自僱者可能是接到客戶推介的生意，讓你突然多了一筆意外收益；上班一族也許是得到老板賞識，領到一些額外花紅；又或者本月嘗試多買些彩票，看看能否獲得意外收益。

財運——冷眼看市另有功，人棄我取後運逢。除了是工作上的收益外，亦不排除是投資上的獲益，人棄我取其實是一個不錯的投資方法，但大前提當然是那隻股票有可取之處而非胡亂購買。

事業——春園之草，不見其生，日有所長。本月工作量雖然沒有明顯增加，但其實進步並沒有停止，故財運也順帶一同好起來，加上本月為聚財月，不論在工作上或投資上所得的財富，都是可以積聚下來的，故本月事業運算是平穩中而有進展。

感情——如上月未能因桃花月而開展新感情，本月仍可以努力，因本月為本年的桃花月，單身者仍可以多些外出碰碰運氣，看看自己能否成為別人的桃花。

身體——本月依然是大火月，仍要小心肺、骨、喉嚨、氣管問題，煎炸燥熱食物仍要少沾為佳，否則火氣上炎，更容易影響到入秋後的身體狀況，是未雨綢繆也好，是為本月身體着想也好，都要切記小心飲食，以免喉部疾病延續至下個月。

是非——本月是本年的桃花月，整體社會氣氛是良好的，人緣運不比上月差，故不用為是非特別費神，加上財運與工作運也是順利的，唯是要小心飲食而已。

農曆七月

本月為本年的犯太歲月，整體社會氣氛不太和諧，但對肖雞的你並無影響，因本月你是霧水桃花生肖，人緣運比別的生肖好得多，尤其是平命、熱命人，在本月入秋後運程會日漸通順；即使寒命人本月也能得桃花之助而運程不致急速下降。

財運——表面風光，地位提升。本月是權力地位提升月，對上班一族幫助最大，如果知道公司準備作內部提升，不妨努力爭取。論升遷，寒、熱、平命人的機會是均等的，不會因運氣好壞而有所不同；相反，從商、自僱一族本月名高而利不至，財運看不見有特殊增長。

事業——上山多費力，有樹可扳枝。從商、自僱者在本月求名容易，求利則恐怕尚未是適當時機，但長遠來說這是有幫助的，因做生意是看長線的，本月先把名聲提高，日後再看財運也未遲；相反，上班一族如果能爭取到升遷，財運亦會相應提升。

感情——犯太歲月，雖然對肖雞的你並無直接影響，但如果另一半剛好是沖犯太歲的生肖，本月仍是要注意的，最好盡量減少見面，以免一碰面便爭吵，更加容易影響雙方關係。

身體——立秋以後金水開始進氣，生於秋冬的你，先天上有着喉嚨、氣管的問題，來到秋季以後更要小心，雖然天氣還是頗熱的，但其實陰氣已開始漸進，自本月起少沾生冷及燥熱食物，為健康打好基礎。

是非——本月為本年的犯太歲月，整體社會氣氛不太良好，但這對肖雞的你並無影響，即使多些外出應酬，也不會惹出是非來。我常說人退我進，本月就多些相約客戶聯絡關係好了。

農曆八月

本月為肖雞的犯太歲月，每年到此月你的情緒都特別容易出現問題，小人是非也較其他月份為多，但因本年你是桃花生肖，整體人緣運是可以的，故本月是非雖然較多，但對肖雞的你影響不大，加上桃花之助，不管男女或朋友間的感情都是良好的，連負面情緒也影響不到你。

財運——雖有是非，地位提升有進步。本月仍然是升遷月，上班一族仍需努力，如果順利爭取到升遷，財運當然也會相應增加。從商、自僱者仍然要求名上升，利就等待適當的時機好了。

事業——雖有黑雲來掩月，幸得清風引出來。本月因犯太歲月的影響，容易產生悲觀負面情緒，但本年是你的桃花月，人緣運是可以的，並不會因一個月的悲觀、失落影響到整年運氣。本月就放慢一點腳步，多些相約朋友外出吃飯好了。

感情——心情不定，當然容易影響到感情，唯有少些見面又或者盡量控制一下自己的情緒，其實只是一個月份的小影響，整體對感情帶來的壞影響不大。

身體——犯太歲月，當然要小心意外損傷與疾病，尤其是駕駛者在駕車之時要集中精神，不要因犯太歲月而魂遊太虛，招致車禍才驚醒過來。

是非——小是小非，無需掛懷。今年整體人緣運是好的，不會因一個犯太歲月而破壞已建立的基礎，最多是本月減少與客戶間的應酬，盡量減免是非。

農曆九月

本月為貴人舒服懶月，突然間整個人好像不想動似的，可能仍然受着上月犯太歲的一點負面情緒影響，加上本月工作量下降，令你整個人突然間鬆弛下來，無法回復以往狀態。但有時放慢一下腳步也是好的，因為不論寒、熱、平命人，往後是攻是守，都是時候要作出部署。

財運——不如閒中尋樂，何需為錢重擔。既然來到舒服懶月，不妨放鬆一下腳步，外遊散心，順道靜思日後的去向。寒命人如果眼前運程尚可，仍可以順其自然進展；平命、熱命人如果想一嘗做老板的滋味，也要計劃一下在這段金水流年何時才是最適合自己的時機。

事業——夢裏打拳空費力，水中撈月事皆空。本月為肖雞的相害月，是非仍然較多，加上工作量不大，肖雞的你突然間好像沒有了衝勁一樣，不如趁機放慢腳步，思索一下日後去向好了。

感情——本月為肖雞的相害月，感情亦不會太穩定，但由於工作量不大，與另一半相處的時間自然較多，唯有提醒一下自己，好好控制情緒，又或者在本月正東桃花位放一杯水去旺人緣、感情。

身體——來到季秋九月，喉嚨、氣管問題逐漸遠離，加上本月工作量不大，讓你有充足時間休息，故健康無礙，唯一只是要好好控制一下情緒而已。

是非——勸君凡事休而作，約定登舟莫行程。本月是非雖然比上月少，但也不算是人緣很好的月份，交際應酬，可免則免，以免無事生非。

農曆十月

本月為貴人加思想學習投資月，上半月仍然有時間讓你靜思一下，下半月為思想學習投資月，是時候要開始行動，尤其是打算開始投資的熱命人，如知道自己入了大運，就要放膽嘗試；即使未入大運，接着有六年好的流年運，也容易做出好成績來；至於有意從商的平命人也可以起步嘗試；寒命人則可以籌劃一下在往後幾年去進修一些新知識。

財運——脫迷途而登大道，撥烏雲而見青天。本月已經入冬，平命、熱命人運程亦開始通順，可以作一些新嘗試；而寒命人亦可以進修一些自己有興趣的學科，但不論投資或進修，或多或少都要比平常多花一點錢。

事業——若無錦上添花，也去門前霜雪。熱命、平命人即使未能馬上轉入佳運，但過去幾年逆運終結，今年下來總是會較以往為佳，快則在本月以後日漸通順，慢則要待至二〇一九年，但今年下來即使未能轉好，也不會比二〇一三至二〇一五年差。

感情——上半月工作量不大，仍有充足的私人時間培養雙方感情，讓你在下半月思緒出現混亂時，身邊也有另一半能與你好好商量，即使幫不上大忙，但身邊有人分享總是好的。

身體——三冬氣候逐漸寒冷，在這個乍寒還暖的天氣要小心保護身體，即使日間氣溫偏高，外出時也要多帶一件保暖衣物為佳。

是非——本月主要只是你個人思維問題，外來是非並不太多。雖然本月是本年的太歲相穿月，整體社會氣氛不太和諧，但本月主要專注自己思維的你，外出應酬的日子不多，故是非亦相對不多。

農曆十一月

本月為辛苦個人力量得財加思想學習投資月。慵懶了兩個月的你，本月要重新振作了。平命、熱命人如果想作新投資，本月亦是一個好時機，加上本月為肖雞的桃花月，做起事來自然能事半功倍，這不論對從商、自僱或上班一族都能起到正面作用。

財運——方圓自我，旋轉在人。本月既然是辛苦個人力量得財月，故不論對從商、自僱或上班一族都能起到正面作用。從商、自僱者必然能從上升的工作量獲到好處，財運自然相應提升；上班一族亦可憑工作而獲得成功感，尤其是在退運中的寒命人，面對着忙碌的工作最少代表能保得住飯碗。

事業——本月依然有投資機會，平命、熱命人想在這個月開展投資計劃也是適合的，而且可以趁着聖誕、新年旺季，多做一點生意。即使本月不想作任何改變，但工作也是順暢的，加上是肖雞的桃花月，人緣亦佳，讓你能在愉快的氣氛下工作。

感情——桃花月，不論對男女或朋友間的交往都能起到正面作用。已婚者感情自能跨進一步；單身者更可藉此良機多些外出，看看能否在這桃花月開展一段新感情。

身體——本月得桃花之助，人緣運不錯，連帶心情都好起來，能常懷着愉快的心情，身體的抵抗力自然相應提升，即使多一點外出應酬，體力仍然可以應付裕如。

是非——桃花月，是非想埋身也無從，即使有人在你背後說三道四，但也不能破壞其他人對你的信任，故本月儘管多些與各方聯繫，不用理會是非。

農曆十二月

上半月工作依然忙碌，但其實這也是正常的，聖誕、新年假完結後，一定要全力完成假期積壓下來的工作，但今年農曆年假期來得較早，故整個月下來的工作日子其實不多，因下半月已經開始要進入農曆年假，想忙亦無從，唯有放鬆心情放假去也。

財運——財如春草，不見其生，日有所長。本月依然對收入不穩的從商、自僱一族最有幫助，可以讓你在農曆年前努力進取，然後過一個豐裕的農曆年假；但上班一族在財運上可能不會有意外驚喜。

事業——上班一族工作雖然忙碌，但會有忙來忙去為他人作嫁衣裳的感覺，因為直接得益的始終是老板，但打工就是如此，其好處是不用承受虧損，而很多人都是怕風險的，所以選擇做上班一族而不去從商，既然選擇了這條路，就全力用心去做好了，不要太計較眼前得失。

感情——本月是肖雞的相合月，感情、人緣運還是不錯的，尤其是上個月才開展的新感情，本月必能更進一步，加上年假在即，這是大好機會一起去旅行發展雙方關係。

身體——今年並非疾病年，肖雞的你亦無疾病星，故整年下來身體狀態是良好的，偶爾會有一些毛病如氣管、喉嚨不適，但並不算太嚴重，而本月健康狀況也是正常的。

是非——本月是本年的桃花月，整體社會氣氛良好，加上又是肖雞的相合月，自身人緣亦佳，讓忙碌的你可專心完成手頭工作，然後籌備農曆年假，而不用分心處理是非。

狗

・一九三四
・一九四六
・一九五八
・一九七〇
・一九八二
・一九九四
・二〇〇六

寒命人——出生於西曆八月八日後、三月六日前
（即立秋後、驚蟄前）

熱命人——出生於西曆五月六日後、八月八日前
（即立夏後、立秋前）

平命人——出生於西曆三月六日後、五月六日前
（即驚蟄後、立夏前）

肖狗的你雖然來到了猴年，但去年的腸胃毛病會延至今年農曆六月，故七月前仍然要小心飲食，尤其是農曆三、六這兩個月更要小心，七月過後一切便回復正常，往後兩年讓你有機會可以調適一下。

肖狗今年為貴人舒服運加思想學習投資年，整個人的步伐突然間好像慢了下來一樣，但這也是好的，經過一年腸胃不適，是時候靜心衡量究竟是生活和身體重要還是金錢重要，當然兩者平衡最佳，但有時候現實是沒有那麼理想的。其實今年慢下來也是一個適當時機，因寒命人經過六年木火運後，前面將是六年金水流年，運氣始趨轉慢，故今年開始放慢腳步是一個好時機；而平命、熱命人面對往後六年金水流年，運程會日漸通順，故也不用急在此時，今年就放慢一點步伐，好好籌劃面前六年順運之部署吧！

今年肖狗為暗合年，容易暗中有貴人助你一把，從商、自僱者，貴人一般是你的客戶，而上班一族則是上司、老板無疑。

肖狗的你今年一顆吉星都沒有，故外來助力不多，事事要靠自己親力親為，尤幸今年有暗中貴人扶助，這也算是一種外來助力。

凶星有「天哭」，代表容易因一點小事而大哭一場，這又以女性較為常見，但有時大哭一場讓情緒得到抒發也是一個好的平衡辦法。

其他凶星有「豹尾」、「月煞」、「喪門」、「地喪」、「吞陷」等，力量不大，可以不必理會。

寒命人——上半年火運仍在，運程還是可以的，但下半年金水開始進氣，運程恐怕會開始下滑。要是在過去三年運程非常暢順，其旺氣可以延至二〇一八年底，但今年開始，盡量不要再開展新投資，只宜沿着舊有的路向發展。

熱命人——二〇一三至二〇一五這三年大火

年終於過去，往後六年金水漸旺，尤其是二〇一九至二〇二一這三年大水年，運程會逐漸順利，對於想一試從商滋味的你，今年要開始籌劃了。

平命人——雖云一生平穩，但給終金水年對你的助力較大，今年入秋後開始六年金水運，如有新計劃或者想作新嘗試其實是可以及適合的。

一九三四年出生的狗——今年為思想學習投資年，但在這年紀再有投資的機會不大，反而可以多些投入社會，吸收多一些新知識。

一九四六年出生的狗——今年為辛苦個人力量得財年，已屆退休年齡的你精力還是很充沛，如果是從事一些自由職業或是從商者，今年必能因工作量上升而收入有所增加。

一九五八年出生的狗——今年為貴人舒服懶年，即將退休的你是時候放慢腳步，想想日後去向，是想繼續工作下去還是退休後先停一下，然後再定日後方向，這都是需要準備的。

一九七〇年出生的狗——今年為權力地位提升年，上班一族固然可以爭取升遷，而從商、自僱者亦能趁機提高自己在行內的名聲，讓日後的路更加好走。

一九八二年出生的狗——今年是財運年，身心都開始成熟的你是時候要開始發力爭取了，尤其是收入不穩的你，必能因努力而獲得更好待遇；而收入穩定者，不妨多買一些彩票，看看能否有意外之財。

一九九四年出生的狗——今年為思想學習年，不論正在求學或在做事，在這年紀都是吸收期，且在學習年中，吸收新知識一定比平常容易。

二〇〇六年出生的狗——今年為活躍百厭年，肖狗的你好像停不下來一樣，不妨多參加一些課外活動，讓精力可以發洩一下。

財運——今年會略為放慢腳步，故財運亦因此而沒有明顯增長，這對於收入不穩的從商、自僱一族最為明顯。至於收入穩定的上班一族，今年亦可以放慢腳步，把累積的假期用掉，故今年花費亦應該比平常為多。

事業—既然今年是貴人舒服懶年，寒命人下半年適宜放慢一下腳步，整合一下，再細想二〇一六至二〇二一金水年的部署。平命、熱命人下半年開始容易得長輩、上司之助而事業運逐漸轉順，在二〇一九至二〇二一年當能更上一層樓。

感情—本年為太歲暗合年，已經有另一半的你，本年二人相處融洽，感情必能更進一步。單身者能夠開展新感情的機會不大，唯有在農曆二、四、十這三個桃花月可多些外出碰碰運氣，又或者看看自己能否成為今年重桃花年的羊、牛、雞者的桃花。

身體—胃腸之疾並未因羊年過後馬上一掃而空，因每年是緊接相連的，故胃腸毛病會延至今年農曆六月，上半年在飲食上還是要特別小心，尤其是農曆三月及六月這兩個月間，切記謹飲慎食，免得給羊年之疾病餘氣困擾着你。入秋以後，整體健康狀況是良好的，即使有「天哭」星跟隨，易因一些小事而感觸落淚，但其實這也是紓緩情緒的一種辦法。

是非—羊年所帶來的是非會延至今年農曆六月，故上半年仍然受着是非的影響，尤其是等待轉運的平命、熱命人更要小心；相反，寒命人在上半年運氣依然強盛，這些是非對整體運程的影響並不嚴重，待至農曆七月，是非便會消散無形。雖然今年並無貴人星，但亦不見有是非星，故是非與上年相比，今年算是一個太平年。

農曆一月

本月為思想學習投資月。正所謂一年之計在於春，今年農曆一、二月是你的思想學習投資月，好運快將完結的寒命人，是時候籌劃一下下半年的去向，入秋以後，可進則進，不可進則守；平命、熱命人亦要籌劃一下在以後六年金水流年，是否想作出一些改變又或者是嘗試一下從商的滋味。

財運——本月既然是思想學習投資月，或多或少都會比平常多一點花費，加上假期已經花了一筆錢，故本月在財政上要好好把關，以免因開支過度而令自己失了預算。

事業——前路去迢迢，何須問變化。今年是水火互換年，火去水來，也是寒、熱、平命人運程交替之時，唯一可以做的，就是做好充足之攻守準備，其他一切就順其自然，讓運程帶着你走好了。

感情——本月為本年的沖太歲月，但對肖狗的你並無影響，除非另一半是肖虎或肖蛇，本月才會易生變故，否則，本月感情看不到有任何變化。

身體——來到此月，胃腸之疾明顯紓緩了不少，但是仍未可完全放心，因胃腸不適會延至今年農曆六月，故本月宜好好調養，望餘下之數月不適逐漸緩和。又本月為本年的相沖月，唯恐交通意外會較為頻繁，故駕駛者在路上要打醒十二分精神，以免給人連累而惹上意外。

是非——本月是本年的是非月，但與肖狗的你並無直接關係，即使多點找朋友或客戶外出應酬，問一些投資意見，人家也會樂於幫忙，無需為是非太過掛慮。

農曆二月

本月亦為思想學習投資加暗中權力提升月，打算在今年開始起步投資的平命、熱命人，這個春季是第一個開始籌劃的好時機，否則便要待至入秋農曆七、八月才有另一個時機。至於學習方面，不管何種命人都是可以的。又本月為肖狗的相合月，人緣運不差，加上本月亦是本年的暗合月，整體社會氣氛亦是良好的，故各樣事情進行時所遇到的阻力不算很多。

財運——不論學習或投資，或多或少都要有一些額外支出，即使在籌劃階段，飲茶灌水的錢還是少不了，尤幸本月為相合月，遇到的人都是正派的，可讓你少走一點冤枉路。

事業——本月為思想學習投資加暗中權力提升月，如沒有打算學習或投資，本月事業運仍是可以的，因本月為暗中權力提升月，上班一族代表受到公司重用，要管的事多了，責任大了，這也是工作能力被肯定的一種方式；而從商、自僱者在行內的名聲提升了，對整體事業運也能起到正面作用。

感情——本月為肖狗的相合月，整體感情是穩定的，不管男女或朋友間的感情都能更進一步，加上本月是肖狗的霧水桃花月，單身者容易跟已經相識的人突然間走在一起，雖然霧水桃花一般易聚易散，但如果能維持到下個月，説不定會由假轉真。

身體——平地過江江無浪，渡水行舟舟安然。本月並無刑沖，突然遇上交通意外的機會不大，唯初春陰濃濕重，一向皮膚敏感的你在飲食上小心一點便可以了。

是非——春風送暖，榆柳好生意。本月整體社會氣氛平和，加上又是肖狗的相合月，人緣運更比別人佳，故本月無需為是非費神。

農曆三月

本月為辛苦個人力量得財月，如果在上兩個月開始起步，本月已經可以見到初步收成了，但本月為肖狗的相沖月，容易財來財去，為先來財後破財的月份，故宜花點錢買些心頭好以應破財。又本月土土相沖，胃腸不佳，希望錢不是用於看醫生便好了。

財運——勞而有功，用力前行。本月為辛苦個人力量得財月，對收入不穩的從商、自僱一族最有幫助，然本月為偏財月，上班一族也可以嘗試多買一些彩票，看看能否獲得一點意外之財。

事業——雖有是非，善遣無妨。因本月是肖狗的相沖月，是非難免較上兩個月多，唯整體工作運是可以的，雖然工作量大了一點，但財運也因而相應增加，讓你愈忙愈起勁，故整體事業運算是一個不錯的月份。

感情——月令相沖，感情相對不太穩定，尤其是上月才來的霧水情緣，唯恐容易在這個月消散。如果真的想維持下去的話，本月唯有減少見面，以免相見爭吵而導致更快分手。

身體——受去年胃腸毛病影響，今年上半年仍要留神，尤其本月為肖狗的相沖月，土土相沖，對胃腸、消化系統難免產生壞影響，故本月除了要小心飲食外，還要盡量放鬆自己，因為壓力也是疾病的來源。

是非——小是小非，無需掛懷。雖然本月為肖狗的是非月，但因羊年已逐漸遠離，其影響力將會愈來愈小。所以，本月之是非與去年相比，只能算是一點點枝節而已，無需要太過分心費神處理。

農曆四月

本月為貴人舒服得財月，又是肖狗的桃花月，人緣運與財運都應該不錯，然而本月為正財月，即是從努力工作後而應得的財富，並非意外之財，但因本月並非辛苦得財月，故只需像平常一樣地工作，財運便會自然而來。

財運——桃花加上財運月，本月人緣佳，不論在私人上或工作上都能為你帶來正面幫助，故本月宜多些外出與客戶聯絡，說不定能給你帶來意外驚喜；即使是收入穩定的上班一族，本月能夠在和諧的環境下工作，也算是另一種得着。

事業——無意栽花，會見上林錦繡。既是貴人舒服得財月，故本月無需刻意努力，就像平常一樣，順其自然好了，加上本月是肖狗的桃花月，人緣運明顯比上月佳，必能為你在工作上帶來不錯的進展。

感情——桃花月，感情、人緣佳，正好給你機會修補一下上月破壞了的感情。單身的你今年既然並非桃花年，如果不想繼續單身下去的話，便要好好地利用這個桃花月，多些給自己製造機會，配對晚宴也好，多些相約朋友外出也好，盡量不要讓自己獨留家中。

身體——腸胃之疾已一掃而空，本月亦非流感高峰季節，外來的影響也不大，加上是肖狗的桃花月，人緣佳，連心情都因此而好起來，病菌想入侵也無從。

是非——除當塗之瓦礫，剪礙道之荊榛。上月之是非已一掃而空，再加上本月為重桃花月，人緣運算是很好的月份，故宜多些相約客戶外出，打好關係，為日後合作建立更好的基礎。

農曆五月

本月為權力地位提升加貴人舒服得財月。上班一族如果知道公司準備作內部提升的話，不妨努力爭取，尤其是秋冬天出生的寒命人，乘着三夏火旺之時鼓起餘勇，看看能否在入秋前更上一層樓。雖然我常常說升遷與好壞運沒有直接關係，但仍在好運中的寒命人始終看高一線。

財運——本月為權力地位提升月，上班一族如果真的能爭取到升遷，財運當然會相應增加。從商、自僱者亦可趁此機會努力提高自己在行內的名聲，這樣亦間接對事業、財運能起到正面作用。

事業——有梯有板，高樓直上不難。本月是肖狗的相合月，人緣運仍然是可以的，上班一族固然有望更上一層樓；而從商、自僱者亦容易得到別人的信任，這也是對你個人事業的肯定。

感情——月令相合，感情穩定，尤其是上個月才認識的異性，本月感情有機會更上一層樓；即使是已婚者，這兩個月得到桃花及相合月之助，與伴侶相處愉快，感情運是穩定的。

身體——無刑無沖，亦非疾病月，整體健康是良好的，即使多些外出交際應酬，偶爾放縱一下胃口，身體亦不會因此而得出病來，腸胃算是良好的月份。

是非——無是又無非，光陰日影移。本月人緣運不比上月桃花月差，自然可以多些外出應酬、出席更多公眾聚會，讓人際網絡擴得更闊，這不單對從商或上班一族有幫助，亦對能力高的自僱者起到正面作用。

農曆六月

本月為辛苦個人力量得財加權力地位提升月，上班一族固然可以爭取升遷，而從商、自僱者亦能因工作量上升而收入有所增加。但本月為肖狗的相刑月，承接去年胃腸影響，會延至本月才終止，故本月在飲食上要多加注意。又本月算是本年是非最多的月份，難免會因人事之影響而減慢了運氣與事業運之進展，唯有盡力做好自己，其他控制不了的事情就由它好了。

財運──本月對收入不穩的從商、自僱一族雖然有直接幫助，但可惜本月是非特別多，難免對任何事情都容易帶來負面影響，即使是上班一族也增加了本月爭取升遷的難度，一切唯有盡人事，聽天命吧！

事業──上山多費力，有樹可扳枝。雖然本月事業運與財運都容易因月令相刑而引致是非特別多，但對寒命人的影響相對會較小，故上班一族仍要努力爭取升遷，從商、自僱者亦要在立秋前努力打下更好基礎。

感情──閉口藏舌是非多。雖然本月是本年的桃花月，但對肖狗的你並無幫助，因本月是你本年最多是非的月份，不管在工作上或生活上都特別容易招惹別人不滿。本月唯有減少見面，多傳短訊，望能將感情上的是非減至最少。

身體──土土相刑，胃腸不佳。本月皮膚與腸胃都特別容易出現不適，故在飲食上要好好調節，除了少沾煎炸燥熱食物外，生冷之物同樣要少沾為妙。

是非──木雕老虎當門立，不傷人時也驚人。既然知道本月是非特別多，就好好退避好了。本月宜埋首工作，盡量減少外出應酬，讓是非難以入侵。本月過後，便可以正式擺脱二〇一五羊年的影響了。

農曆七月

本月為貴人加思想學習投資月，對於想開始從商的平命、熱命人是一個很好的機會，加上本月為肖狗的驛馬月，可以的話多些外遊，說不定會給你帶來事業上的靈感或新思維。又本月為貴人月，工作量不大，讓各種命人都可以靜心細想往後六年金水流年的去向，好好作一個攻守準備。

財運──既然是思想學習投資年，不管投資或學習，或多或少都要比平常多花一點錢，再加上本月為肖狗的驛馬月，外遊的機會也是大的，故本月要好好計算支出，以免入不敷支。

事業──迢迢長路來通津，策放從新始見成。平命、熱命的你，從今個月開始踏上六年金水流年，如確知自己已入了大運，不妨大舉進攻，即使未入大運，往後六年金水流年也能對你起到正面作用；相反，寒命人本月開始要放慢腳步，靜心細看，可以攻的話可順其自然，如發現運氣開始退便要馬上停步防守。

感情──本月為本年的犯太歲月，但對肖狗的你影響不大，除非另一半剛好是今年沖犯太歲的生肖才會出現問題，否則本月感情是穩定的，如時間許可，還可以相約外遊，共度一個愉快假期。

身體──胃腸之疾已一掃而空，但皮膚問題仍要小心，雖然已踏入初秋，但天氣還是炎熱的，故要好好注意個人衛生，免得皮膚出現不適。

是非──本月是本年是非最多的月份，但對肖狗的你反而沒有影響，即使多點外出應酬，得到的結果也是正面的多，唯一要注意的是，如果身邊有沖犯太歲的朋友向你訴苦，切記要好好做一個聆聽者，不要參與太多意見，以免是非沾上你身。

農曆八月

本月為貴人加思想學習投資月，平命、熱命人仍可籌劃一下是否要進攻，否則，去進修學習一些新知識，本月亦是一個好機會，且學習方面，不管寒、熱、平命人都是適宜的。又本月為本年的桃花月，整體社會氣氛亦是良好的，讓你在籌劃去向之時，也容易得到別人的援手。

財運——本月依然是有機會入不敷支，故在財政運用上要好好計算，寒命人要留多點現金在身邊，待真的遇上逆境時也有足夠現金支持。平命、熱命人則剛好相反，如果沒有打算花一筆錢去從商的話，往後的財政會逐漸豐裕，故即使多花一點錢也不會對財政構成壓力。

事業——前溪自有漁郎引，不必遲疑自在行。尤其是想起步嘗試的熱命人，不必要再猶疑了，想作新嘗試的話，這一兩年都是可以的；平命人也是一樣。相反，寒命人適宜看清形勢，作退守的準備。

感情——本月為本年的桃花月，整體社會氣氛較為平和，連帶感情運也好起來，且本月是肖狗的暗合月，感情是穩定的，單身者容易出現遠方的暗戀對象，可能給你碰上一位令你心儀的異地人。

身體——中秋望月，光圓千里。身體狀況依然良好，即使是平常腸胃較差的你，本月若要多外出應酬，放縱一下食慾，身體也是可以的，就好好享受一下身心健康所帶來的歡愉好了。

是非——人逢好事精神爽，花遇風和瑞氣香。本月是本年的桃花月，整體社會氣氛良好，加上肖狗的你並無刑沖，自身人緣也是可以的，故本月無需為是非費神。

農曆九月

本月為辛苦個人力量得財月，眼前工作已迫着要上軌道了，還在猶疑不決是否要起步的你，本月要收拾心情全力投入工作，即使是收入穩定的上班一族，就算工作量提升了而收入也不會增加，亦要盡力去完成手頭工作，因這是責任問題，也算是對自己的交代。

財運──上班一族不會因一時的工作量上升而收入有所增加，故本月財運是不會有突破的，反而從商、自僱者，本月財運容易有明顯升幅，這對多勞多得的自僱一族尤其準確。

事業──魚游大海跳躍自如。本月雖然是肖狗的犯太歲月，每年到此月你都容易出現負面情緒，但本年你並非犯太歲生肖，加上本月工作量大增，根本沒有時間讓你閒下來胡思亂想，故本月情緒並沒有因犯太歲月而出現不快。

感情──每年到此月你都要注意感情問題，平常都是因為自己的悲觀負面情緒所致，但本月卻是由於工作量大增而沒法多花時間投入感情，唯有多傳一些短訊，多發一些電郵去維繫好了。

身體──本年身體狀況雖然良好，但來到農曆九月還是要小心注意飲食，加上本月工作量增加，壓力也上升了不少，而有時胃腸不適是因壓力而起的。

是非──江頭浪息風還起，嶺上雲收霧未消。本月本該是肖狗的是非月，但是非卻沒有明顯增多，一則本年肖狗並非是非生肖，亦無是非星；二則本月工作忙碌，肖狗的你已全力投入工作，是非想生出亦無從。

農曆十月

本月為辛苦個人力量得財月，上半月工作量依然大，但財運在下半月卻明顯上升，有可能是這兩個月的努力開始見到成果，加上本月為肖狗的桃花月，人緣運亦比其他生肖為佳，單身者還可以多些外出碰碰運氣，看看能否在桃花月開展一段新感情。

財運──盡可放馬揚鞭，自能頭頭是道。本月既然是肖狗的桃花月，人緣運必然較別的生肖為佳，做起事來自然頭頭是道，增加了不少外來助力。收入不穩的從商、自僱一族必能從提升的工作量而直接得益，而上班一族亦可嘗試多買些電腦程式的彩票，看看能否得貴人之助而獲得意外之財。

事業──日就月將，一路邁進。上半月工作稍為忙碌，下半月一切又回復正常，且財運比上個月更佳，加上本月為重桃花月，人緣比上月好得多，不妨多外出應酬，對事業必會有較大的正面影響。

感情──已有穩定感情者雙方相處愉快，除非另一半是肖豬或肖猴，本月感情才容易出現爭拗，但即使如此，也不會嚴重破壞雙方關係，而爭拗可能只是各自觀點不同而已。

身體──康莊可步，安用徘徊。胃腸及皮膚的困擾已煙消雲散，本月既得桃花之助且下半月工作量亦不大，讓你可以逍遙度日，所有壓力都消失無影，身心狀態都是良好的。

是非──雖有浮雲掩月，五更雲散復明。本月為肖狗的桃花月，人緣明顯比上月好得多，即使多些外出應酬，也不會因此而惹出是非來。

農曆十一月

本月為思想投資得財月，也是平命、熱命人另一個投資時機，其實在聖誕前開展新生意在時間上是合適的，因可借助聖誕、新年假期，使生意加快讓人認識，雖然下個月也是投資月，但在時間上好像不太適合，故如果不在此月開展便要待至明年了。但即使不起步從商，這個月運程還是可以的，熱命、平命人固然好，寒命人亦能得財運月之助而收入有所增加。

財運——春園之草，不見其生，日有所長。本月為思想投資得財月，不論對何種命人都能起到正面作用，平命、熱命人固然佳，而收入不穩的寒命人亦能因財運月而得到一定好處。

事業——本月為思想學習投資月，想開始作新嘗試的平命、熱命人，本月是本年的最後一個好時機，但如果還是猶疑未決的話，也不用急在一時，因往後三四年都是一個可以起步的好時機。

感情——本月肖狗的男性比較容易碰上心儀的對象；肖狗女性如果在上月把握不到，今年下來的機會不大了。已有穩定感情者，本月亦沒有甚麼要特別注意，即使在假期中相處的時間多了，也不會因此而鬧意見。

身體——福來人共慶，道路好風光。本月身體狀態良好，使你有一個健康的身體去度過愉快的假期，即使在假期中偶爾放縱一下胃口，也不會因此而吃出病來。

是非——假期在即，每個人都忙於處理好手頭工作放假去也，誰都沒有閒心去惹是生非，加上本月並無刑沖，亦非是非月，讓你亦可以專心完成手上工作，放假去也。

農曆十二月

本月為思想學習投資月，但無論是學習或投資，在本月好像都不是太適宜，又加上農曆新年來得較早，聖誕、新曆新年過後不久，又到農曆新年，當中工作的日子其實不多，不如全力投入現有的工作，然後放假去也，一切新計劃留待明年開展好了。

財運——本月財運一般，並沒有明顯增長，雖然本月為思想學習投資月，但因在本月開始投資的機會始終不大，故財政是穩健的，讓你有充足的金錢去過一個豐裕的農曆年假期。

事業——我且盡其力，厚薄隨其緣。年之即盡，是得是失，一切已成定數，故本月只宜守舊，快點完成手頭工作，留港度歲也好，外遊散心也好，都是要及早安排的，加上農曆年假期來得較早，故新曆年假期回來以後便要馬上安排農曆年假期的節目了。

感情——本月為肖狗的相刑月，每年到此月感情都容易出現小風波，可能是商量農曆年假期安排時，雙方意見不同而已，應該不會是嚴重爭吵至影響到雙方感情。

身體——本月土土相刑，在飲食上要多加留意，加上兩個假期相距不遠，要盡力完成手頭工作去準備農曆年假，已經給你帶來不少壓力，壓力大了，腸胃自然容易出現不適，唯有在餘暇時盡量放鬆自己，以免被壓力把自己打倒。

是非——小是小非，無需掛懷。本月雖然是肖狗的是非月，但也不至於要太過擔心，因聖誕假期過後又到農曆年假，每個人都要盡力完成手頭工作放假去也，誰都沒有閒心去惹是生非。

豬

・一九三五
・一九四七
・一九五九
・一九七一
・一九八三
・一九九五
・二〇〇七

寒命人——出生於西曆八月八日後、三月六日前
（即立秋後、驚蟄前）

熱命人——出生於西曆五月六日後、八月八日前
（即立夏後、立秋前）

平命人——出生於西曆三月六日後、五月六日前
（即驚蟄後、立夏前）

肖豬

今年雖然是太歲相害的生肖，是非較平常為多，但害較犯、沖、刑都來得輕，故只是一點點小是小非而已。因肖豬今年是財運年，整體財運較大多數的生肖為佳，寒命人可借助上半年大火之餘氣繼續努力爭取，而平命、熱命人宜在下半年開始發力，尤其是自僱一族，必然能因財運年而直接得到好處；其次是從商一族；而上班收入穩定的你，這個財運年可能對你幫助不大，除非能爭取到升遷，否則財運不會有太大進展。升遷方面，以一九七一年出生的豬機會最大，不妨努力爭取。

今年吉星有「太陰」，女貴人星，如上司、同事或下屬是女性的話，說不定在今年都能為你帶來好處。

「地解」，逢凶化吉，能減輕凶星的影響力，也能將今年的是非減至最低。

凶星有「亡神」，代表容易丟失私人物件如錢包、手提電話、鑰匙等小物件，給你帶來一些麻煩。

「天官符」，是非星，加上本年肖豬為太歲相穿年，更加容易招惹是非，尤幸有「地解」星之助，能將是非減至最低，亦可在今年東南桃花位放一杯水、西北爭鬥位放粉紅色物件去旺人緣、化是非。

「孤辰」，心情常覺孤獨、不開朗，唯有在孤獨一人時多約朋友外出，減低孤單的感覺。

其他凶星還有「貫索」、「勾神」、「六害」、「卒暴」等，影響不大，無需理會。

寒命人——今年入秋以後開始金水進氣，運程恐怕會開始慢下來，但是如果二〇一三至二〇一五年間進步神速的話，有時運氣可延至二〇一八年底才終止，故入秋以後要細心留意，可進則進，不可進則要開始退守。

熱命人——木火流年終於要完結了，入秋以後開始金水進氣，但有時運氣是會延遲的，快則入秋後漸入佳境，遲則要待至二○一九年，故入秋後要看清形勢，才決定是否開始進攻；而上班一族也一樣，急則二○一六年後可以轉工，而最理想時機為二○一九至二○二一年這段期間。

平命人──雖云一生平穩，但總會有一點順逆之分，比較之下還是金水流年對你較為有利。由今年入秋開始連續六年金水流年，尤其是二○一九至二○二一這三年大水年對你比較有助力，如果想作新嘗試的話，快則今年入秋後，遲則待至二○一九年都是你嘗試的好時機。

一九三五年出生的豬──今年是思想學習投資年，年紀已不小的你，除非仍然在營商，否則，在這時候作出新投資的機會不是很大，而學習方面則無不可，多些接觸新事物總是好的。

一九四七年出生的豬──今年是辛苦個人力量得財年，如果仍是自僱或在營商，今年財運必然能因工作量上升而收入有所增加。已經退休的上班一族，可嘗試重新投入工作，又或者當義工幫助一些有需要的人。

一九五九年出生的豬──今年是貴人舒服懶年，退休在即的你，也是時候放慢腳步去思考一下日後去向，不管是想完全退休還是繼續工作，也是需要時間籌劃的。如果在五十五歲已經退休，今年不妨作一個長途旅行，說不定在旅行中能給你一個明確的想法。

一九七一年出生的豬──今年是權力地位提升年，上班一族要加倍努力，看看能否在本年內更上一層樓；從商、自僱者亦可藉此年提升自己在行內的名聲，為日後鋪設更好走的康莊大道。

一九八三年出生的豬──今年為財運年，各個肖豬者以你的財運最佳，寒命人宜好好把握上半年，平命、熱命人則宜在下半年開始發力，看看能否在財運年爭取到更好成績。

一九九五年出生的豬——今年踏入二十一歲，不論還在求學或已經踏足社會，都能因今年的思想學習年而有所得益。求學的你今年有利考試，而上班一族本年亦可以多作一些新嘗試。

二〇〇七年出生的豬——今年雖為辛苦個人力量得財年，但才踏入九歲的你，可能只是比較活躍而已，可以的話，不妨多參與一些課外活動，把多餘的精力消耗掉。

財運——今年為肖豬的財運年，收入不穩的從商、自僱一族最能直接得益；而收入穩定的上班一族，除非今年職位可以提升，否則財運能增加的機會不大，或者可以多買一些彩票，看看能否有些意外收穫，即使未能中獎，也算是做了一點善事。

事業——今年雖非名氣權力地位提升年，但因有「太陰」星之助，還是容易有貴人助你一把。又今年為水火互換年，平、熱、寒命人運程都會因而逆轉，平、熱命人漸漸好轉，而寒命人是時候開始退守了。

感情——本年太歲相害，或多或少都對感情帶來負面影響，尤幸相穿、相害的力量不大，只要在農曆四、七、十這三個月多加留意便可。但今年並非桃花年，單身者能開展一段新感情的機會不大，唯有在農曆三、九、十一這三個桃花月多些外出碰碰運氣。

身體——今年為申亥相穿，對腎、膀胱、泌尿系統容易產生壞影響，這對女性尤其不利，故今年生冷之物要切記少沾，以免問題惡化，尤其是在農曆七、十這兩個月更要小心。

是非——莫以小急亂謀，休以微寒失養。因今年太歲相害的關係，是非在所難免，身邊總會出現一些搞小動作的小人，自己可以做的就是靜心應對，方免陷入小人之圈套。

農曆一月

本月為貴人力量加思想學習投資月，可能因假期才剛完結，有些公司還未開始營業，故本月工作量不大，人較為清閒，讓平命、熱命的你有時間思考一下今年下來的去向，因本年入秋以後是連續六年金水流年，如果想嘗試一些收入不穩的工作也是可以的。

財運—本月是貴人舒服懶月，工作量不多，人亦未完全投入狀態之中，故本月財運能有突破的機會不大，加上本月為思想學習投資月，如落實投資或者進修，或多或少都要花費一筆額外的財，故本月開支容易比平常為多。

事業—變而化之適時機，人生到此起轉折。今年是水火互換年，雖然整體轉變容易出現在入秋以後，但上半年開始其實已經要着手準備，尤其是想開始學習從商一嘗當老板滋味的平命、熱命人，不妨多相約些過來人，徵詢一下別人的意見。

感情—月令相合，感情是穩定的，加上假期才剛結束，雙方仍懷着愉快的心情，出現爭吵的機會不大，既然工作亦不忙碌，不如多些相約對方外出，善用一下清閒的時間。

身體—春到南枝自有微陽相應。本月身體健康狀況是良好的，雖然時值流感高峰期，但對肖豬的你影響不大，無需過分擔心。

是非—安然無事納禎祥，幾朵梅花撲鼻香。雖云本年是非較多，但在這個肖豬的相合月，是非不多，人緣還比平常佳，即使多些相約客戶或朋友外出，問一些意見，他們也樂於解答、相助。

農曆二月

與上個月一樣，本月依然是貴人加思想學習投資月，工作量依然不大，自身可用的時間較多，讓打算從商的平命、熱命人能夠多抽出一點時間去籌劃。又本月為肖豬的相合月，人緣運不比上月差，加上本月為本年的暗合月，整體社會氣氛比上月好得多，算是一個平穩順暢的月份。

財運——財如冰雪，太陽一見便消溶。本月財運看不見有明顯增長，而且會因思想學習投資的關係而比平常多花一點錢，尤其是想學習從商的平命、熱命人，過去數年運程一般，可能積聚不了太多金錢，故財政並不豐裕，如得不到朋友或家人之助，在計算開支時更要格外小心。

事業——欲左欲右，心中不定。因本月仍是思想學習投資月，如沒有想過要去學習，亦不打算作新投資的話，本月可能容易出現情緒不穩以致胡思亂想，唯有盡量提醒自己，好好控制情緒。

感情——本月仍是肖豬的相合月，感情依然是穩定的，尤其是不打算學習或投資的你，本月更宜多些相約另一半共聚，盡量把空閒的時間填滿，讓自己沒有太多時間胡思亂想。

身體——本月容易因胡思亂想而引致失眠，唯有盡量放鬆自己，在睡眠前看一些消閒書籍，又或者喝一點葡萄酒，這都是能放鬆自己、幫助入眠的方法。

是非——到處盡逢歡愉事，相看總是太平人。本月是非不多，整體社會氣氛也是良好的，無需為是非費神，只要好好管理一下自己的情緒，不要讓自己無故惹是生非就是了。

農曆三月

本月為辛苦個人力量得財加暗中權力提升月。經過兩個月的閒適，本月終於要努力面對工作了，尤其是上班一族，因本月為暗中權力提升月，可能要管的事情多了，責任大了，讓你更要加倍努力，尤幸本月為肖豬的桃花月，人緣運比上兩個月更佳，讓你做起事來都順利了不少。

財運——既然是辛苦個人力量得財月，對收入不穩的自僱一族最能起到直接作用，收入必然會隨着上升的工作量而有所增加；其次是從商的你，工作量大了，接觸客戶的時間多了，自然能洽商成功的機會也會大增。

事業——勞而有功，用力前行。本月工作量突然大增，讓慵懶了兩個月的你差點兒適應不來，還幸忙碌的工作只集中在上半月，下半月有時間讓你去調整一下自己的步伐。加上本月為肖豬的桃花月，故整體的工作運是良好的。

感情——桃花月，對已經有穩定感情者能起到正面作用，可以促進雙方關係。單身者可以利用這桃花月多些外出碰碰運氣，上半月可能因工作量大而抽不出時間來，唯有盡量在工作量平穩的下半月多些外出，看看能否碰上心儀對象。

身體——本月身體狀況還是良好的，雖然工作量明顯比上兩個月大，但身體仍然可以應付自如，加上本月是肖豬的桃花月，人緣佳，連帶心情都好起來，疾病想入侵也無從。

是非——人緣運比上個月有過之而無不及，即使工作量明顯增加，但小人、是非卻沒有因此而變多，讓你可以平和地埋首工作，無需費神去理會小人、是非。

農曆四月

本月為辛苦個人力量得財月，財運明顯比春季為佳，尤其是生於秋冬天的寒命人，踏入夏季之時，一般運氣都會比較好，加上承着過去三年大火年的餘威，這個夏季你的財運還是可以的。但本月為沖財月，肖豬的你每年到農曆四月都容易財來財去，相信本年四月也沒有大分別，唯有在財來之時馬上買一些可以變回現金的物件以應破財。

財運—應如疾風勁草，再接再厲。本月仍然是辛苦個人力量得財月，收入不穩的你可再加一把勁讓財運再度提升，雖然本月為財來財去月，但應該是先來後去，即使不是花錢買實物而是把錢花掉了，也會賺到一些兒快感。

事業—賺錢不難也不易，財入錢出付水流。本月工作雖然忙碌，但因財運相應提升，讓你愈忙愈起勁，但本月財來財去，正所謂搵得辛苦，花得開心，這也是對工作的一種推動力。

感情—本月為大沖月，本年以這個月感情最不穩固，記着不管工作怎樣忙碌，都不要把對方忽略，除非立意想分手那就另當別論，否則本月要好好控制自己，勿一見面便馬上爭吵，這樣做既無益亦無謂，因分手不用爭吵，一齊又不要爭吵破壞感情。

身體—提防足、股、面、齒之傷。本月是肖豬的傾跌月，加上本年太歲相害，容易受小問題困擾，駕駛者更要打醒十二分精神，以避免意外之險。

是非—衣祿雖宜人，心頭有壓力。本月始終是肖豬的沖太歲月，即使財運、事業不差，但是非必然特別多，加上本年你又是犯太歲生肖，是非已經比別的生肖為多，唯有盡量減少交際應酬以杜絕是非。

農曆五月

本月為思想投資得財月，寒命人可以沿着舊有路向發展，平命、熱命人如想在今年內作出新決定，這兩個月是適當的時機。又本月為肖豬的暗合月，容易暗中有貴人助你一把，讓你辦起事來特別容易水到渠成。

財運——本月是投資得財月，寒命人在這個月仍可順着舊有路向發展，不管是從商或自僱的你，本月運程仍然是可以的。至於上班一族，本月為思想學習月，可以的話，宜抽時間去學一些新知識，說不定能給你帶來啓發；學習方面，不管寒、熱、平命人都是合適的。

事業——寒命人宜沿着舊有方向發展，平命、熱命的你則可以起步作新嘗試，即使是生活穩定的上班一族，在這兩個月亦不妨接受一些新挑戰，測試一下自己的能力。總而言之，這兩個月是轉變的好時機。

感情——本月暗合，感情穩定，如果因上月相沖而引致雙方不快，這個月正好有時間讓你去作出修補。因暗合之關係，肖豬的你容易出現暗戀對象，可惜今年並非你的桃花年，而本月亦非桃花月，故能開展一段新感情的機會不大。

身體——雲開日現，波靜風平。相沖月已經過去，本月遇上交通意外或損傷的機會不大，加上本月暗合，易得貴人扶助，連工作壓力都明顯減輕了，身心都是安康的。

是非——雖有浮雲掩月，五更雲散復明。上月之是非已一掃而空，故本月無需為是非費神，即使要進行一些新項目，遇到的阻力亦不會太多，反容易會出現貴人去扶你一把。

農曆六月

本月為思想學習投資加暗中權力提升月，如果正在開展新事業，在這個月進行也是有利的，因本月是肖豬的遙合月，容易得到遠方貴人扶助，如閣下從事一些常常要與外地聯繫的工作，貴人的助力將會更明顯；即使是一般上班族，本月亦能因暗中權力提升的關係，容易得到公司重用，故本月整體運程仍是可以的。

財運—雖然沒有上兩個月那麼明顯，本月財運仍然是可以的，即使本月想作出一些新投資亦能應付自如。上班一族下半月有暗財，看看是否公司給你一些特別獎金，還是從其他地方獲得一些意外之財。

事業—萬金幾地方，切勿一處投。尤其是剛起步的平命、熱命人，不要在起步時投入太多資金，因為不是一踏出去便會馬上成功，說不定會柳暗花明，路中有路，故手頭要多留一點現金；而寒命人即使眼前運程還好，但仍不宜大舉進攻，新項目更是可免則免。

感情—本月暗合，感情仍然是穩定的，單身者在旅行或外出公幹期間，特別容易出現心目中的理想對象，但這些異地暗戀對象，能成事的機會更低，就當作是一個美好回憶好了。

身體—要稍為注意皮膚、腸胃，雖然肖豬的你先天看不見有腸胃疾病，但本月在飲食上仍要小心，只怕腸胃可以，皮膚受苦，尤其在這夏天，煎炸燥熱之物切記少沾。

是非—無是無非，安然度日。本月既然是貴人月，是非自然不多，加上本月是本年的桃花月，整體社會氣氛也算平和，無需為是非擔心。

農曆七月

本月為貴人舒服得財月，但財運明顯比夏季為弱，可能因工作量不大，以至從商、自僱者的收入沒有突破性增長，但其實整體還是可以的，因本月為肖豬的月令相害月，又是本年的犯太歲月，整體社會氣氛一般，自己的人緣運亦較上兩個月差，故工作量減少未嘗不是一件好事，最少可以減低惹上是非的機會。

財運——財早有，細水流。本月為財來財去月，只有一點點虛財過一過手而已，但在這是非特別多的月份已經算是不錯，所以本月宜順其自然，順着眼前的路去走，不宜盲目冒進。

事業——進退時常宜穩步，往來枝節要關心。本月是非特別多，只宜埋首在自己的工作，工作以外的事，最好少理為妙，以免讓是非進一步影響事業成果。又本月宜減少外出與客戶聯絡，盡量低調一點，這樣必能有助於事業及減免是非。

感情——身閒心未閒，瑣碎事相纏。本月要好好處理感情，尤其若對方剛好是本年沖犯太歲的生肖的話更要小心，雖然本月工作量不大，但亦不宜過分頻密見面，以防因小事而引致大風波。

身體——申亥相穿，不利腎、膀胱、泌尿系統，生於三冬的肖豬者要特別小心，生冷之物要少沾為妙，尤其是女性，以免經來腹痛而進一步影響心情。男性的肖豬者本月身體仍是理想的，不用太過擔心。

是非——本月是本年的犯太歲月，整體社會氣氛不太和諧，加上又是肖豬的相穿相害月，自身是非亦多，故本月宜盡量減少外出應酬，以免節外生枝。

農曆八月

本月為貴人舒服得財月，情況與上月差不多，但本月是本年的桃花月，整體社會氣氛較上月好得多，讓你可以在一個平和的環境下工作，即使財運沒有明顯增長，但賺到的是愉快心情，也算是一種得着。

財運——財似霏霏雨，還需努力追。本月與上月一樣，也是一個浮財月，但在人事上卻明顯好得多，讓你在工餘時可以多些外出與客戶聯絡，打好各方關係，故本月在財運上雖然沒有特殊收益，但在人緣與人際之交往上，算是賺到了。

事業——康莊可步，安用徘徊。本月肖豬者雖然無刑無沖無合，只是一個平常月，但因本月是本年的桃花月，整體社會氣氛較上月好得多，讓你做起事來都順利了不少，整體事業算是進展良好。

感情——本月並無刑沖，亦非相合月，對感情既無幫助，亦無壞影響，唯本月是本年的桃花月，整體社會氣氛良好，間接可提升你的感情運。

身體——堅冰已被東風解，何必躊躇處覆來。腎、膀胱、泌尿系統已經回復正常，但生冷之物還是少沾為妙，因本年是不利以上部位的年份，只是本月較為平和而已。又三秋似寒未寒，加上天氣日漸乾燥，宜開始多吃一些清潤的食物，以保皮膚水份。

是非——雲開日現，波靜風平。上個月的所有不穩定因素已經完全消除，雖然本月並非肖豬的桃花月，但也能受惠於整體良好的社會氣氛，即使多一點外出應酬，結果也是正面的多。

農曆九月

本月為權力地位提升月，是上班一族努力的時候，如果知道公司準備作內部提升，應該盡力去爭取。財運方面，這個月比上兩個月為佳，加上不是浮財，財來了之後是可以掌握在手裏的，且本月為肖豬的桃花月，整體人緣運亦較其他生肖為佳，故本月財運、事業與人緣運都是不錯的。

財運——本月有暗財，從商、自僱者可能洽成一些意想不到的生意而令到財運相應增加，讓你減去正常開支後，多了一筆可儲蓄的財。上班一族宜努力爭取升遷，如願望真的成功，財運還會少嗎？又或者可以多買一些彩票，看看能否獲得意外之財。

事業——有梯有板，高樓直上不難。本月為地位提升月，上班一族固然可以增進升遷機會，從商、自僱者亦可趁機提高自己在行內的名聲，加上本月為肖豬的桃花月，讓你能夠更易如願。

感情——桃花月，感情、人緣佳，單身者還可藉此桃花月，看看能否開展一段新感情，不論六人晚餐也好，請朋友介紹也好，如果不想繼續單身的話就要積極一點了。

身體——本月為本年的胃腸流行疾病月，但對肖豬的你影響不大，即使多些外出應酬，也不會因此而吃出病來，加上本月為肖豬的桃花月，人緣與心情都是正面的，讓你能輕鬆愉快地度過此月。

是非——桃花月，人緣好，是非遠離。本月宜多些外出與朋友、客戶聯絡，建立更好的人際關係，上班者能增加升遷機會，從商、自僱者亦能因此而為自己帶來更多商機。

農曆十月

本月為辛苦個人力量得財加權力地位提升月，上班者仍可以努力看看能否爭取到升遷，從商、自僱者亦能因工作量提升而給自己帶來更多機會，唯一要小心的是，本月為肖豬的犯太歲月，容易為你帶來負面情緒，影響正常生活，但只要能好好處理情緒，本月其實是一個進展不錯的月份。

財運—求之以規矩，自可成方圓。本月雖然看不見有特殊財運，但上班一族若能爭取到升遷，財運自然相應增加；自僱者亦能因工作量上升而收入成正比例地增長；倒是從商的你，工作量大了，但生意不一定能做得成，唯有盡人事，成功與否就由天去定好了。

事業—但得小利足，不辭辛苦多。本月既然是辛苦個人力量得財月，工作量自然會較上個季度為多，但這只能令自僱一族直接獲益，因工作量大了，從商及上班一族不一定能直接獲得好處，加上本月為肖豬的犯太歲月，是非較多，唯有盡力埋首工作以避是非。

感情—本月為肖豬的犯太歲月，容易因負面情緒而影響雙方感情，加上本年為肖豬的相害年，感情就已經容易出現風波，故本月要好好處理自己情緒，以免進一步破壞雙方關係。

身體—三冬氣候逐漸寒冷，加上本月又是肖豬的犯太歲月，特別容易受負面情緒影響而引致失眠，令到抵抗力下降而感染風寒，唯有盡量控制情緒及在外出時多準備一些禦寒衣物，望能避過病魔。

是非—本月容易受情緒不穩的影響，得罪別人而招惹是非，反正本月工作量不輕，不如埋首工作，盡量減少應酬以避是非。

農曆十一月

本月為貴人加辛苦個人力量得財月，容易得到貴人扶助，即使工作忙碌，壓力也不會覺得很大，且本月為肖豬的桃花月，人緣亦比上月為佳，貴人加上桃花之助，故本月無論在事業、感情上都是正面的，只有財運因人而異。本月工作量較大，但上班一族亦不會因此而令收入提升，財運只能算是一般而已。

財運——上半月較為清閒，工作量不大，以致財運看不見有任何突破。下半月工作量大增，可能是臨近聖誕的關係吧，這必能讓自僱一族直接受惠；而從商一族接觸客戶的機會多了，令生意都直線上升，收入明顯增加了；至於上班收入穩定的你，唯有望公司因業績理想而給下屬贊助旅遊費用好了。

事業——亦步亦趨，無憂無慮。本月既得貴人扶助，做起事來都格外順暢，加上又是肖豬的桃花月，人緣運亦佳，即使下半月工作量明顯增加，但一點辛苦的感覺也沒有，再加上聖誕、新年假期在即，心情是輕鬆愉快的。

感情——工作量雖然不輕，但單身者如果不想錯過感情的話，要好好利用上半月工作較為清閒之時多些外出，看看能否在假期前結識到異性，讓你在假期內能夠增進彼此了解，看看感情是否適宜繼續下去。

身體——本月並無刑沖，加上是肖豬的桃花月，且聖誕、新年假期在即，令你的腎上腺素提高不少，故身心狀態都是良好的，唯一是三冬流感肆虐，為免感染風寒，謹記夜涼添衣。

是非——桃花加上貴人月，是非不生，人緣運比平常還好，且假期在即，每個人都全力投入工作準備放假去也，故本月無需要為是非分神。

農曆十二月

本月為貴人力量加權力提升月，上班一族能在這個月升遷的機會不大，可能只是責任大了一點點而已，但本月工作量並非特別多，所以壓力亦不大，加上本月為本年的桃花月，整體社會氣氛良好，讓你能在平和的環境下工作，心情是愉快的。

財運——本月看不見有特殊收益，財運只是正常而已，上班一族對年底花紅不要寄予厚望。從商、自僱者，生意亦看不到明顯升幅，收入當然不會有上升空間，且農曆年假期又有一筆額外花費，所以本月要謹慎用錢。

事業——本月工作量明顯比上月少，這對上班一族算是一個好消息，因為收入不會因此而下降，且讓你能騰出更多時間去籌備農曆年假期。從商、自僱者，既然工作量不大，亦可以思考一下明年之發展路向。

感情——本月雖然並非肖豬的桃花月，但單身者仍是有結識異性的機會，故本月宜多些出席社交場合，看看會否給人看上，成為別人的桃花。已有穩定感情者，本月雙方相處也是愉快的，讓你們能懷着愉快的心情一起商量農曆年假期的節目。

身體——遇飲酒時且飲酒，得高歌時且高歌。本月算是一個平穩月，身體亦看不見需要特別注意的地方，就如平常地生活好了，無需特別為健康掛慮。

是非——身外勝事少，心頭溫暖多。雖然本月事業與財運一般，但因是本年桃花月的關係，整體社會氣氛較為平和，無需特別注意是非，加上工作量不大，對上班一族而言，這是個不錯的月份。

鼠

- 一九三六
- 一九四八
- 一九六〇
- 一九七二
- 一九八四
- 一九九六
- 二〇〇八

寒命人——出生於西曆八月八日後、三月六日前
（即立秋後、驚蟄前）

熱命人——出生於西曆五月六日後、八月八日前
（即立夏後、立秋前）

平命人——出生於西曆三月六日後、五月六日前
（即驚蟄後、立夏前）

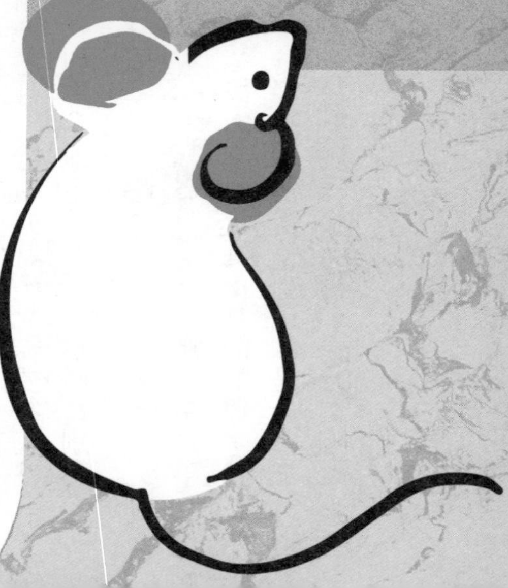

肖鼠的你去年是太歲相害年，是非稍多，又是咸池桃花年，人緣亦好，單身者今年仍有認識新對象的機會，因去年之氣會延至今年入秋才終止，故單身者上半年仍可努力。去年人緣、是非一同而至，但人緣運遠比小人之力大，而承接今年為太歲相合年，明年是天喜桃花年，故這數年下來肖鼠的貴人、人緣運是相當不錯的，即使開始退運的寒命人，得貴人、人緣之助，好運有機會可延至二〇一八年底；而轉運中的平命、熱命人亦能因貴人之助而令好運可以來得暢順一點，所以二〇一六及二〇一七這兩年肖鼠的你運程仍是進步的多，退步的少。

又肖鼠今年是財運年，各個生肖中以你的財運算得上是最好的，尤其是收入不穩的從商、自僱一族最能反映得到；而收入穩定的上班一族亦可嘗試多買一些彩票，看看能否在正常收入以外有一點意外之財。

吉星有「將星」，有利權力提升，配合「三台」之地位提升，今年上班一族要好好努力，看看能否更進一步。

「三台」，地位提升有進步，上班一族固然可以努力爭取升遷，從商、自僱者亦可以藉機提升自己在行內的名聲，以配合今年的財運年。

「金匱」，財帛有利，今年財運已經不差，加上「金匱」之助，得來的財源更不會易散失，是一個可以積聚財富的流年，肖鼠的你今年要記着好好努力，望能獲得最大收益。

凶星有「五鬼」，小人星，但其實每個人不管能幹與否，都會覺得身邊小人無處不在，既然如此，有沒有這顆「五鬼」小人星也沒分別。

「飛符」、「官符」、「年符」，代表突如其來之官非、是非、人事不和，但因二〇一五、二〇一六這兩年都是一些小是小非，真正遇到官非的機會不大，這些官非可能是因亂過馬路、胡亂拋垃圾而收到告票，又或者是駕駛者忘記繳交罰款，要上法庭後再被多罰一點錢而已。

寒命人——今年入秋以後開始金水進氣，故在上半年要好好努力，建立更好基礎，望運氣能延至二〇一八年底，但今年只宜在舊有路向發展，新嘗試則可免則免。入秋後連轉換工作環境也不太適宜，總之，一切以守舊為先。

熱命人——今年開始下來有六年金水運，加上今年太歲相合，明年又是桃花年，入秋後如有新機會可以大膽嘗試。上班一族想轉換環境也是適當時機，否則便要待至二〇一九年以後。

平命人——雖云一生平穩，但總的來說也是金水年對你比較有利。今年入秋開始，不妨進取一點，大膽一點，望能在金水年有不錯的表現。

一九三六年出生的鼠——今年為辛苦個人力量得財年，但在這年紀，能在工作上獲得財富的機會始終不大，可能只是較去年活躍一點而已。

一九四八年出生的鼠——今年為貴人舒服懶年，活了那麼多年，亦是時候放慢一下腳步，享受一下人生，讓自己靜思後，再決定日後去向。

一九六〇年出生的鼠——今年為權力地位提升年，上班一族看看能否在退休前更上一層樓，從商、自僱者也可藉此盡量提升自己在行內的名聲，加上本年是太歲相合年，人緣不比去年差，讓你更容易把目標達到。

一九七二年出生的鼠——今年是財運年，各個肖鼠者以你的財運最佳，收入不穩的自僱或從商者要好好努力，而收入穩定的上班一族亦可嘗試多買一些彩票，看看能否有意外收穫，即使沒有，進貢一點金錢給馬會也算是做了善事。

一九八四年出生的鼠——今年是思想學習投資年，才三十初的你是人生的好時機，如雙眉生得緊貼眉骨則運氣強盛，有新計劃不妨嘗試實行；相反，眉散亂或粗且壓目者，則以守為上。

一九九六年出生的鼠——今年為活躍年，可能是參加課外活動的比率高了，令你課餘的時間也排得滿滿，能閒下來的時間不多，如果功課應付得來，這也不是壞事；又或是踏進二十歲的你開始要踏足社會，一嘗工作的滋味。

二〇〇八年出生的鼠——今年為貴人舒服懶年，考試運亦一般而已，今年八歲的你應該沒有重要試考吧，也可以在今年正西文昌位放四枝富貴竹去催旺考試運。

財運——今年肖鼠為財運年，不論平、熱、寒命人都能或多或少沾到一點好處，寒命人好運餘氣猶在，上半年要努力爭取，平命、熱命人則留待入秋以後再發力也未遲。收入穩定的上班一族除非今年升遷有望，否則財運不會因流年好壞而有所增減，唯有嘗試多買一些彩票，看看能否有意外之財。

事業——今年吉星有「三台」、「將星」，代表權力地位皆容易有提升。上班一族如果知道公司準備作內部提升，不妨努力爭取，如升遷成功，財運自然亦相應增加。從商、自僱者要大力提升自己在行內的名聲，故宜多出席一些公開活動或多參與無償工作，令自己在行內的知名度提升，以配合今年的財運及名氣地位運。

感情——去年是咸池桃花年，如感情能維繫至今年農曆七月仍未分手，則有可能發展下去，而今年是肖鼠的相合年，感情運穩定，必有助於有對象的你。但因今年並非桃花年，單身者能認識異性的機會不大，唯二〇一五年的霧水桃花之力會延至今年農曆六月止，故上半年仍可努力。

身體——去年子未相害，不利腎、膀胱、泌尿系統，今年上半年仍然要小心飲食，入秋以後正式踏入猴年之氣，身體狀況是良好的，即使偶爾放縱一下胃口，也不會因此而吃出病來。

是非—雖然今年是非星特別多，但亦只能在上半年發揮影響力，下半年後，肖鼠正式踏入太歲相合年，貴人的力量能與凶星抗衡，可大大減低其影響力。

農曆一月

本月為貴人加思想學習投資月，才剛假期結束回來上班，工作量並不大，讓你有時間籌劃一下以後的去向，尤其是正在轉運的平命、熱命人，如果想在今年內開展新業務，是時候要初步籌劃一下了；至於快行完運的寒命人，也要開始分析一下目前形勢，可攻則攻，不可攻則入秋後開始要部署退守。

財運—既然是思想學習投資年，不管是學習或投資，或多或少都要花一點錢，即使在諮詢階段，找客戶、朋友外出傾談，開支也是少不了的，故本月支出容易比收入還多。

事業—踏入今年入秋以後，金水開始正式進氣，是寒、熱、平命人運轉的時候，寒命人運程開始會慢下來，故宜看清形勢，不要輕言改變；相反，平命、熱命人運程會逐漸通順，快則今秋，遲則二〇一九年後，故今年要開始細想，是不是要展開自己的新一頁。

感情—本月為本年的相沖月，除非伴侶是本年沖犯太歲的生肖才需要小心注意，否則本月感情是穩定的，加上剛度假回來，心情仍是愉快的，而感情亦看不到有特別要注意的地方。

身體—本月為本年的相沖月，交通意外恐較為頻繁，駕駛者在路上要打醒十二分精神，雖然肖鼠的你今年並非沖犯太歲生肖，但人在路上總有機會碰到他們，怕一不留神，讓意外沾上你身。

是非—本月為本年的相沖月，整體是非較多，但肖鼠的你仍受着羊年桃花的影響，自身人緣運還是可以的，只要不參與個人意見，專心做一個聆聽者，是非是不會無故沾上你身的。

農曆二月

本月為貴人加思想學習投資月，情況好像與上月差不多，但本月是肖鼠的桃花月，又是本年的暗合月，不論自身人緣或整體社會氣氛都比上月好得多，讓你做起事來暢順了不少。寒命人在上半年仍然可以進取，故本月依然可以順勢而攻；平命、熱命人在本月向人徵詢意見時亦容易獲得別人樂意幫忙，讓有志在本年內作新發展的你能獲得很多寶貴意見。

財運——財如春草，不見其生，日有所長。雖然因學習投資月的關係，開支是少不了的，但本月得桃花之助，人緣運明顯好起來，讓收入不穩定者做成生意的機會亦大增，連帶營業額與收入都能有些微增長。

事業——四時有情人意好，一天無礙月光輝。既然是桃花月，人緣必然較平常佳，讓你做起事來順暢了不少。雖然在命運轉折期，誰都不適宜在此時作出轉變，但沿着舊路發展仍然是可以的。

感情——桃花月，對去年因霧水桃花年而開展了新戀情的你最有幫助，必能因本月桃花之助而增進雙方關係。單身者更可利用這桃花月，多些外出碰碰運氣，看看能否碰上心儀對象。

身體——雖然仍是流感高峰期，但桃花、人緣好的你，連心情都特別輕鬆愉快，抵抗力明顯提升了不少，故本月健康是理想的，即使多些外出應酬，也不會因而惹上病魔。

是非——山前山後皆明月，江北江南正好春。既然是本年的相合月，又是肖鼠的桃花月，人緣明顯較上月為佳，整體社會氣氛亦轉趨平和，讓你可以放心地多些約朋友、客戶外出傾談。

農曆三月

本月為辛苦個人力量得財加暗中權力提升月，對從商、自僱或上班一族都有正面作用，尤其是自僱者，經過兩個月的沉澱，這個月終於活躍起來，回復以往光景。以件工計算工資的你，本月必能因工作量上升而令收入相應增加。從商者亦能因接觸客戶的機會多了而增加做成生意的機率。而上班一族因暗中權力提升的關係，得到公司的重用，且本月為肖鼠的三合月，人緣運比上月更佳，讓你忙碌起來心情還是愉快的。

財運——得意喜從天上降，無心財向手中添。既是辛苦得財月，從商、自僱者生意自然源源而來，無需刻意追求也會有不錯的收益，財運算是正面增長的月份，且明顯比上兩個月為佳。

事業——本月工作量明顯比上兩個月為多，雖然上班一族不會因工作量增加而令收入有所改變，但是本月亦能因暗中權力提升的關係而得到公司更為重用，雖然未到升遷之時，但也代表你能夠得到公司的重用。

感情——本月為肖鼠的相合月，感情運大致穩定，雖然偶爾出現一點小風波，但這只是一點生活枝節而已，不會嚴重影響到雙方關係，況且，有時候一些小爭吵，反而有助於雙方了解。

身體——皮膚、腸胃容易出現不適，尤其是不善於面對壓力的你，特別容易因工作忙碌而引致精神緊張，繼而失眠；可以的話，睡前喝一點葡萄酒紓緩一下情緒，這將會有助入眠。

是非——本月是肖鼠的三合月，人緣不比上月差，雖然本月因工作忙碌而沒太多時間外出應酬，人緣運也是理想的。

農曆四月

本月為辛苦個人力量得財月，財運比上月更佳，尤其是寒命人，來到三夏之時一般運氣都會較佳，但雖則如此，亦只能循着原有的路向去發展，新投資在未來六年都不是一個好時機。平命、熱命人雖然仍未踏上佳運，但收入不穩者亦容易因這個財運月而或多或少得到一些好處。

財運——早苗得雨，勃然而秀。既然是辛苦個人力量得財月，當然對收入不穩的從商、自僱一族幫助最大，因上班收入穩定的你，不會因一時的來財、破財月而令薪金有所增減。

事業——平坦而過，不出差錯。工作量雖然大了，但阻力卻沒有比平常多，讓你可以全心投入，將工作做得更好。雖然本月整體是非較多，但並沒有沾上肖鼠的你身上，因本月是你的暗合月，容易得到老板、上司的暗中扶助。

感情——本月為肖鼠的暗合月，感情運仍然是好的，故雖然工作稍為忙碌，亦沒有對感情構成不良影響。但因本月並非桃花月，單身者最多只能出現一些暗中心儀的對象，能成為桃花的機會不大。

身體——本月為本年的流行疾病月，肖鼠的你亦要小心飲食，生冷不潔之物不沾為妙，但肖鼠的你本月並無刑沖，身體狀況其實不錯，只需提防與人外出吃飯時沾上病魔而已。

是非——月令靈光，其道必昌。本月既然是肖鼠的暗合月，自然有貴人暗中扶助，外面的風風雨雨，是不容易沾上你身的，故本月無需刻意去理會是非。

農曆五月

本月為肖鼠的相沖月，要慎防傾跌，尤其是平衡力不佳的你，走路時更要小心，以免跌倒在人前，既丟面，又傷痛。又本月沖財，為財來財去月，先來財，後破財，故財來後宜買實物以防財耗。

財運——賺錢不難也不易，財入錢出付水流。本月亦為辛苦個人力量得財月，從商、自僱者財運仍然容易有明顯增長，唯本月沖財，有財來財去之象，故本月之財是留不住的。又本月為偏財月，上班一族可嘗試多買些彩票，看看能否獲得一筆意外之財。

事業——月令多囉嗦，人事易生波。本月既然是肖鼠的相沖月，是非自然會較平常為多，雖然肖鼠的你本年人緣運整體不錯，但來到本月還是要小心一點為佳，故工作之餘盡量減少外出應酬，望能將是非減至最低。

感情——月令相沖，感情不定。每年的農曆五月都是你的爭吵不和月，但本年情況比上兩年好，故本月即使相沖，也只是一點點意見不合而已，因此而導致分手的機會不大；又或者本月可以減少見面，這樣亦有助減低磨擦。

身體——月令相沖，慎防傾跌。本月是肖鼠的損傷月，除了走在路上要特別小心外，駕駛者亦要打醒十二分精神，以免在相沖月一不小心釀成意外。

是非——閉口藏舌是非多。本月既然是肖鼠的是非月，人緣運必然比別的生肖為差，既然如此，不如專心埋首於忙碌的工作中，盡量減少外出應約，要是感到悶的話，相約一些知心朋友外出好了，這樣亦是能減免是非的。

農曆六月

本月為肖鼠的相害月，人緣運不比上月好，是非較平常多，尤幸本月是本年的桃花月，整體社會氣氛良好，這樣亦能將肖鼠的你之是非減至最低。又本月為思想學習投資月，平命、熱命人如果想開展新事業，這個月要開始積極一點去籌劃，因下個月入秋以後你的好運便會正式來臨。

財運——本月財運仍然是可以的，雖然仍有財來財去之象，但是賺得來，花得去，財來財去總比白白破財為佳，加上本月肖鼠的你是非雖然較多，但因整體社會氣氛不差，讓肖鼠的你亦能受惠。

事業——此亦是路，彼亦是路，路多反覺難啓步。平命、熱命人雖然到了作新投資的好時機，但經過幾年逆運之後，信心不是太大，而寒命人亦只宜沿着舊方向發展，新項目可免則免，故本月雖然是思想學習投資月，但如果真的下不定主意，便不如留待下一個機會再嘗試好了。

感情——本月為肖鼠的相害月，感情仍然是不穩定的，但情況明顯比上月佳，加上肖鼠本年感情運是穩定的，這個月過後便正式脱離二〇一五羊年的壞影響，一切將會回復正常。

身體——月令相害，腎、膀胱、泌尿系統的毛病又開始纏繞着你，尤其是三夏出生的肖鼠者，故本月要少吃些煎炸燥熱之物，以免問題惡化，其次生冷冰凍之物亦宜少沾。

是非——口舌是非，小人必多。雖然沒有相沖月是非那麼多，加上又是本年的桃花月，但肖鼠的你仍然要減少一下外出應酬為佳，因本月之桃花只對別人有利，對肖鼠的你幫助不大。

農曆七月

本月開始便正式踏入金水流年，往後六年金水年對平命、熱命的你幫助較大，運氣會日增月盛，尤其到了二〇一九年後連續三年大水年幫助更大；相反，寒命人即使目前運氣尚可，最多亦只能延至二〇一九年止，但本月以後，即使運氣仍可，亦只能沿舊有路向發展，新投資在今年以後都不適宜開展。

財運——雖然是貴人舒服得財年，但因立秋以後金水開始進氣，故各種命人都容易出現變化，運程亦不太穩定，加上本月為貴人舒服懶月，故皆宜放慢腳步，看清形勢然後再作打算，求財也不用急在一時。

事業——本月金水進氣，平命、熱命的你最快可以在此月起步，但如果仍未開始部署，則本月宜以守為先，然後靜思去向，因本月是本年的犯太歲月，為全年社會氣氛最差之時，求人幫助時得到的回應亦不會太大，唯有放慢一點腳步好了。

感情——本月是本年的犯太歲月，整體社會氣氛不太和諧，若另一半是本年沖犯太歲的生肖會更加明顯，如果不幸言中，唯有多體諒對方好了。

身體——本月為本年氣氛最差的一個月，除了要防舟車之險外，亦要小心流行疾病，三夏是霍亂及細菌猖獗的季節，故個人衛生亦要好好注意。

是非——雖然本月整體社會氣氛不佳，但其實對肖鼠的你影響不大，因本月是你的相合月，人緣運比上兩個月還好，但因本月為水火互換年的交界月，整體社會亦不太平穩，故還是要盡量減少應酬，持盈保泰。

農曆八月

本月為本年的桃花月，又是肖鼠的桃花月，得到雙重桃花之助，人緣運與上月不可同月而語，寒命人固然得益，熱命、平命人在運轉之時，得到的外來助力會更加明顯。雖然本月是貴人舒服得財月，工作運不錯，但如果想開創自己的事業，本月算是下半年最適合的月份，因為人緣運亦代表客戶緣，人緣好了，生意自然更容易做得成。

財運——本月為貴人舒服得財月，工作量不大，但財運卻是不錯的，且本月為偏財月，容易有意想不到的收穫，從商、自僱者可能是突然間有客戶為你介紹一些生意，讓你平白無端地多了一筆錢。收入穩定的上班一族亦可以嘗試多買一些彩票，看看能否獲得一筆意外之財。

事業——前途乃因雲遮月，今朝雲散月光明。上月之烏雲已盡去，加上本月是肖鼠的桃花月，人緣運算是全年最好的月份，不論是否要進行新嘗試，本月事業運都有不錯的進展。

感情——桃花月，除了有利人緣之交往，亦利男女感情，單身者還可藉此桃花月，看看能否因此而開展一段新感情，故本月宜多些外出應酬，盡量多接觸陌生人，為自己製造機會，但即使未能成功也不用着急，因明年雞年是你的重桃花年。

身體——三秋乍寒還暖，最容易惹上感冒，故晚上外出時宜預備一些能保暖的衣物，即使遇上稍為寒冷的下雨天也不會因此而病倒。

是非——本月算是肖鼠全年中人緣最好的月份，不單是自身人緣運佳，整體社會氣氛同樣因這桃花月而和諧起來，故本月宜多些相約客戶、朋友外出傾談，說不定能給你帶來新思維。

農曆九月

有梯有板，高樓直上不難。本月是權力地位提升月，從商、自僱者要趁此月提升自己在行內的名氣，長遠會對事業帶來正面作用，這對於不論是好運將止的寒命人或才轉好運的平命、熱命人都有好處，寒命人如處理得好，說不定能把好運延續得久一點，平命、熱命人亦可借助提升了的名氣，開展自己的新事業。

財運——表面風光，地位提升。本月雖然是名大於利，權大於利，但上班一族若能真被提升的話，工資或多或少都能夠有所增長；即使財運並無突破，但亦看不見有破財之象，最多是一個平凡月而已。

事業——平淡之中求進步，但宜釋躁且平矜。來到這個月份，每個人的運氣都在順順逆逆之間，要急也急不來，倒是上班一族最為平穩，即使爭取不到升遷，也看不見有甚麼不穩定因素，每天也只是如常地上班下班。

感情——無刑無沖無桃花星，感情算是平穩的一個月，即使上月因桃花之助而開展了一段新感情，在本月進展也不是特別良好，故感情運在此月只是一般而已。

身體——本月又到了腸胃不佳的月份，但本年並非胃腸流行疾病年，而肖鼠的你一般腸胃亦不是特別差，故本月亦無需刻意小心，只要不是暴飲暴食就可以了。

是非——東邊日出，西邊下雨。本月是一個平常月，是非並不特別多，人緣運亦只是一般，就如常地生活好了，待真有是非來到之時才想辦法去拆解好了。

農曆十月

本月為辛苦個人力量得財加權力地位提升月，上班一族仍可努力爭取升遷，從商、自僱者仍可在提升自己名氣方面下工夫，但本月工作量明顯比上月增加，可以閒着的日子不多，所以並沒有太多時間讓你胡思亂想，有時其實也是好事，因想多無謂，行動最實際。

財運——本月工作量明顯增多，但收入卻看不見有突破，這對上班一族本來是正常的，從商者則可能是花了一大番工夫，到最後生意卻未能做成，讓你平白地空忙碌一場。

事業——上山多費力，有樹可扳枝。本月仍然是權力地位提升月，既然財運看不見有突破，倒不如向名氣方面着手，盡量提升自己在行內的名聲，眼光放遠一點，怎樣都是有幫助的。

感情——無喜又無樂，名曰寂寞。本月感情運平淡如水，一點漣漪都沒有，但其實感情在寂靜的時間永遠比較多，尤其是經年長久的感情，激情只會是一剎那的，無論怎麼樣的激情在回歸平淡時都會索然無味。如果人不懂得細味平淡的光陰，一生只能兜兜轉轉，尋找，再尋找，也找不到泊岸處。

身體——本月為本年的太歲相穿月，生於夏、冬之肖鼠人要小心腎、膀胱、泌尿系統毛病，這尤以女性的鼠要更為小心，生冷冰凍之物切記少沾，以免壞了身體，經期的時候便有一場辛苦了。

是非——平平而過，並無災禍。雖然本月是本年的太歲相穿月，整體是非較平常多，但對肖鼠的你影響不大，就像平常般過日子就可以了。

農曆十一月

本月為貴人舒服懶月，又是肖鼠的犯太歲月，每年至此情緒最容易出現不穩，尤幸上半月工作量不大，讓你能騰出多一點時間去抒發一下不安的情緒；下半月工作量雖然較多，但轉眼間又到聖誕假期，想忙也沒法忙了。

財運——我且盡其力，厚薄隨其緣。本月財運看不到有任何突破，倒是會因聖誕、新年假期而要花費一大筆錢，即使不外遊度假，留港消費也並不便宜，儘管只約三數知己在家裏慶祝，花費也一定比平常多，但一年一度，總是要慶祝一下的，沒理由人人外出而自己獨留家中吧！

事業——年之將盡，也不是努力的時候，一切計劃留待明年再實行好了，況且聖誕、新年假期也是要花時間去預早安排的，既然上半月工作量不大，就多花一點時間去籌劃好了。

感情——每年到聖誕之時，都是你犯太歲之月，尤幸本年是肖鼠的相合年，感情比過去兩年相對穩定，不至於在假期時冷戰令到雙方都不好受，讓你可在本年與愛侶一起度過一個愉快假期。

身體——本月為肖鼠的犯太歲月，雖然負面情緒不太嚴重，但仍是要注意身體的，尤其是在聖誕、新年期間，如果飲食不懂得節制便易壞了健康，那就中了犯太歲帶來的壞影響了。

是非——雖然每年到農曆十一月你都要小心注意是非，但因本年是肖鼠的相合年，整體人緣還是不錯的，即使來到這個是非月，是非也並非特別多，讓你不用分神處理，影響到假期的心情。

農曆十二月

本月為貴人舒服得財月，與上月差不多，但本月人緣運明顯較上月佳，因本月是肖鼠的相合月，自身人緣已佳，又是本年的桃花月，整體社會氣氛也是良好的，讓你在空閒時可多些相約客戶傾談，也不怕會惹出是非來，尤其是要開始部署進攻的平命、熱命人，不論轉工或者自行創業，諮詢一下別人意見也是好的。

財運——本月並非財運月，加上工作量不大，且聖誕、新年過後，轉眼又到了農曆年假期，而其中可工作的日子其實不多，故財運比平常差是正常的；倒是上班一族情況較佳，不會因假期過分集中而令到這個月收入減少，財運算是較為平穩。

事業——年之將盡，一切都留待過年以後再盤算好了。寒命的你來到此月已應該知道運氣是否已經開始下降，若真如此，便要步步為營，否則仍可循着現有路向去走；相反，平命、熱命人往後還有五年金水流年，也不要急在這一時，留待明年再行部署也是適合的時機。

感情——本月是本年的桃花月，雖然與肖鼠的你並無直接關係，但單身者仍可以多些外出，接觸多些陌生人，看看能否給別人相中，成為他人的桃花，讓你不用再孤單度過農曆新年。

身體——三冬氣寒之時，當然要提防流感肆虐，除此之外，本月健康運是不錯的，加上工作量不大，假期又多，讓你身心都可以回復到最佳狀態。

是非——平地過江江無浪，渡水行舟舟安然。本月既然是本年的桃花月，整體社會氣氛是良好的，加上假期接連假期，人人都忙於盡快完成手頭工作放假去也，騰不出時間去惹是生非。

牛

・一九三七
・一九四九
・一九六一
・一九七三
・一九八五
・一九九七
・二〇〇九

寒命人——出生於西曆八月八日後、三月六日前
（即立秋後、驚蟄前）

熱命人——出生於西曆五月六日後、八月八日前
（即立夏後、立秋前）

平命人——出生於西曆三月六日後、五月六日前
（即驚蟄後、立夏前）

肖牛的你去年受沖太歲影響，事業、感情、住屋都容易出現變化，不算是太穩定之年份，而羊年沖太歲之影響會延至今年立秋才終止，故上半年仍然是不太穩定的，事事宜順其自然，不宜主動進攻。感情方面，如果去年已結婚或正在懷孕期，這是正常的；但如果因去年沖太歲分了手的話也不用傷心，因今年猴年為肖牛的天喜桃花年，容易碰到一些可以發展下去的異性；已婚者亦能因桃花之助，感情、人緣運亦比去年為佳。又今年為水火互換年，寒命人開始要退守，平命、熱命人則要靜心等待好運來臨。

今年肖牛為貴人舒服懶年，但這也是好的，經過去年沖太歲之混亂情況後，今年要放慢腳步再去部署，是攻是守都要看清形勢再作打算。

吉星有「月德」，逢凶化吉，因此星代表仁慈心，報復心不重，自能逢凶化吉。

「天喜」，桃花、人緣佳，單身者固然可以趁此桃花年多些外出應酬，給自己多認識新朋友的機會，幫自己製造一下桃花緣；已有穩定感情者亦能藉桃花之助而廣結人緣。

「扳鞍」有利地位提升，上班一族固然可增加升職之勝算，從商者亦可藉此提高自己在行內的名聲，這對日後事業發展必能起到正面作用。

凶星有「死符」，小疾病，因上半年仍受沖太歲之影響，腸胃尚未回復正常，在飲食上還是要小心為上。

「陰煞」，女小人，本年要提防女性小人在背後説三道四，唯有在今年東南桃花位放一杯水、西北爭鬥位放粉紅物件去旺人緣、化是非，盡量減低女小人之破壞力。

「小耗」，小破財，上半年仍然有搬遷機會，若成事的也算應了破財，否則，本年可買一些心儀已久而一直捨不得花錢去買的東西以應破財，這樣既可以獲得心頭好，又不用白白破財，正所謂一舉而兩得。

寒命人——上半年仍然是木火之氣，運程應該尚可，但因入秋以後開始踏入金水年，故即使眼前運氣仍佳，亦只宜守着舊有路向發展，如去年已經受沖太歲影響，運氣明顯慢了下來的，今年更加要開始部署退守了。

熱命人——去年受沖太歲影響，恐防運氣會進一步下降，雖云今年踏進金水年，但最快也要入秋後才能見到轉機，故上半年仍然要以守為上，但因距離轉運不遠，若真的很想作出轉變，其實也是可以的，只是要有心理準備，運程不會那麼快便見到好轉。

平命人——金水年始終對你比較有利，今年入秋以後開始六年金水流年，如果想向新路向發展，時間上是適合的。運程方面，快則今年入秋後逐漸轉順，慢則要待至二〇一九年起。

一九三七年出生的牛——今年為辛苦個人力量得財年，但以這年紀，能在商場上馳騁的機會不大，可能只是今年較活躍而已。

一九四九年出生的牛——今年為貴人舒服懶年，忙了大半生的你在這時候放慢一下腳步是好的，最少可以讓你認真籌劃日後的路向，好好考慮一下，是要真正退休還是有限度地工作。

一九六一年出生的牛——今年是權力地位提升年，上班一族看看能否在退休前更上一層樓，從商、自僱者亦可以藉機提升自己在行內的名聲，今年得桃花之助，事事都容易事半功倍。

一九七三年出生的牛——今年是財運年，各個肖牛者以你的財運最為理想，加上今年肖牛為桃花生肖，人緣運亦比去年好得多，這將直接對收入不穩的從商、自僱的你帶來好處；而收入穩定的上班一族，亦可嘗試多買一些彩票，能中獎固然好，否則亦算是做了一點善事。

一九八五年出生的牛——今年是思想學習投

資年，不論學習或投資都是需要一點支出，故本年開支必然較平常多，平常財政穩健的還好，但不善理財的你今年要好好管理財政。

一九九七年出生的牛——今年為辛苦個人力量得財年，在學者可能要忙於功課，已踏足社會者可能要忙於適應不同的工種。總而言之，今年是忙運年，事事都要加倍努力。

二〇〇九年出生的牛——今年為貴人舒服懶年，整個人好像提不起勁似的，還好今年踏進七歲的你應該沒有甚麼重要試考吧，否則亦可在今年正西文昌位放四枝水種植物去催旺文昌考試。

財運——今年為貴人舒服懶年，腳步難免慢下來，以致看不見財運有任何突破，加上今年是水火互換年，每個人的運氣都在反覆過程中，亦不宜太過進取，故今年不宜對財運寄予厚望。

事業——本年是貴人年，加上又是桃花生肖，人緣運明顯比去年沖太歲好得多，但因今年是水火互換年，寒、熱、平命人的運程都在轉折位，故今年宜放慢腳步，看清形勢才慢慢作打算，切忌輕舉妄動。

感情——去年是沖太歲感情變化年，今年則是天喜桃花年，感情明顯比去年好得多。單身者可藉此桃花年開展一段新感情，加上天喜桃花是正桃花，代表新感情是可以發展下去的。

身體——胃腸之疾上半年仍困擾着你，尤其是農曆三、六這兩個月在飲食上切記要特別小心，入秋以後，腸胃問題逐漸消散，加上本年是桃花年，身心都明顯比去年好得多。

是非——貴人加桃花之助，人緣明顯比去年好得多，連帶小人、是非都會遠離，但去年沖太歲之力會延至今年農曆六月，加上今年有「陰煞」女小人纏繞，上半年仍要小心是非為上。

農曆一月

本月為思想學習投資加暗中權力提升月，正所謂一年之計在於春，既然本月是思想學習投資月，正好讓你可以籌劃一下今年以後數年之去向，因今年入秋以後開始金水進氣，對平命、熱命人較有幫助，如果想在這段時間進攻的話，這時開始籌劃在時間上是適當的；相反，好運快將完結的寒命人開始要部署退守，而今年是一個關鍵年，如果去年已經因沖太歲而慢下來，今年便開始要退守，但如發現今年入秋後運程仍可，則好運有機會延至二〇一八年底。

財運——農曆新年假期才剛結束，工作量不大，加上很多公司在月中才正式啓市，故本月財運只能算是一般而已，不要寄予厚望。倒是上班一族收入較為平穩，不會因一個月的工作量下降而令收入有所減少。

事業——既然工作量不大，不如多相約客戶、朋友傾談，在這水火互換之年，多了解外面的訊息總是有幫助的，這有助你調整攻守的步伐。

感情——本月是肖牛的桃花月，單身者可以好好把握，說不定相約客戶、朋友外出傾談時會給你遇上心儀對象。雖然上半年仍然受去年沖太歲影響，感情相對不穩，但踏入下半年桃花年正式開始之時，感情是容易一直延續下去的。

身體——本月為本年的交通意外月，駕駛者在路上要特別小心，加上肖牛的你仍然受沖太歲影響，亦算是容易遇到意外、損傷的生肖，故本月車在路上還是要特別小心。

是非——本月是本年的相沖月，整體社會氣氛不算太和諧，還幸農曆年假才剛結束，大部分人心情仍是輕鬆愉快的，加上本月又是肖牛的桃花月，即使多些外出應酬效果都是正面的多。

農曆二月

本月是思想學習投資加暗中權力提升月，上班一族在公司內比較容易受到重用，所以責任相對大了，要管的東西也多了。從商、自僱者有新機會亦可以起步嘗試，尤其是平命、熱命人，雖然運程要入秋後才會明顯好轉，但若現在起步取一些實際經驗，待入秋後便可以加快進展；相反，寒命人即使眼前運程尚可，亦只宜在舊有的路上發展，新投資則可免則免。

財運——財來自有財去月，得意還愁失意時。本月因是思想投資月，不管思想上的投資或是生意上的投資，或多或少都要花一些額外之財。即使已經從商而又上了軌道的你，這個月亦適宜放慢腳步，看清形勢，切忌盲目冒進。

事業——歡喜之中，還藏失意。因來到此月，寒命人運程有機會開始下降，即使目前進展尚可，但也要有退守的準備；而平命、熱命人，好運在轉而未轉之間，也是急不來的，故本月喜中藏憂，憂中藏喜。

感情——本月無刑無沖，感情算是較為平穩的月份。已有另一半者，本月雙方感情穩定，看不到有甚麼要特別注意的地方；但單身者在本月能認識到異性的機會不是很大。

身體——本月並無刑沖，突然遇上意外、損傷的機會不大，加上又是本年的暗合月，也不是交通意外的高危月，故即使多些外出，旅遊也好，相約朋友夜遊也好，都沒有甚麼要特別小心的。

是非——雖然本月並非肖牛的桃花月，但因本月為本年的暗合月，整體社會氣氛比上月明顯好得多，讓肖牛的你此月也可多些外出應酬，卻不會因此而招惹是非。

農曆三月

本月為財運月，財運明顯比上兩個月為佳，加上本月是正財月，代表從努力工作後所應得的財富，而非意外橫財，故如果想更進一步，就要加倍努力了，因正財不會因你閒着而自動送上門，故本月要積極一些，望能獲得更大收穫。又本月為土旺月，對平常腸胃不佳的你會帶來壞影響，故在忙碌工作後記着要懂得放鬆，以免因壓力加重了腸胃不適。

財運——一分努力，一分收穫。本月財運明顯比上兩個月好，故本月要開始積極投入工作。收入穩定的上班一族雖然不會因此而令收入有所上升，但這兩個月的表現將有助爭取升遷，故間接對財運亦能夠起到正面作用。

事業——肯吃小虧，買大便宜也。雖然上班一族不會因一時之努力而獲得好處，但看事情要長遠一點，即使努力不一定馬上會被人賞識，但長遠總能累積到一點好處，能幹的上司懂得冷眼旁觀，故盡量裝備好自己，等待賞識你的伯樂吧！

感情——本月是上半年感情不穩的其中一個月，雖然沒有農曆六月差，但亦要小心為上，因本月特別容易為了各持己見而引致爭吵，唯有不停提醒自己，盡可能退後一步。

身體——謹飲慎食，以防腸胃不適。本月除了在飲食上要特別注意，盡量吃得清淡一點以外，亦要懂得紓緩壓力，因腸胃問題很多時候是因壓力而來的。

是非——小是小非，無需掛懷。雖然本月是肖牛的是非月，但因本月並無刑沖，故只是一點點小是非，對整體事業與個人影響都不大，無需過分擔心。

農曆四月

本月為貴人舒服得財月，不需要怎麼樣努力，財運便自然而然地來，加上得貴人扶助，做起事來都暢順得多。雖然本月整體社會爭拗偏多，但對肖牛的你並無影響，尤其是對從事常常到外地工作的你助力更大，因本月易得遠方貴人扶助，說不定外出公幹時能有意外收穫。

財運——月令帶財，不求自來。自僱者無需刻意努力，生意自然而然會敲門來，從商者可能獲得一些較大額的訂單，讓你不需比平常努力，但生意額卻可以明顯上升。上班一族可能在投資中獲得意外之財，又或者老板看見業績理想而分發特別獎金。

事業——順水行舟又遇順風相送。本月是肖牛的遙合月，容易得遠方貴人之助，不管是生意客戶也好，遠方朋友也好，或多或少都會得到意外助力。雖然本月整體社會不大和諧，但肖牛的你卻可獨善其中，沒有被外來煩惱纏繞。

感情——本月並非桃花月，單身者能夠開展新感情的機會不大，反而有機會遇到一些遠方的心儀對象，可能是在本地遊玩碰到心儀的外地人，又或者旅行中遇到心目中的理想對象，假如是朋友介紹的還好，因農曆五月是肖牛的桃花月，不難有發展下去的機會，但是如果只是偶然遇見，就將那份傾慕藏於心中好了。

身體——雲開日現，波靜風平。本月工作量不大，人也較為輕鬆，加上並無刑沖，遇到意外、損傷的機會也不大，故本月可以隨心所欲地生活，身體無甚麼要特別注意。

是非——康莊可步，安用徘徊。雖則只有遠方貴人扶助，但在近處也看不見小人纏繞，故算是一個人緣不錯的月份，即使多點外出公幹，也不會因此而招惹是非。

農曆五月

本月為權力地位提升月，上班一族無論是寒、熱、平命人都可以努力爭取，因升遷運就是升遷運，與正在行好運或壞運不一定有直接關係，倒是從商、自僱者仍以寒命人較為有利，因今年上半年大火運的餘氣猶在，加上三夏為火旺的月份，故對喜火忌水的寒命人有直接幫助；相反，忌火的熱命人，來到此月切勿輕舉妄動，即使眼前看上去有良好的新發展，亦適宜拖至入秋以後再去決定。

財運——上班一族如果升遷成功的話，財運當然會相應增加，雖然肖牛的你本年並非升遷年，只有六一年出生的牛機會較大，但如果知道公司準備作內部提升亦可以努力爭取，反正爭取不到亦不會有任何負面影響，何不努力一試？

事業——有梯有板，高樓直上不難。寒命人來到三夏火旺的月份，運程應該還是可以的。加上本月是肖牛的桃花月，人緣亦佳，且有貴人扶助，寒命人既可得益，熱命、平命人亦能因桃花人緣及貴人之助而開心度日，即使目前事業仍未到突破的月份，但在這時打下良好的人際關係也是適當時機。

感情——本月為肖牛的霧水桃花月，雖云霧水桃花易聚易散，但因本年是肖牛的桃花年，感情是容易長久維持的，故單身者不妨多些外出，盡量給自己製造機會。

身體——三夏天氣炎熱，但對肖牛的你並無影響，本月身體狀況是良好的，加上本月為肖牛的桃花人緣月，工作量亦不大，壓力不多，即使偶爾放縱一下胃口，亦不會因此而吃出病來。

是非——桃花月，不單人緣好，是非遠離，且本月亦是貴人月，易得貴人協助，故本月宜多些外出與各方聯絡，寒命人望延長好運，平命、熱命人亦要為入秋好運來臨前做好部署。

農曆六月

本月為肖牛的沖太歲月，又是大火年餘氣最後的一個月，農曆七月開始正式進入金水年，故不論寒、熱、平命人都宜靜觀其變，不要衝動作出任何決定，一切就順其自然好了。又本月為土土相沖月，腹部、腸胃消化系統毛病又再出現，故本月除了在工作上不要急躁外，在飲食上亦要加倍小心，方能免腸胃之苦。又本月相沖，為全年最多是非的月份，故宜盡量減少外出應酬，持盈守泰。

財運——勞而有功，我且盡力。雖云本月不適宜主動去作任何改變，但工作運仍是忙碌的，故收入不穩的從商、自僱一族的財運仍是可以的，只是受到健康及身邊是非影響，不算是一個輕鬆的月份而已。

事業——是非雖有財也有，可以再上一層樓。雖然本月是非明顯較多，人緣運亦不甚好，但本月仍是肖牛的升遷月，能否在本年內更上一層樓，本月將會是一個關鍵的月份，故上班一族此月仍要努力爭取。

感情——本月相沖，感情亦連帶受影響，尤其是因去年沖太歲又仍未結婚、分手的你，本月是關鍵的月份，若這個月感情能繼續下去，去年的分手危機便算是正式過去，待下個月開始正式踏入肖牛的桃花年，感情將會逐步穩固。

身體——去年腸胃的壞影響，會延至過了本月才止，故本月在飲食上要多加小心，生冷、煎炸之物要盡量少沾，亦不要讓外間的是非對自己造成壓力，影響身心，總之記得要注意飲食及盡量放鬆心情。

是非——煩瑣交相侵，還宜作癡聾。本月要謝絕一切應酬，讓是非無法入侵，本月過後便正式踏入肖牛的桃花人緣月，今年餘下的月份人緣運都是好的，而凶星「陰煞」女小人的力量也會逐漸轉弱。

農曆七月

本月為貴人加思想學習投資月，踏入此月之後金水正式進氣，往後六年除了二〇一八年外都是金水流年，平命、熱命人如果打算作出新發展又或欲一試從商的滋味，本月下來都是適當時機；相反，寒命人踏入此月之後往後六年都只宜退守，即使運氣仍未明顯下降，最多也只能延至二〇一八年底，而新發展在本月以後都不太適宜，因成功的機率很少，總之一切以守舊為佳。

財運——本月開支必然會比平常多，即使不開展新事業，仍無法避免，是暑假旅行也好，相約客戶、朋友外出傾談也好，都會容易有一些額外支出。

事業——作事自然機會多，求財不免未合時。踏進此月，平命、熱命人好運才剛起步，賺錢的助力不是很強，即使開展新項目，也不是一時三刻可以見到收益，故本月即使有新機會亦只宜慢步前行，切忌盲目冒進。

感情——本月是肖牛的桃花月，單身者要好好把握。雖然本月是本年的犯太歲月，但對肖牛者完全沒有影響，除非另一半剛好是今年沖犯太歲的生肖才要稍為注意，盡量加倍體諒對方。

身體——本月為本年的犯太歲月，交通意外恐怕較為頻繁，駕駛者在路上要特別小心。又本月是細菌猖獗的月份，亦要特別注意個人衛生。

是非——本月雖然整體社會氣氛不太和諧，但本月為肖牛的桃花月，人緣比別的生肖好得多，故本月要好好利用，盡量多抽時間去打好人際關係，正所謂人退我進，本月就盡力爭取吧！

農曆八月

本月為貴人加思想學習投資月，情況跟上月差不多，但本月是本年的桃花月，又是肖牛的相合月，整體社會氣氛又回復平和，而肖牛的你人緣運亦是好的，故整體來說比上月更佳。上班一族如果想再作進修，本月是適合的。從商、自僱或想開始創業的你，本月亦容易得到更多外來助力，讓你事事都能事半功倍。

財運——此際還是橋樑，橋樑最費思量。既然是思想學習投資月，一切還在起步階段，財運上不單看不見有突破，而且仍然是開支較多的月份，故本月在金錢運用上還是要小心一點，勿讓財政出現危機。

事業——水流任急境常靜，花落雖頻意自閒。本年是水火互換年，夏秋又是水火互換季節，一切尚未太穩定，變化多混亂也多，其實在此時不太適宜冒進，最宜靜心細看，待機而後動。

感情——本月為相合月，感情是穩定的，尤其是剛在上月桃花月才認識的異性，本月雙方感情必容易邁進一步。除了感情外，本月朋友間的友情也是融洽的。

身體——雲散一天星斗見，風靜四海波浪平。上月的一切不穩定因素已消失殆盡，本月不論整體社會氣氛或是肖牛的人緣運都是好的，讓身心都處於極佳狀態，加上本月並無刑沖，遇上交通意外的機會不大，算是身心健康的月份。

是非——本月為肖牛的相合月，人緣好，易得貴人扶助，加上整體社會氣氛回復平和，讓你仍可以多些外出，聆聽一下別人的意見，然後好好調整自己的步伐。

農曆九月

本月為辛苦個人力量得財月，工作量突然大增，讓你有點兒適應不來，壓力也增加了不少，加上每年農曆九月你的腸胃都特別容易出現不適，故本月要提醒自己盡量放鬆一點，工餘後亦要爭取充足睡眠，望能把腸胃的影響減到最低。

財運——工作壓力雖然明顯增加，但收入不穩者財運亦顯著上升，是一個勞而有功的月份。雖然本月為財來財去月，但都是一些正常花費，如一些工作上的應酬或買一些心頭好而已，反正本年有「小耗」破財星，就趁此破財月去把心頭好添置回來好了。

事業——事有不急而自急，心有不煩而自煩。因本月工作量突然上升，總是怕不能於限期內完成，給自己添了不少無形壓力，唯有盡量放鬆自己，且世間沒有不能完成的工作，不要把自己迫得太緊便是了。

感情——本月為肖牛的相刑月，是非不免較多，連帶感情都不太穩定，但因本年是肖牛的桃花年，一點點感情不定可能只是互相反映不滿而已，有時說出來比藏在心中要好得多，吐出不滿後最少讓對方知道問題所在，反而有利長遠發展。

身體——土土相刑，胃腸不佳。本月除了要小心注意飲食外，亦不要太過投入工作而忘卻休息，因身體或精神壓力亦是疾病之源，故本月要好好安排作息，盡量要平衡一點。

是非——木雕老虎當門立，不傷人時也驚人。雖然本月之是非傷不了重桃花年的你，但人是懂得趨避的，即使傷不了身，也無需與是非糾纏，本月就盡量減少外出應酬好了。

農曆十月

本月為肖牛的辛苦個人力量得財月，但工作量沒有上月的多，財運卻明顯比上月佳，加上是非不多，腸胃又回復正常，整體來說比上月好多了。又本月為肖牛的驛馬月，有遷移外出動象，如時間許可，不妨到外面走走，說不定這樣能夠給你帶來新思維，尤其是平命、熱命人，本月正式踏入水旺之冬季，運程逐漸轉順，更加宜動不宜靜。

財運——掃開天上千里雲，湧出波心月一輪。上月之煙雲早已散去，雖然本月也是辛苦個人力量得財月，也是對收入不穩定者較為有利，但因本月為肖牛的遙合月，易得遠方貴人扶助，人緣運明顯比上月佳，令上班一族也能受惠。

事業——本月有遠方貴人之助，加上是肖牛的驛馬月，如有機會洽談一些與外地有聯繫的生意會特別容易水到渠成。又本月是財運月，不論寒、熱、平命人都能因工作量大了而獲得一定收益。

感情——本月並非桃花月，單身者能開展新感情的機會不大，但亦並無刑沖，已有另一半者亦看不見爭吵不和，而且還可以因遙合月而令感情跨進一步。

身體——上月之腸胃問題在本月已完全消失，但因上半月工作量仍大，壓力未完全消除，待轉至下半月，工作量回復正常，更因驛馬之關係，還有外遊的機會，就好好享受健康良好的下半月吧！

是非——來到此月，是非逐漸遠離，進入下半月後，人緣還明顯好轉，且容易有異地貴人相助，本月就多些留意一些異地人吧，說不定當中有你的貴人在呢！

農曆十一月

本月為思想投資得財月，思想上的投資不論何種命人都是適合的，但生意上的投資則以熱命人最佳，平命人次之。如果真的想開展新投資的話，在這時開始也算是一個好時機，最少能夠迎接聖誕與農曆新年的旺季，如果真的想開始便不要再猶疑了。

財運──思想投資得財月，不管學習或投資都會有一些額外花費，但本月亦是肖牛的財運月，收入能有明顯增加，再加上本月是肖牛的相合月，人緣運亦佳，故本月不管是留在原來的崗位，又或者開始作新投資應該都是非常有利的。

事業──本月是思想學習投資月，即使不去作新投資，亦是一個接受新思維的好時機，加上本月財運不差，人緣運亦佳，故宜多與各方聯絡，盡量緊貼時局，這些在知識上的投資之回報是長久的。

感情──本月為本年的相合月，整體社會氣氛良好，又是肖牛的相合月，感情與愛情都是一個和諧的月份，讓你與另一半能夠在愉快的氣氛下商討一下聖誕及新年節目，不論外出旅遊或是留港度假，都是需要預早安排的。

身體──本月是肖牛的相合月，突然遇上交通意外的機會不大，加上並無刑沖，身體與腸胃也是良好的，即使面對流感高峰季節，對肖牛的影響也不大，縱使在假期偶爾放鬆一下也不會惹出病來。

是非──百事有情人意好，一天無礙月光輝。本月為肖牛的相合月，人緣運比上月更佳，故本月即使多些外出應酬又或者在假期中多接觸陌生人，反應也是正面的居多。

農曆十二月

本月為思想學習投資月，投資方面，如果沒有在上月開始，來到本月恐怕不是一個好時機，但學習方面則無不可，尤其是一天半日的短課程更未嘗不可，而我也是一個喜歡上課的人，課程有用也好，胡亂吹水也好，總能給你帶來一些新思維、新面貌。

財運——本月既然是思想投資得財月，即使不去學習，亦不投資，開支仍然會比平常多，可能是假期接連假期的關係，這些花費是少不了的，即使留港度歲，又不出外拜年也不應酬，開支總會比上班時候為多。

事業——無舵舟，循則游。來到此月，一切已成定局，是攻是守，留待明年再行部署好了，此時不如預早籌劃一下農曆年假的安排，尤其若想到外地散心，跟旅遊團還好，如果是自由行而不預早訂酒店與機票的話，你的外遊計劃恐怕要泡湯了。

感情——雖然本月是肖牛的犯太歲月，每年到此月你的情緒都最容易不穩，但今年是你的桃花年，本月又是本年的桃花月，整體社會氣氛是平和的，連帶你的感情都好起來。

身體——又到土旺的月份，飲食又要開始留意了，但本月不同於去年，因並無沖犯太歲，所以本月腸胃不會無故出現不適，只要在飲食上節制一下，本月是健康的。

是非——雖然每年到農曆十二月都是你的是非月，但因本年是你的桃花年，本月又是本年的桃花月，故不論整體社會或是肖牛的你都是平和的，是非並沒有比平常多，就好好地去享受一個快樂的假期吧！

虎

・一九二六
・一九三八
・一九五〇
・一九六二
・一九七四
・一九八六
・一九九八
・二〇一〇

寒命人——出生於西曆八月八日後、三月六日前
（即立秋後、驚蟄前）

熱命人——出生於西曆五月六日後、八月八日前
（即立夏後、立秋前）

平命人——出生於西曆三月六日後、五月六日前
（即驚蟄後、立夏前）

肖虎本年為沖太歲年，容易出現感情變化、事業變化、住屋變化。感情變化，如結婚、分手、添丁也算是變化的一種，而單身者則容易突然來一段感情，故在二〇一五羊年仍未能開展新感情的你，本年仍可努力，因去年的桃花會延至今年農曆六月底才終止，說不定上半年給你碰見心儀對象，下半年馬上可以喜事臨門。

住屋變化方面，選一間風水方向適合自己的便可以，大門向：東南、西北為旺財旺丁；正南正西，旺財；正東正北，旺丁。不要選一間向東北或西南損財傷丁的便可以。

事業變化方面，因本年是水火互換年，適宜以不變應萬變，如無可選擇則寒命人宜在上半年變動，平命、熱命人則以下半年為佳。

今年肖虎為思想學習投資年，寒命人只宜沿着舊有路向發展或以學習進修為佳；平命、熱命人如果想在本年開展新事業，入秋後任何時間都是合適的。

吉星有「驛馬」，遷移、外出、變化之事較多，亦利外遊或外出公幹。

「月空」、「天解」、「解神」，同樣為逢凶化吉之星，能大大減低凶星所帶來的壞影響。

凶星有「大耗」，大破財，這是每年必然跟隨沖太歲生肖之星，故沖太歲生肖遷移機會特別大，容易因此而花一筆錢，否則亦可購買實物以應破財。

「浮沉」，浮浮沉沉，容易減慢事業的進展，但在這水火互換年，進展緩慢是正常的。

「血刃」，易受金屬所傷見血，農曆一月、七月要留心，可以捐血、洗牙以應損傷。

「歲破」，即沖太歲之意。其他凶星如「三刑」、「闌干」，無大影響，無需理會。

寒命人——今年為沖太歲年，進一步加速好運完結，故本年要步步為營，切勿輕舉妄動，可進則進，不可進則守。

熱命人——今年為金水進氣之年，入秋之後運程逐漸轉順，加上今年為沖太歲年，加速其變化動象，且以轉好的機會較大，故有新機會可以起步嘗試，想轉工的話，入秋以後亦是可以的。

平命人——今年入秋以後連續六年都是金水流年，平命的你亦能因此而受惠，加上今年為沖太歲年，事業容易出現變化，不管是出於主動還是被動，最後結果都是變好的機會較大。

一九二六年出生的虎——今年為辛苦個人力量得財年，雖然年事已高，但人還是挺活躍的，如果身體許可的話，記着要多點外出走動。

一九三八年出生的虎——今年為貴人舒服懶年，整個人好像不想動似的，但到了此年紀，還是要多動為好，以免筋骨提早退化。

一九五〇年出生的虎——今年為權力地位提升年，除非是從商者，否則要在這年紀再次地位提升，機會不大；退休一族可能只是家中添了小成員令你輩份高了而已。

一九六二年出生的虎——今年為財運年，各個肖虎者以你財運最佳，從商、自僱者要盡量努力去爭取，望能把財運提升至最高。寒命人宜集中在上半年努力，平命、熱命人則以入秋後才發力為佳，這樣必然能事半功倍。上班一族這是第一個退休年齡，如在這時退休的話，退休金到手也算是財運到手。

一九七四年出生的虎——今年為思想學習投資年，寒命人在本年開展新投資是不太適合的，不如趁着逆運來臨去進修，裝備一下自己好了；平命、熱命人如果想嘗試的話，今年是一個好時機，籌備在入秋以後開始實行是適當的時機。

一九八六年出生的虎——今年是辛苦個人力量得財年。男性的虎要特別注意，若雙眉的眉毛緊貼着眉骨順生，今年開始是一個開創的好時機；相反，眉頭帶箭，眉粗而亂、豎、尾散，則在這段時間宜守，因有這樣的眉相在這時創業，恐怕數年間都會陷於苦戰之中。

一九九八年出生的虎——今年為貴人舒服懶年，但如果今年要上大學，則要想辦法令自己用功一點，因本年的考試運只是一般而已，又或者在今年正西文昌位放四枝富貴竹去旺文昌。

二〇一〇年出生的虎——今年為權力地位提升年，但對於仍在求學的你則會是課外活動得獎運，又或是今年在學校內較受人注目而已。

財運——今年是思想投資得財年，不論是思想上的投資還是實際上的投資，或多或少都要有一筆額外花費，再加上今年為沖太歲生肖，搬遷的機會亦大，這也是牽涉到金錢的，故本年在金錢運用上要處理恰當，以免壞了財政。

事業——思想學習投資年，加上又是沖太歲生肖，不論何種命人事業都容易出現變化，但因往後六年都是以金水為主，平命、熱命人有新機會不妨放膽嘗試，但秋冬天出生的寒命人如可以不變的話，最好以守舊為佳。

感情——今年為肖虎的沖太歲年，感情亦容易產生變化，單身者還好，因只會變來一段感情，反而最要注意的是已經有了一段穩定感情，又不想在本年結婚者，便要想辦法維繫，除非閣下想在這年藉故分手則另當別論。

身體——本年是肖虎的沖太歲年，人在路上容易因忍耐不足而易惹上車禍，故駕駛者緊記要沉着氣，記着要忍耐為先。又本年是金木交戰，亦容易受金屬所傷，尤其是農曆一月、七月這兩個損傷月，最好能夠去捐血、洗牙或者去驗身，流一點血以應損傷。

是非——沖太歲年，是非在所難免。除了本年宜盡量減少外出應酬外，亦可以在本年東南桃花位放一杯水、西北爭鬥位放粉紅色物件去旺人

緣、化是非，但如果職業所需，要常常接觸陌生人的話，則農曆一月、七月盡量減少應酬，其次農曆四月是非亦多，必須注意。

農曆一月

本月為肖虎的犯太歲月又是本年的沖太歲月，整體社會情況較為動盪，而肖虎的你亦不算是平穩的生肖，故本月不宜主動去做任何事，樣樣都順其自然好了。又本月為肖虎的意外高危月，駕駛時當然要小心，但人在路上亦不可太過大意，以免傾跌在人前既出醜又痛楚，故本月宜去洗牙、捐血，望能化掉損傷。

財運——本月為辛苦個人力量得財月，雖然是非較多，但財運是有進展的，上班一族有機會能夠在職位上有所提升而令財運增長，從商、自僱者亦能在忙碌的工作中獲得財源。

事業——進退無常宜穩步，往來枝節要關心。本月為喜鵲、烏鴉同堂的月份，事業進展不錯，但是非亦不少，唯有全力投入工作，盡量減少應酬，然後再在本月東南桃花位放一杯水、西北爭鬥位放粉紅色物件去旺人緣、化是非。

感情——本月為肖虎的犯太歲月，心情不定容易影響感情，加上又是本年的犯太歲月，整體氣氛亦差，唯有常常提醒自己要好好控制情緒，不要將負面情緒發洩在伴侶身上。

身體——本月為本年的交通意外高危月，而肖虎的你又是高危生肖，可以的話，盡量少駕駛為上。又本月為金木交戰，刀傷車禍月，故宜捐血、洗牙，流一點血望能化掉身體損傷。

是非——閉口藏舌是非多，是非只為多開口，煩惱皆因強出頭。既然知道是重是非月，一切就盡量冷眼旁觀，少些參與意見好了。又本月亦不宜多外出應酬，以免見得人多，是非更多。

農曆二月

本月為辛苦個人力量得財加權力地位提升月，驟眼看來與上月差不多，但本月是肖虎的桃花月又是本年的桃花月，在人緣、感情甚至身體健康上都會明顯比上月好得多。雖然本月工作量不比上月小，但能夠在平和的環境下工作，心情的得着是無法計算的。

財運——時來魚亦化成龍，春至桃李爭芬芳。本月既然是桃花人緣月，對經要常接觸陌生人工作的你最為有利，必能因貴人之助而大進財資，雖然本月工作忙碌得連一點私人時間都騰不出來，但因看見財運亦隨之上升，心情仍然是愉快的。

事業——重用灘頭貴推移，移過灘頭有好溪。上月之阻力是非，來到此月逐漸消散，即使工作量沒有減少，但最少不用分神去提防是非，連帶工作效率也提升了不少，讓你在工餘可騰得出時間處理私人事務。

感情——本月為肖虎的桃花月，人緣運明顯比上月好，感情亦趨於穩定，既然工作能應付自如，就多抽一些時間與另一半外出，吃吃飯、散散心；感情不一定要常常創造驚喜，有時散散步、談一下心事也能讓雙方感情昇華的。

身體——損傷意外月已經過去，駕駛者總算可以放下心頭大石，當然駕駛是長年要小心的，不要因沖太歲月過了便粗心大意，酒後駕駛更可免則免，因本年你始終都是沖太歲生肖。

是非——浮雲散去，盡是晴明。本月工作雖然仍是忙碌，但最好也能多抽一點時間與客戶聯絡，因本月是你的桃花人緣月，多些外出聯絡總是以得着為多。

農曆三月

本月為貴人舒服懶月。經過兩個月的衝刺後，肖虎的你來到本月突然間慵懶起來，好像做甚麼都提不起勁似的，但雖然如此，本月是肖虎的暗合月，容易有貴人暗中助你一把，故本月財運並未因工作量下降而有所減少，讓你能少付出努力，但收入卻明顯比上兩月為多，這算是一個不錯的月份。

財運──財如春草，不見其生，日有所長。本月既然是貴人舒服得財月，代表不用太積極便可以換來不錯的成果，其實有時運的安排總是令人猜不透，多勞不一定多得，少勞亦不一定無所獲，唯有事事做好本份，切記不要貪心妄取便好了。

事業──春回寒谷暖，萬物自生輝。本月工作量不大，因能得貴人之助，阻力亦不多，讓你能輕輕鬆鬆便可以把手頭工作完成，騰出來的時間還可以處理一下私人事務或籌劃往後去向。

感情──本月暗合，感情運是可以的，尤其是在上月霧水桃花月才認識的異性，可以趁本月工作量減少而多些相約對方外出，讓彼此關係能夠更進一步，增加了解，看看雙方是否適合在一起，如不適合的話則無謂浪費彼此時間。

身體──本月暗合，突然遇上交通意外的機會不大，走在路上也不怕會突然跌倒，唯是季春濕氣仍重，最容易引發皮膚問題，若平常皮膚已不大好的你，到了本月更要好好注意個人衛生。

是非──不寒不暖，平和之象。本月既得貴人暗中扶助，小人欲起波浪也無從，加上工作量不大，就多些相約朋友、客戶外出，聯絡一下，打好各方關係好了。

農曆四月

本月為貴人加思想學習投資月，工作量與上月差不多，讓你可以騰出較多時間來處理私人事務，但因進入夏季之時，寒命人運程似好非好，熱命、平命人仍在等待中，故本月的學習投資運恐怕只宜學習進修而已，起步作投資的話唯恐不太適宜，即使今年開始轉入佳運的平命、熱命人，最快也要待至農曆七月以後才算是好時機。

財運——行路莫低頭，非份切莫求。來到此月，一切仍以守舊為佳，新橋新路都不會太穩當，就循着舊路走好了，雖然不會有突破，但亦不會出差錯，故本月財運都在預計之中。

事業——欲速則不達，緩求可以成。三夏火旺的月份對寒命人較為有利，但入秋以後便要開始退守；相反，平命、熱命人目前運程仍未通順，要耐心等候入秋以後待好運慢慢降臨，故本月一切以守舊為佳。

感情——本月為肖虎的相刑月，更是本年的三刑月，刑代表是非多，連帶感情都容易出現不穩，但由於本月工作量不大，讓你有多些時間去處理私事，包括感情，故本月見面時切勿各持己見引致爭吵，破壞了雙方關係。

身體——本月相刑，要特別小心皮膚、腸胃，尤其是上月皮膚已經出現不適的話，本月會更為嚴重，故宜多吃祛濕之物，望能紓緩一下。又本月腸胃亦不太健康，煎炸燥熱之物亦要少沾為妙。

是非——月令多囉嗦，人事易生波。不論肖虎的你又或者整體社會氣氛都不太和諧，故即使有較多的空閒時間，亦只宜用來處理私人事務，這樣才能遠離是非。

農曆五月

本月為辛苦個人力量得財加思想學習投資月。投資的話，在這月亦不是太適宜的，反正本月工作轉趨忙碌，就用心完成手頭工作好了，其他一切事都不宜在這時候去花時間計劃，浪費了自己的精神和腦力。

財運——本月突然間工作量大增，讓慵懶了兩個月的你有些兒適應不來，尤其是上班一族，工作量突然大增讓你像機械人一樣每天上班下班，回家睡覺，重複又重複；從商、自僱者情況當然好得多，收入最少有增加的機會，尤其是從事件工計算工資的自僱者，收入必然能從工作量上升中得以增加。

事業——上山多費力，有樹可扳枝。本月工作量雖然大增，但人緣運亦明顯好轉，因本月是肖虎的相合月，人緣運比別的生肖好，且下半月能得貴人之助，讓你在忙碌的工作中仍感覺不到壓力。

感情——本月並非肖虎的桃花月，除非已經有了另一半，才能受惠於本月之相合。因刑沖代表是非多，感情不穩；合則代表人緣好，感情亦會較為穩定，讓你能從忙碌的工作中感覺到感情帶來的歡樂。

身體——工作量雖然大增，但並沒因工作壓力惹出病來，可能因本月相合人緣好的關係，減低了工作壓力，但在這三夏火旺的月份，皮膚問題仍然是要注意的。

是非——本月工作量大增，根本連私人問題都沒時間去處理，外間的是是非非更懶得去理會，而我常說，「是非終日有，不聽自然無」，就埋首自己的工作，是非讓它自然消散好了。

農曆六月

本月為辛苦個人力量得財月，亦是本年的桃花月，肖虎的桃花月，雙重桃花聚於一起，為本年最重的桃花月之一。已婚者能因此而人緣運大增，別人看見你都會覺得特別順眼；單身者當然亦可借助此桃花月，多些外出，盡量給自己製造機會。儘管本月工作量大，能騰出外遊的時間不多，但都要盡力而為，切勿錯失大好良機。

財運——上班一族本月工作量大，收入卻看不見有上升之象，但本月人緣運明顯比上月佳，整體氣氛亦和諧，讓你能專心完成手頭工作而不用理會外間的是非，故也是一個不錯的月份。

事業——勞而有功，努力前行。本月人緣運明顯更佳，讓你愈忙愈起勁，收入不穩者還可以從上升的工作量獲得額外收入，算是雙重的得益者。

感情——本月既是本年的桃花月，又是肖虎的相合月，感情運必然比別的生肖為佳，單身者如果不想再單身下去，本月要給自己製造多些機會，相約朋友外出也好，六人晚餐也好，來一個短程外遊也好，總之就讓自己盡量多去接觸一些陌生人，增加碰上另一半的機會。

身體——本月並無刑沖，加上又是桃花月，心情特別輕鬆愉快，腎上腺素都上升了不少，把一切病魔也壓下來。故本月工作雖然忙碌，單身者工餘更要多抽時間外出，但身體仍然是可以應付得來。

是非——錦上添花花上錦，佳中藏妙妙中佳。本月為雙重桃花月，也是辛苦得財月，故在工作及私人事務上運程都是良好的，既然是重桃花月，是非想入侵亦無從，在你背後說三道四者自己反而成為了小人。

農曆七月

本月為肖虎的沖太歲月，又是正式水火交界月，踏入本月金水開始進氣，往後六年只有二〇一八為火年，其他都是金水流年，故寒命人要開始部署退守，但如果發現今年並沒有因沖太歲的關係使好運加速完結，則可以延續至二〇一八年底；相反，平命、熱命人如果在這時有機會開展新事業，時間上亦是適當的，即使這三年進展較慢，但待至二〇一九年以後，發展會較為迅速。

財運——本月為思想學習投資月，不論學習或投資，或多或少都有一些額外開支，故本月在開支方面要好好計算，以免開支過多影響到今年餘下來的日子。

事業——進取好張施，貴人得扶持。雖然本月為本年沖太歲的關係，小人、是非難免會較多，唯有望貴人在事業上對你作出指引，讓你在攻守方面可以做得更加完善。

感情——本月相沖，感情已不會太穩定，更因本月為肖虎的驛馬月，外出公幹的機會大增，令你騰不出很多時間來與對方見面，讓你在今年剛開始的感情冷卻起來。

身體——金木交戰，刀傷車禍。本月是本年的高危撞車月，即使是不駕車的你，走路、切菜也要小心，否則一個不留神便容易跌倒在路上傷及膝頭，又或者做菜時切傷手指，可以的話，本月最好可以洗牙、捐血或者驗血應掉損傷，望能擺脱皮肉之苦。

是非——小是小非促完滿。本月為肖虎的是非月，今年以這個月的是非較多，又加上是水火互換年的重要月份，運程亦相對較為動盪，但因去年肖虎的你是重桃花生肖，整體人緣運特別好，不會因小小的一個相沖月而破壞殆盡。

農曆八月

本月為思想學習投資加暗中權力提升月，想作出新發展的你，本月仍是適當時間；留在原地的上班一族，亦可因本月暗中權力提升而得到公司更為重用，讓你管的事情多了，責任大了，雖然未能正式提升地位，但相信亦不遠矣。又本月仍是思想學習月，想進修者仍然可以把握機會，報讀一些短期課程來充實一下自己。

財運——有經營之才，無經營之運。本月仍是思想學習投資月，依然是開支較收入為多，尤其是才開始學習從商的你，不可能那麼快會見到收成，故本月宜抱着只問耕耘，不問收穫的心態會較佳。

事業——圖得東來缺了西，還是君家運未齊。即使是開始轉好運的熱命、平命人，也不可能一開始便順遂如意，本月仍然是鋪橋搭路的時候，距離收成還遠呢！而正在退運的寒命人亦宜抱觀望態度，可攻則攻，不可攻則守。

感情——無刑無沖無合，本月感情看不到有任何變化，加上本月是本年的桃花月，整體社會氣氛亦是平和的，讓你的感情可以在平穩的環境下延續下去。

身體——月上亂雲收，清光照彩樓。上月因相沖帶來的壞影響已經完全消除，故這個月並無刑沖，亦非疾病月，即使多些外出應酬，也不會因此而吃出病來。

是非——明月風清，人倩舒暢聽鐘聲。因相沖帶來的小是小非，來到本月消散得無影無蹤，雖然肖虎的你本月並非桃花月，人緣運亦只是一般，但因本月是本年的桃花月，而肖虎的你亦能受惠於和諧的氣氛。

農曆九月

本月是肖虎的財運月，上兩個月的努力開始見到初步收成。又本月為火旺的月份，寒命人得月令之助，仍可以得到一點好處；平命、熱命人則整體仍在上升軌跡中，財運當然會更為豐盛。又本月為肖虎的暗合月，特別容易出現長輩貴人助你一把，人緣運亦佳。

財運——既獲操縱裕如之利，更乏往來負累之憂。來到這財運月，從商、自僱者固然能在收入不穩的工作中獲得不錯的收益，而收入穩定的上班一族，亦可以嘗試多買一些彩票，看看能否在這個偏財月有一點意外收穫。

事業——昔日食無魚，今日出有車。經過上兩個月開銷大增要緊縮開支後，本月財運終於降臨了，讓你在上下班時不論舟車或者外出應酬都方便了不少，故本月除了財運不錯外，工作運亦因手頭充裕而方便了不少。

感情——本月暗合，感情是穩定的，尤其是為今年相沖而不想結婚的你製造了更好時機，讓感情能延續下去的機會大增，因餘下的月份感情運都是可以的，下一個要小心出變故的月份是明年農曆一月，在這之前也不用太過擔心。

身體——本月稍要注意的是腸胃而已，但對肖虎的你影響不大，只要生活正常，不暴飲暴食，本月身體健康狀況是正常的，無需要特別小心。

是非——既然是暗合月，自然有貴人暗中扶你一把，故本月無需為是非操心，就盡力做好自己本份，不需費神去處理是非。

農曆十月

本月為貴人舒服得財月，財運不及上月佳，但因工作量亦下降了，故收入有一些兒減少是正常的。又本月是肖虎的相合月，整體人緣運較上月更佳，加上本月為本年的相害月，整體社會氣氛不太平和，但對肖虎的你反而更有利，可以利用自己的人緣月建立更好的人際網絡。

財運——指臂相應，轉折從心。本月不需要付出太多努力，財運便自然而然到來，雖或沒有上月之豐盛，但其實仍是不錯的，加上本月工作量不大，工餘還有充足時間去處理私人事務，這也算是另一種回報。

事業——插柳成蔭，非關人力。本月在事業上的壓力不大，不需要過分刻意經營，事情自自然然便水到渠成。上班一族收入雖然沒有增加，但賺到的時間也算是收穫的一種，故本月事業運是可以的。

感情——本月相合，感情運是穩定的，加上空閒時間較多，讓你可以多些相約對方外出，若能善用這個相合的人緣月，可令感情更容易跨進一步。

身體——本月為本年的相穿月，特別容易因食物敏感而出現腹瀉，雖然肖虎的你並非高危生肖，但外出吃飯時總有機會與今年沖犯太歲的人同枱，故在飲食上仍不可大意。

是非——別人的是非月，卻是肖虎的相合人緣月，故要好好利用本月，多些外出應酬，人退之時我進，這策略一定是對的，就好好利用這個人緣月好了。

農曆十一月

本月為權力地位提升月，又是上班一族努力爭取的時間了，如果知道公司準備作內部提升的話，在這兩個月不妨努力爭取，又升遷運無關運程好壞，只看是否升遷年月而已，故無論寒、熱、平命人機會也是均等的，那就一同去努力嘗試好了。

財運——表面風光，地位提升。雖然本月為權力地位提升月，但是名高而利不至，從商、自僱者可能在行內的名聲明顯提高了，但生意卻沒有顯著增加，連帶財運都是一般而已。上班一族即使爭取到升遷，金錢收益也不是那麼快便看得見的，故本月財運只是一般而已。

事業——是非雖有，仍有進步。雖然本月為名高而利少的一個月，但長遠來看仍然是正面的，上班一族如果落實可以升遷，加薪必然會跟隨在後；從商、自僱者在行內的名聲提升了，長遠而言必能夠起到積極的正面作用。

感情——本月為本年的相合月，社會氣氛亦已轉趨平靜，而肖虎的你亦無刑沖，感情運也是穩定的，讓你可以與另一半在平和的氣氛下商討聖誕、新年假期的去向。

身體——外遊防傾跌，本月肖虎的你動象較為明顯，除了因聖誕、新年假期容易外遊之外，整個月的走動亦是頻繁的，加上本年你又是容易受損傷的生肖，故本月外出時要小心，多加注意周圍環境。

是非——小是小非，無需掛懷。雖然肖虎的你來到本月人緣運只是一般，但因本月整體社會氣氛較為平和，連肖虎的你也能受惠，讓你能專心處理好手頭工作放假去也，不用為是非去浪費精力。

農曆十二月

本月仍然是權力地位提升月，而財運亦比上個月佳，上班一族收到的特別花紅也理想，從商、自僱者或突然收回欠賬，都容易有一點意外之財，加上本月是肖虎的桃花月，又是本年的桃花月，無論整體社會氣氛或是肖虎的人緣運都是好的，算是一個不錯的月份。

財運——春江一舟輕，好風順流行。本月既是財月，又是權力地位提升月，加上桃花人緣之助，讓你無需加倍努力，財運便自然而然地來，加上工作量與平常無異，讓你工餘還有時間與另一半商量一下農曆新年到底往哪裏消費才好。

事業——順水行舟，又遇順風相送。不論肖虎的人緣運抑或整體社會的氣氛都是和諧的，加上聖誕、新年過後，轉眼又到農曆新年，其實實際工作的日子並不多，加上工作量不大，讓你輕輕鬆鬆便可完成手頭工作放假去也。

感情——本月是肖虎的桃花月，也是本年的桃花月，整體社會氣氛與肖虎的桃花運也是好的。已有穩定感情者與另一半的關係當能更進一步，單身者亦可以借助此重桃花月，看看能否開展一段新感情，讓你能度過一個愉快的假期。

身體——本月身體健康是正常的，心情也輕鬆愉快，除非是假期時太過放縱胃口又或者體力透支了才會引致身體不適，否則本月無需要為健康顧慮。

是非——本月為重桃花月，又加上假期緊接假期，每個人都忙於完成手頭工作放假去，無心去惹是生非，故本月是一個人緣好而是非遠離的月份。

兔

- 一九二七
- 一九三九
- 一九五一
- 一九六三
- 一九七五
- 一九八七
- 一九九九
- 二〇一一

寒命人——出生於西曆八月八日後、三月六日前
（即立秋後、驚蟄前）

熱命人——出生於西曆五月六日後、八月八日前
（即立夏後、立秋前）

平命人——出生於西曆三月六日後、五月六日前
（即驚蟄後、立夏前）

肖兔的你去年是太歲相合年，人緣運不差，今年則是太歲暗合年，容易有貴人暗中助你一把，人緣運確實是不錯的。但今年為水火互換年，平、熱、寒命人運程會大逆轉，因今年以後往後六年都是以金水年為主，平命、熱命人運程會逐漸轉順；相反，秋冬天出生的寒命人入秋以後便要開始退守，即使發現今年運氣仍可，亦只是可以沿着舊有路向發展，新投資可免則免，而且好運最多也只能延至二〇一八年底。

今年肖兔為思想學習投資年，開始有新發展機會，但這當然只是以熱命、平命人而言，寒命人則以學習、進修為佳，新投資萬萬不可。

吉星有「紫微」、「龍德」，有力之貴人星，不管何種命人今年都能得貴人扶助而運程容易有所增強。

「玉堂」，貴人喜慶之星，能加重貴人的助力。

凶星有「暴敗」、「天厄」等，無大影響，可以無需理會，故今年總的來說為太歲暗合年，再加上有三顆貴人星扶助，人緣必佳，亦容易得貴人扶助而令運氣有所提升。

寒命人——今年入秋以後金水年便正式開始，運程會逐漸慢下來，唯今年太歲暗合，容易有貴人暗中助你一把，加上有「紫微」、「龍德」、「玉堂」這三顆貴人星之助，必能幫你把運氣持續下去，但即使如此亦要小心看清形勢，入秋以後，可攻則攻，不可攻則守，切勿盲目冒進。

熱命人——終於等到金水年的來臨，是到熱命人發揮的時候，入秋以後正式金水進氣，運程逐漸轉順，有新投資不妨起步嘗試，加上今年得貴人扶助，為新嘗試的你提供了不少助力。

平命人——雖云平穩，但始終以金水年看高一線，今年以後連續六年金水年，對你一定能起到正面作用，故入秋以後，不論轉工或是創業，時機是可以的，但如果不着急的話，可以待至二〇一七沖太歲年，因仍會出現變動。

一九二七年出生的兔——今年是辛苦個人力量得財年，雖然人仍是活躍的，但在這個年紀能憑個人力量去賺錢的機會始終不大，可能只是投資的收益多了，又或者是晚輩多給你一些利是錢吧！

一九三九年出生的兔——今年是貴人舒服懶年，整個人突然間慢下來，動都不想動似的，但到這年紀，怎麼樣都要外出活動一下，以免筋骨提早退化。

一九五一年出生的兔——今年為權力地位提升年，除非是從商、自僱一族，否則能在這年紀提升地位的機會不大，又或者你是公司的極高層，得老板批准延遲退休，則本年事業仍可以更上一層樓。

一九六三年出生的兔——今年是財運年，各個肖兔者以你的財運最佳，這當然指從事收入不穩的工作而言，因上班一族收入始終是固定的，不會因一時的財運而廣進財資，唯有多買些彩票，看看能否有一點意外之財吧！

一九七五年出生的兔——今年為思想學習投資年，有新發展機會，但這只是指平命、熱命人而言；寒命人在此時只能以學習為佳，又或者沿着舊有的路發展，新投資則可免則免。

一九八七年出生的兔——今年為辛苦個人力量得財年，快踏入三十歲的你是時候要加把勁了，否則，人到三十目標還未定下來，這只會拖慢日後發展。又今年對收入不穩的自僱一族最有幫助，收入必然隨着忙碌的工作有所上升。

一九九九年出生的兔——今年為舒服懶年，整個人好像懶洋洋似的，但高考年就快到了，如果現在仍不加把勁而待至明年才發力，恐怕會有些太遲。

二〇一一年出生的兔——今年為權力地位提升年，才踏入五歲的你，可能只是自理能力得到嘉許又或是校內認識你的人多了一些而已。

財運——今年是思想學習投資年，不管學習或投資，或多或少都有一些額外花費，故今年開支必然比平常多，若是學習、進修還好，因學費是固定的，如果要開展新投資則要小心計算，以免財政出現危機。

事業——物換星移見頭緒，轉輾來去自由通。今年入秋以後金水進氣，終於到了平命、熱命人發揮的好時機，快則今年入秋以後，慢則待至明年沖太歲時亦可作新嘗試。寒命的你剛好相反，即使今年得貴人扶助，運程還可以延續下去，但到明年太歲逢沖時必然容易出現大變故，很可能會加速逆運的來臨。

感情——去年、今年都並非肖兔的桃花年，對已有穩定感情者是好的年份，因這兩年是太歲相合及暗合年，感情運是好的，更能加深雙方了解，但對單身者而言卻只是一般而已，因兩年桃花不重，能開展新感情的機會不大，唯有把握農曆五月、十一月這兩個桃花月好了！

身體——無刑無沖無病星。本年突然遇到意外、損傷的機會不大，加上無病星纏繞，身體毛病亦非特別多，算是健康不錯的一年，唯要小心筋骨容易出現疼痛，如今年真的出現此情況，明年則更要小心提防。

是非——今年是肖兔的暗合年，容易暗中有貴人助你一臂之力，加上有「紫微」、「龍德」、「玉堂」這幾顆有力的貴人星，故不論明暗都容易有貴人相助，小人想埋身亦無從，故無需為是非擔心，就盡力去做好自己好了。

農曆一月

本月為辛苦個人力量得財加權力地位提升月，正所謂一年之計在於春，既然本月是權力地位提升月，宜好好利用此月提升自己在行內的名氣，這樣不單止對從商、自僱者起到正面幫助，對上班一族亦能帶來好處，讓你在轉工時可得更多人認識及賞識，自然會容易找到一份合心意的工喇！

財運——農曆年假期才剛結束，很多公司仍然未正式營業，工作忙碌可能只是要完成假期前積壓下來的工作而已，並非因生意多了而忙得不可開交，故本月在財運上看不見有任何突破，只是一個普通的平凡月而已。

事業——本月既然是地位提升月，就盡量多些出席公眾場合，讓更多行內人加深對你的認識，如工作上要參加比賽的，這兩個月亦是適當時機，必能因地位名氣提升的關係而令到得獎的機會大增。

感情——本月為肖兔的暗合月，感情是穩定的，但因本月是本年的沖太歲月，如果另一半剛好是今年沖犯太歲的生肖，感情才會容易出現風波，若真如此，唯有對對方多加體諒好了。

身體——本月為本年的相沖月，交通意外會較為頻繁，雖然這與肖兔的你並無直接關係，但車在路上一定會碰上今年沖犯太歲的駕駛者，故亦要打醒十二分精神，勿讓自己捲入意外之中。

是非——本月為本年的相沖月，整體社會氣氛不太和諧，但這對肖兔的你並無影響，因本月是你的暗合月，人緣運是可以的，即使多些出席公眾場合，也不會因此而惹上是非。

農曆二月

本月為辛苦個人力量加權力地位提升月，不論從商、自僱或上班一族，皆可以藉此提升自己在行內的名聲，增加個人價值，但本月為肖兔的犯太歲月，是非必然較上月多，情緒亦容易出現不穩，故不宜太多外出交際，唯有選擇一些較重要的場合才露面吧，這必能將是非減至最輕。

財運——依然是名高而利少的一個月，加上本月又是肖兔的犯太歲月，容易因情緒不穩得罪了別人而不自知，故亦不宜與陌生的客戶多作聯絡，以免因情緒不穩帶來負面影響，引致生意也相應下滑，故本月宜以守舊為佳。

事業——雖然仍然是權力地位提升月，但因本月情緒容易出現不穩而得罪人也不自知，尤其是獲別人讚許時容易出現滿招損的情況，故本月要盡量令自己心平氣和，事事要平和應對。

感情——本月輪到肖兔的你要別人忍讓了，因本月是你的犯太歲月，每年來到此月你都容易被悲觀負面情緒籠罩，雖然本年情況並不嚴重，但也最好能夠知會一下對方，望對方能對你作出體諒。

身體——犯太歲月，容易不能集中精神，時時胡思亂想，車在路上固然要小心，人在路上亦怕跌倒，所以本月只要能控制到自己不要發白日夢，身體狀況是正常的。

是非——閉口藏舌是非多。雖然肖兔的你今年是暗合生肖，整體人緣與貴人運都是良好的，但不管怎麼樣好，都有一些月份要特別注意，故本月要盡量減少應酬以避是非。

農曆三月

本月為貴人舒服得財月，工作量不大，但財運卻是可以的，雖然看不見有大突破，但亦無財來財去之象，且本月為正財月，即代表從工作中所獲得的應得之財，並非意外橫財。雖然本月獲得意外橫財的機會不大，但因工作量沒有增加而財運卻有增長，也算是一個不錯的月份。

財運——財如春園之草，不見其生，日有所長。既然是貴人舒服得財月，本月自然不需要刻意追求，事事就順其自然好了，財要來的話怎麼樣都會來，不來的話去追也無用。

事業——機會動態冷眼瞧，小財相生忍毋急。既然是貴人舒服得財月，急也是急不來的，且本月事業進展不大，也不用太過着急，倒是容易接到一兩單大生意，讓你在事業平淡的日子也嘗到不錯的財運。

感情——本月為肖兔的相穿月，感情運只是一般而已，但都是一些小吵小鬧，為此而破壞雙方感情的機會不大，最多是冷戰一下而已。倒是單身者整個春季桃花好像都沒有着落，唯有耐心等待農曆五月桃花月來臨好了。

身體——皮膚、腸胃容易突然出現不適，故本月在飲食上要多加注意，加上三春陰濃濕重，亦特別不利皮膚，故本月在個人衛生上要多加小心，在飲食上亦不要吃一些濕熱的食物，以免問題惡化。

是非——雖有是非，善遣無妨。本月是肖兔的相害月，是非在所難免，但因相害月所帶來的都是一些無關痛癢的小是非，故無需刻意提防，就如往常一樣過日子就可以了。

農曆四月

本月為貴人加思想學習投資月，又是肖兔的驛馬月，宜多些外出碰碰機會，尤其是平命、熱命人更要積極一點，雖然不管是何種命人，在這個月要作出新投資都並不適合，但在本月探路則是一個好時機，既然是驛馬月，就把公幹與旅遊結合在一起吧！

財運——本月工作量不大，財運看不見增加，且本月為驛馬月，外出的機會相當大，這樣少不免會多花一點錢，加上又是思想學習投資月，即使在本月不宜開展投資，但前期準備仍然是有些額外花費的。

事業——學而做兮做而學，還從教訓得經絡。本月仍是探路的時候，如果想要開展新投資就摸着石頭過河吧！因三夏火旺，在季節上以寒命人較為有利，但今年入秋以後六年金水流年則對平命、熱命人有絕對好處，故在此時誰都不宜大舉進攻，尤其是平命、熱命的你，以吸收經驗的心態去進行會較為合適。

感情——既然工作量不大，空閒時間自然較多，加上又是肖兔的驛馬月，倒不如與愛侶去外遊一下吧，說不定在外遊期間會啓發到新思維，給你在事業上一個明確路向。

身體——不管公幹或旅遊，在外面的日子多了，舟車自然要提防一下，但本月並非交通意外月，只怕是舟車誤點而引致睡眠不足、腸胃不佳而已。

是非——月明千里好，浪靜片帆輕。雖然本月因驛馬的關係，走動會較為頻繁，但因本月並非肖兔的是非月，故不會因為去多了陌生地方、接觸多了陌生人而惹上是非。

農曆五月

本月為辛苦個人力量得財月，工作量明顯上升，算是利弊交集的一個月。利者，收入不穩的從商、自僱一族，必然因工作量上升而收入有所增加，寒命人入到三夏火旺之時，旺氣仍然可以延續；弊者，收入穩定的上班一族，本月只是加辛而不加薪，令你有忙來忙去都是為他人作嫁衣裳的感覺，自己一點兒得益也沒有。

財運——穩步履，和無虛。雖云今年開始金水進氣，但在入秋前仍然對寒命人比較有利，加上本月又是重桃花月，本年人緣、貴人運亦佳，上半年仍然可以獲得不錯的成績，就在入秋前加倍努力吧！

事業——大舟行淺水，多費力推移。這當然是指收入穩定的上班一族而言，因本月工作量突然大增，讓你連一點私人時間都騰不出來，再加上工資不會因一個月的工作量上升而有所增加，故本月只是徒添忙碌而已。

感情——本月工作量明顯上升，即使面對這個重桃花月，單身者仍只能嘆息無可奈何，因被忙碌的工作壓得透不過氣來，每天下班只能帶着疲累的身軀回家休息，甚麼地方都不想去，唯有在假期時多些外出，看看能否碰上心儀的對象。

身體——三夏火旺之時，要特別注意皮膚，尤其是近年細菌肆虐，皮膚問題已經成為都市病，故本月要好好注意個人衛生，多吃些清淡、少吃些煎炸燥熱之物，以免問題惡化。

是非——桃花月，人緣佳，是非想入侵也無從，再加上本月工作忙碌，根本無暇去理會是非不是非，既然如此，就專心努力做好份內工作好了。

農曆六月

本月為辛苦個人力量得財月，從商、自僱者依然看高一線，但因本月為偏財月，收入穩定的上班一族可嘗試多買些彩票，看看能否因此而獲得意外收益。又本月為肖兔的相合月，又是本年的桃花月，不論肖兔者的人緣還是整體社會氣氛都是良好的，令你能在平和的環境下工作，心情特別愉快。

財運——財似霏霏雨，還需努力追。因本月為火運延續的最後一個月，寒命人的進攻步伐下個月便要開始調整，變為退守了，故本月算是關鍵的月份，本月爬升到多高便算是多高了，下個月以後數年都只能防止其下跌而已。

事業——竹頭木屑，皆可利用。既然是辛苦個人力量得財月，工作上一定忙得不可開交，唯有用盡一切可行的辦法盡力把工作完成，尤幸本月為本年的桃花月，整體社會氣氛會較為平和，即使在忙碌的日子中也沒有特別覺得辛苦。

感情——本月工作量依然大，又過了肖兔的桃花月，但因本月是本年的桃花月，肖兔的你仍然是有希望的，工餘時就盡量抽時間外出，看看自己會否給人看上而能成為別人的桃花。

身體——本月在飲食上仍然是要小心注意的，除了煎炸燥熱之物要少沾外，生冷不潔之物亦要提防，因踏入此月又是霍亂菌猖獗的季節開始。

是非——無是又無非，光陰日影移。不論整體社會氣氛或是肖兔的人緣運也是良好的，讓你在忙碌的日子不用分神去處理是非，連帶心情都是輕鬆愉快的。

農曆七月

本月為思想學習投資月，亦是正式踏入金水年之第一個月，平命、熱命的你如果計劃作新嘗試，這兩個月都是一個起步的好時間；相反，寒命人即使目前進展依然良好，亦只能朝着舊有路向發展，新投資可免則免。又本月亦為學習月，上班一族如果沒有打算去作新嘗試的話，本月去進修一些新知識來充實一下自己也是好的，而且在學習方面，不管寒、熱、平命人都是適合的。

財運——物換星移見頭緒，轉輾來去自由通。本月正式踏入金水年之金水月，在運程上每一個人都是轉折之時，是順是逆，是吉是凶，都要好好作足心理準備。又本月是思想學習投資月，不管學習或投資都會有一些額外花費。

事業——學而做兮做而學，還從教訓得經絡。雖說本月開始往後六年都是金水流年，對寒命、熱命人算是一個好時機，但對初嘗試從商的你，還是要謹慎一點，切勿盲目冒進，因投資不同平常上班，每踏出一步都會有不同的變數，故事事不可太過主觀，總之隨機應變就是了。

感情——本月是肖兔的暗合月，感情是穩定的，除非另一半是本年沖犯太歲的生肖，才會因本月是本年的犯太歲月而感情容易出現風波。

身體——本月為本年的犯太歲月，交通意外及流行疾病都要特別提防，故本月除了駕駛之時要加倍小心外，亦要好好注意個人衛生，以免給細菌乘虛而入。

是非——本月為本年整體社會氣氛最沉悶的月份，好像被一層死氣悶氣籠罩着一樣，雖然肖兔的你本月是相合月，人緣運比別的生肖好，但亦不宜太多外出應酬，以免被沉悶的氣氛影響。

農曆八月

本月為肖兔的沖太歲月，特別容易出現動象、變化，加上開始正式踏入金水年，寒命人容易出現逆轉，故事事宜步步為營，切勿輕舉妄動。從商者，可進則進，不可進則守；上班一族不宜輕言轉工。相反，正在轉好運的平命、熱命人，如果眼前有新機會亦可以稍為嘗試，但因才剛剛轉運，故亦只宜牛刀小試，先探一探水溫。

財運——思想學習投資月，依然是花費較多的一個月，加上本月沖太歲有明顯動象，不管遷移或外出，或多或少都有一些額外花費，故本月在處理財政時仍要以謹慎為先。

事業——欲左欲右，心中不定。尤其是想開始學習從商者，總是會主意多多，樣樣都要追求完美，但這是從商者的大忌，因做生意與讀書、學習或上班有着天淵之別，上班或學習時，盡力去把手頭之事情辦妥便可以，但做生意即使怎麼樣努力，出來的效果也未必如你所願。

感情——本月為肖兔的相沖月，連帶感情都不大穩定，加上又是個人運氣順逆轉變之時，人亦比較混亂，容易顧此失彼，感情上，唯有順其自然好了。

身體——金木相沖，易見損傷。雖然本年並非肖兔的損傷年，亦無損傷星，但本月還是要小心一點為上，不止駕駛時要留神，走在路上時亦要小心，以免你一時不慎跌倒在人前，既受傷，又出醜。

是非——狂潮洶湧毋行舟，更防水中有石頭。入秋後金水開始進氣，各種命人的運程已經不大穩定，加上本月是肖兔的相沖月，是非自然在所難免，唯一可做的就是盡量減少外出應酬以避是非。

農曆九月

本月為肖兔的財運月，不論對寒、熱、平命人都能起到正面作用，尤其是收入不穩者會更加明顯，故本月要好好努力，望能得到更好成果。雖然本月是肖兔的相合月，整體人緣運是好的，唯本月夫妻位相沖，不太有利於男女感情，故本月唯一要注意的就只是男女感情吧了！

財運——運至春梅生白玉，時來嫩柳吐蕾金。本月既然是財運月，對從商、自僱者必能起到正面作用，即使不比平常努力，事事都容易水到渠成。收入穩定的上班一族，亦可以嘗試多買些彩票，看看能否有些意外收穫。

事業——亦步亦趨，無憂無慮。本月既然是肖兔的相合月，人緣運是好的，讓你能在平和的環境下工作，即使對於收入穩定的上班一族，也算是一種得着，故本月整體工作運是順利的。

感情——本月夫妻位相沖，感情方面比較不穩定，但只是一些小爭小吵，意見有一點不合而已，對整體感情影響不大，要是不想一見面便爭吵，亦可以減少雙方見面次數以減輕此相沖之影響力。

身體——本月為胃腸流行疾病月，雖然本年並非胃腸流行疾病年，但來到本月在飲食上還是要小心一點為上，以免無端染上腸胃之疾，故本月宜減少外出應酬為佳。

是非——是非都是集中在男女感情上，工作上及朋友間的是非倒不多，加上本月是肖兔的相合月，人緣運明顯比別的生肖為佳，故無需要特別小心是非。

農曆十月

本月為貴人舒服得財月，雖然財運不及上個月來得豐裕，但也算是一個不錯的月份，因本月工作量明顯比上月輕，但也能得到不錯的成績，算是一個額外收穫，加上本月又是肖兔的相合月，人緣運明顯比別的生肖佳，不論工作或朋友間的相處都是良好的，連感情都無需要特別注意。

財運——月令帶財，不求自來。本月既然是貴人舒服得財月，工作量不大，且明顯得貴人、長輩、上司從旁協助，故工作壓力不大。從商、自僱者，客戶便是你的貴人，在此貴人月，客人都特別會喜歡見到你，這樣生意自然便可以無形地增多，連帶財運亦見增長。

事業——魚游深水潭中樂，月到中秋分外明。本月是本年的相穿月，整體社會氣氛不太平和，但因本月是肖兔的相合月，自身的人緣運不受社會大勢影響，故工作上或朋友間的人緣運都是好的，讓你能專心順利地工作。

感情——本月是相合月，感情上看不見有特別要注意的地方，唯本月並非桃花月，單身者能在此月結識到異性、展開新戀情的機會不大，但下月是肖兔的桃花月，故也不必急在一時。

身體——雲開月現，天朗氣清。胃腸之流行疾病已經消散，無需再要小心飲食，唯女性的肖兔者在本月仍要小心，生冷冰凍之食物切記少沾，以免苦了腹部。

是非——到處交情容易投，清風車馬貴人留。本月依然是肖兔的相合月，人緣運明顯比別的生肖為佳，即使多些外出應酬，反應也是正面的多，負面的少。

農曆十一月

本月為貴人加權力地位提升月，又到了上班一族努力爭取的時候，如果知道公司準備作內部提升的話，不妨努力爭取，看看能否在農曆年前爭取到升遷，那明年便是一番新氣象了。又本月為肖兔的桃花月，人緣運亦明顯比別的生肖好，讓你在爭取升遷時增加了不少勝算。

財運——恩星照命，吉利相從。雖然本月並非肖兔的財運月，但因桃花之助，亦能讓你的工作運提升，財運自能相應增加。上班一族如果能升遷成功，雖然財運不會馬上臨門，但相信也不用等太久了。

事業——往來康莊，洋洋自得。本月為肖兔的桃花月，上班一族除了可以努力爭取升遷外，如果有任何新構想，亦不妨大膽向上司提出，因此月意見被接受的機會很大。從商、自僱者亦能因桃花月而令工作運明顯提升。

感情——桃花月，感情、人緣佳。已有另一半者自然能夠與對方過一個愉快的假期；單身者亦可以好好把握此機會，看看能否在聖誕假期前碰上你的心儀對象，讓你能過一個大不一樣的假期。

身體——本月為相刑月，皮膚方面要稍加注意，尤其是平常已經皮膚敏感的你更要好好提防，宜多吃些清潤的食物，煎炸燥熱的切記少沾，以免苦了皮膚又傷喉嚨。

是非——小是小非，無需掛懷。本月是肖兔的桃花月，又是相刑的月份。桃花月利人緣，相刑月是非多，故本月貴人與小人同時而至，唯有多近貴人遠小人好了。

農曆十二月

本月是財運與地位提升月，聽起來好像很順利似的，且本月為本年的桃花月，整體社會氣氛亦較為平和，再加上聖誕、新年假期才剛完結，前面又是農曆年假期，每個人都忙於完成手頭工作放假去也，故本月只要好好埋首工作，其他事都無需分心去理會。

財運──本月財運是豐盛的，尤其是收入不穩的從商、自僱一族，財運在下半月明顯增加，讓你可以過一個豐裕的假期。上班一族即使爭取不到升遷，加不了工資，但相信年底花紅也少不了，讓你能在假期安心花錢外出遊玩。

事業──上山多費力，有樹可扳枝。上班一族本月還要努力爭取升遷，看看願望能否達成，但不管成功與否，本月在工作運上算是順利的，因各人都能借助此桃花月，在平和的環境下專心去完成手頭工作，然後去過一個愉快的農曆年假。

感情──單身者如果未能在上月開展新感情，也不要太早失望，因本月是本年的桃花月，仍然有認識異性的機會，唯本月始終並非你的桃花月，故只能碰碰運氣看看會否給人看上而成別人的桃花。

身體──假期接連假期，身心都回復到最佳狀態，即使面對流感高峰季節，身體的抵抗力仍然是理想的，讓病毒無處入侵。

是非──前途盡是通行路，一任逍遙自在行。本月既然是桃花月，整體社會是平和的，加上假期才剛結束，各人都仍懷着愉快的心情，無意惹是生非，再加上農曆新年假期在即，每個人都要盡快完成手頭工作放假去也，更無心去招惹是非。

龍

・一九二八
・一九四〇
・一九五二
・一九六四
・一九七六
・一九八八
・二〇〇〇
・二〇一二

寒命人——出生於西曆八月八日後、三月六日前
（即立秋後、驚蟄前）

熱命人——出生於西曆五月六日後、八月八日前
（即立夏後、立秋前）

平命人——出生於西曆三月六日後、五月六日前
（即驚蟄後、立夏前）

肖龍

今年為太歲暗合年，容易有貴人暗中扶你一把，人緣較去年好一些，雖然今年沒有貴人星，但暗合貴人相助的力量一般較貴人星之力為大，故整體人緣運是不錯的。身體方面，今年並無刑沖，胃腸亦看不見有特別要注意的地方，但因去年肖龍的你是胃腸不佳生肖之一，如果去年問題嚴重，今年上半年仍是要注意的，尤其是農曆三、六這兩個月，在飲食上亦要小心。西曆八月七日立秋以後便可以完全脫離羊年的影響，正式踏入猴年貴人相助之年。

今年肖龍為貴人舒服懶年，人容易提不起勁，腳步突然慢了下來，但這也是適宜的，因本年是水火交界年，寒命人的好運至入秋止，而熱命、平命人之運程最快也要入秋才可以好轉，故誰都沒有絕對優勢，因此放慢腳步看清形勢，然後再作打算，在這時候是一個非常合適的動作。

今年吉星全無，雖然缺乏外來助力，但因本年是暗合生肖，仍然是會有貴人暗中扶助的，尤其是從事常與外地聯絡工作的你，貴人的助力會更明顯。

凶星有「華蓋」，心情常自覺孤獨，有一種悶悶不樂的感覺，但「華蓋」又為藝術之星，對從事演藝、創作者能起到正面作用。

其他凶星如「飛廉」、「大煞」、「白虎」、「黃旛」、「天雄」等，雖然凶星群雜，唯影響力不大，可以無需理會。

寒命人——今年入秋以後開始金水進氣，利火忌水的你往後數年都只適宜退守，即使目前看見運勢尚可，但最多也只能延至二〇一八年底，而且這只是好運的餘氣，即使運程順利亦只適宜沿着舊有路向發展，新投資可免則免。

熱命人——雖然今年開始進入金水流年，但最快也要入秋之後才能逐漸好轉，但二〇一六至二〇一八年即使轉好運勢也是緩慢的，要待至二

○一九至二○二一年才會加速進步，但總的來說，本年開始，若有新嘗試是可以起步一試的。

平命人——始終以金水流年對你較為有利，故今年下來往後六年，都是對你有幫助的年份，不論轉工也好，嘗試創業也好，在這段期間除了二○一八年以外都是可以放膽一試的。

一九二八年出生的龍——今年為貴人舒服懶年，突然間好像動都不想動，做甚麼事情都彷彿提不起勁似的，雖然年紀亦已不小，但平常活動是不可免的，就盡量安排一下，讓自己多點外出走走。

一九四○年出生的龍——今年為權力地位提升年，但至此年紀，能再提升的機會始終不大，可能只是家裏添了小成員讓你輩份提高，又或者更受人尊重而已。

一九五二年出生的龍——今年是財運年，各個肖龍者以你財運最佳，收入不穩的從商、自僱者固然能得益，即使收入穩定的上班一族如仍未退休，說不定能得到上司、老板讚賞而獲發特別花紅。

一九六四年出生的龍——今年為思想學習投資年，學習方面不論寒、熱、平命人都是適宜的，但投資方面則要三思而後行，因寒命人旺運最快入秋時終止，而平命人、熱命人之好運則最快也要待至入秋以後才開始。

一九七六年出生的龍——今年為辛苦個人力量得財年，對於收入不穩、以件工計算工資的你最為有利，財運必然能隨工作量增多而有所上升，唯上班一族不會因一時的工作量上升而令收入隨之增加。

一九八八年出生的龍——今年為貴人舒服懶年，可能工作了一段時間，人覺得有些累，反正來日方長，如時間許可便放一個大假往外面走走，說不定能有所啓發，讓你訂下日後想要走的路向。

二〇〇〇年出生的龍——今年為權力地位提升年，踏入十六歲的你可能是課外活動表現比較出色，因而獲得別人的讚賞，又或者在朋友間受到的尊重大了。

二〇一二年出生的龍——今年為財運年，進入四歲的你可能是父母開始對你講解一點理財概念，以及幫你把收到的利是錢儲蓄起來。

財運——既然是貴人舒服懶年，代表工作動力大減，當然連帶財運也不會有甚麼突破，但這也是應該的，因寒、熱、平命人各自只有半年好運，誰也贏不了誰，寒命人財運以上半年較佳，熱命、平命人則宜在入秋後發力。

事業——今年為水火互換年，是一個動盪的年份，故各人宜看清形勢，切勿盲目冒進，即使在轉運之平命、熱命人，今年才是好運的起步年，一切都在起步階段，只宜慢步前進；相反，寒命人旺運到今年入秋前止，即使運程尚可，亦只宜沿着舊路發展，新投資可免則免。

感情——本年並非肖龍的桃花年，單身者能開展新感情的機會不是很大，唯有把握農曆四、八、十這三個桃花月，看看能否碰上心儀對象；而已有穩定感情者，今年得太歲相合之助，感情發展是穩定的。

身體——本年並無刑沖，亦無病星，雖然有「華蓋」這孤獨星跟隨，有時心情難免常自覺孤獨，但這時亦可相約三數朋友談天，以解寂寥。又去年腸胃不佳者，今年農曆三、六月仍要小心注意飲食。

是非——雖然今年吉星全無，外來助力不大，但因今年得太歲相合之助，亦容易出現貴人暗中助你一把，縱有「白虎」小人凶星，但其影響不大，故今年算是人緣好而是非少的一年。

農曆一月

本月為肖龍的驛馬月，又是本年的驛馬月，社會氣氛不太平穩。肖龍的你或剛於農曆年從外地度假回港，但來到農曆一月，外出走動的機會仍然是相當大的，加上本月是思想學習投資月，多外出走走看看，也是有幫助的，尤其是想在今年開始嘗試創業的平命、熱命人，更要積極一點，看看能否因此而啓發到新商機。

財運—本月是思想學習投資月，不論學習或投資都要做前期工作，這或多或少都要花一點錢，故本月的額外開銷必然會比平常為多，所以在財政運用上要好好處理，以免失了預算。

事業—此亦是路，彼亦是路，路多反覺難啓步。才踏入猴年的第一個月，還是千頭萬緒，看不清前路去向，其實在此時無論何人都不適宜起步，即使是平命、熱命人在這時亦只宜多作諮詢，多收集別人意見，待入秋以後，才開始慢慢踏上新路，方是適當時機。

感情—本月為肖龍的驛馬月，相信走動依然較平常多，但這並不會直接影響感情的，即使抽不出時間常常見面，多發一些電郵、短訊，感情也能好好維繫的。

身體—本月為金木交戰月，交通意外唯恐會較為頻繁，加上肖龍的你本月亦為驛馬生肖，在路上的時間會較多，尤其是駕駛者，在路上更要打醒十二分精神。

是非—驛馬月，走動較為頻繁，以至惹上是非的機會亦較大，既然無法減少與人接觸，唯有在本月東南桃花位放一杯水、西北爭鬥位放粉紅色物件去旺人緣、化是非。

農曆二月

本月為思想學習投資加暗中權力提升月，投資方面在本月起步仍是不太適宜，學習進修則無不可，而暗中權力提升，對於上班一族可能是權力大了，要管的事情多了，但職位卻並無改變；對於從商、自僱者則可能在行內名氣大了，更多人認識而已，於金錢上並未為你帶來得益。又本月為肖龍的相穿相害月，是非明顯較多，腸胃亦容易出現不適。

財運——纔得圓時又復虧，循環不差。本月仍然是思想學習投資月，情況與上月差不多，唯本月為肖龍的相穿月，是非明顯較多，以致相約客戶、朋友外出傾談時不容易得到良好的建議，變成耗了錢財又帶來不快。

事業——無舵舟，循則游。在這水火交換之時，事事只能以保守為先，尤其是平命、熱命人雖然很想在這時起步，但因前面整個夏季都對運程並無幫助，如果不想吃力不討好，一切還是待至入秋後開始較佳；相反，寒命人這時仍可以沿着舊有路向發展。

感情——本月月令相害，不單是非多，連帶感情都不太穩定，故本月在見面時要好好提醒自己，不要為一點小事而爭論不休，破壞雙方感情。

身體——木土交戰，腹部、腸胃容易出現不適，而這不適最大機會是由壓力所引發的，故本月宜盡量放鬆自己，方能免被壓力壓出病來。

是非——小是小非，無需掛懷。雖然是相穿相害月，但比起刑沖所帶來的是非其實輕得多，故無需為這小是小非去做任何事。

農曆三月

本月為肖龍的財運月，又是犯太歲月，財運月當然能為你帶來一定好處，但犯太歲月卻令你容易出現負面情緒，是非又比平常多，且容易因壓力而引致腸胃不適，故本月除了財運之外，凡事都要小心，最重要是爭取充足睡眠，工餘時記着多些相約朋友外出，這樣可以令到負面情緒得到紓緩。

財運——魚得其水，一躍而變化。本月為肖龍的財運月，財運明顯比上兩個月為佳，收入不穩定的從商、自僱一族必能從中得到好處，即使收入穩定的上班一族亦可嘗試多買些彩票，看看本月能否得到意外收穫。

事業——本月是肖龍的犯太歲月，是非必然較平常多，故本月宜減少外出與客戶聯絡，以免破壞雙方關係，除此以外，本月工作運其實算是順利，而財運亦因此而相應增多。

感情——犯太歲月，心情不定，容易影響感情，加上本月又是夫妻位相刑月，對男女間的感情影響最大，唯有盡量好好控制自己情緒，勿在雙方見面時因一點小事而亂發脾氣，破壞雙方關係。

身體——土土相刑，本月除了因犯太歲月而引致的負面情緒外，亦因土土相刑的影響令腸胃容易出現不適，加上本月是去年腸胃疾病年的餘氣，故在飲食上要多加注意，工餘時盡量讓自己放鬆下來。

是非——閉口藏舌是非多。本月是肖龍的犯太歲月，又是相刑月，除了自身情緒不穩外亦特別容易因相刑的關係而帶來是非，故工餘時若覺得沉悶，亦只宜相約三數知己暢談，盡量減少與不相熟的人外出，以免得罪了人而不自知。

農曆四月

本月為貴人舒服得財月，財運依然是不錯的，加上本月為肖龍的桃花月，財運即使可能較上月遜色，但人緣運卻明顯好得多，讓你做起事來都特別輕鬆愉快。雖然本月整體社會氣氛不太平和，但這對肖龍的你並無影響，而且還可以因這桃花月，多些相約客戶、朋友外出，建立更好的關係。

財運——財如春草，不見其生，日有所長。雖然本月只是一點點的財運，但因工作量不大，這也是正常的，加上本月為肖龍的桃花月，人緣運明顯比上月好得多，讓你能懷着愉快的心情去工作，其實這也算是另類的收益。

事業——雲散一天星斗煥，風撥四海浪波平。本月為肖龍的桃花月，人事是非已煙消雲散，本月即使因工作需要多外出應酬，效果都是正面的，故可算是運氣順暢的月份。

感情——桃花月，除了讓已有另一半者感情更加穩定外，當然亦會是給單身者一個好機會。雖然肖龍的你本年並非桃花年，但桃花月也是能夠起到一定作用的，故本月宜多些出席公眾場合，看看能否碰上心儀對象。

身體——上月之負面情緒與腸胃不適已一掃而空，且因桃花月的關係，心情都特別輕鬆愉快，心情好了，抵抗力自然會相應上升，即使本月多些外出應酬，也不會因此而吃出病來。

是非——雲開霧散，天朗氣清。上月之是非一掃而空，且本月的人緣運明顯較別的生肖為佳，故宜好好把握時機，多些外出與客戶聯絡，為日後打下更好基礎。

農曆五月

本月為權力地位提升月，上班一族自然可以努力爭取升遷，而從商、自僱者亦可趁機提升自己在行內的名聲。運氣方面，入到火運餘氣的最後一個夏季，寒命人要好好把握這最後機會，因入秋以後便是金水開始進氣的時候，倒是平命、熱命人的時機了。

財運——上班一族如果真的能落實到升遷的話，財運當然會隨之而來，但可惜，本年肖龍並非地位提升年，亦無有助升遷的吉星相助，而兩個容易升遷年份的龍是一九四〇及二〇〇〇年，一個年紀太大，一個又太年輕，故財運應該不是由升遷帶動，不要寄予厚望。

事業——上班一族能升遷的機會不大，反而從商、自僱者可以把握時機提升自己在行內的名聲，即使在等待好運來臨的平命、熱命人，亦應該努力先把名聲提升，待好運來時更能夠事半功倍。

感情——本月並無刑沖，亦非桃花相合月，感情看不見有任何變化，如果在上月因桃花開展了一段新感情，則本月要好好維繫，因本月人緣只是一般而已，對感情亦無幫助。

身體——平地過江江無浪，渡水行舟舟安然。本月是一個健康平常月，看不見刑沖，突然遇上意外、損傷的機會不大，但對健康也沒有幫助，就如平常作息一樣，健康運也是平常的。

是非——無是又無非，光陰日影移。本月為一個平常月，是非不多，人緣亦非特別好，故無需刻意去做些甚麼，亦無需要提防甚麼，一切應做則做，應止則止就可以了。

農曆六月

本月為辛苦個人力量得財加權力地位提升月，雖然說上班一族在本年的升遷機會不大，但既然來到地位提升月，就用平常心去爭取吧！得，固然好，否則亦看不見有甚麼可以損失。從商、自僱者，本月財運較上月佳，尤其是從事件工計算工資者，必能因工作量增加而收入相應上升。又本月為延續去年餘氣的最後一個月，故在飲食上要加倍小心，以免腸胃又再出現不適。

財運——又圓又缺，未得圓滿。上班一族本月是有加辛而不會加薪，倒是自僱人士能受惠於本月的工作量上升而收入能有所增加，故本月財運只能對收入不穩定者起到正面作用。

事業——我且盡其力，厚薄隨其緣。本月為大火年的最後一個月，寒命人要盡最後努力，看看能否更上一層樓，而平命、熱命人仍靜待入秋來臨，望事業能開始踏上上升軌跡。

感情——本月為本年的桃花月，雖然對肖龍的你並無直接幫助，但桃花月有助改善整體社會氣氛，故間接對感情亦能起到正面作用。單身者可以多出席一些公眾場合，看看能否成為別人的桃花。

身體——承接去年胃腸疾病的餘氣，本月在飲食上仍然是要小心注意的，生冷及煎炸之物要切記少沾，待本月過後，一切便會回復正常。

是非——任守口瓶嘴，無意之中，口舌自生。本月是肖龍的是非月，因承接去年之餘氣，這是受羊年影響的最後一個月，這個月過後，本年太歲暗合的你，貴人所起之作用會逐漸浮現，就多忍耐一個月好了。

農曆七月

本月開始正式金水進氣，寒命人開始要逐漸退守，即使眼前運勢尚可，亦只宜沿着舊有路向發展，新投資切記不宜。相反，春、夏天出生的平命、熱命人，本月以後會漸入佳景，快則這兩年開始，慢則要待至二〇一九年，但總的來說都是會漸入佳景，即使沒有馬上轉好，但最少也脱離了二〇一三至二〇一五這三年大火年，運程即使不上升但也不會再下降。

財運——在這水火交界年之交界月中，事事宜放慢腳步，冷眼靜觀，可進則進，不可進則守，切勿胡亂冒進，亂灑金錢，即使在轉運中的平命、熱命人亦要持盈保泰。

事業——在這水火互換的月份裏，運氣仍然傾向於灰暗不明，因算命是看氣的，氣盡不會馬上止，氣來也不會馬上騰升，故一切仍宜靜觀細看，即使眼前有新路，亦只可以牛刀小試。

感情——本月為本年的犯太歲月，整體社會氣氛不太和諧，再加上本月為水火互換的月份，每個人的運程大多在反覆中，這樣心情難免容易出現忐忑，連帶感情都容易受到壞影響，故本月要記着好好處理自己的情緒，方能免於影響到雙方關係。

身體——腸胃不適的日子已經過去，下半年的身體狀況明顯好轉，即使本月是本年的犯太歲月，疾病、意外與損傷難免較多，但肖龍的你只要正常作息，健康運是可以的。

是非——本月為本年是非最多的月份，但這只對今年沖犯太歲的生肖而言，肖龍的你本月相合，人緣運比別的生肖佳，但因仍會受水火互換月份的影響，運程依然反覆，故只宜利用這個貴人人緣月多作諮詢，不宜開展實際行動。

農曆八月

本月為肖龍的桃花月，單身者固然可以利用此月多些外出，看看能否碰上心儀對象，已經有穩定感情者亦可以好好利用這桃花月提升自己的人緣運。剛轉運的平命、熱命人固然可以得益，即使開始退運的寒命人亦能得人緣桃花之助而讓好運得以延續，加上本月亦為本年的桃花月，整體社會氣氛比上月好得多，這不論對工作或是感情都能起到正面作用。

財運——本月是貴人舒服得財加思想學習投資月，工作量不大，且因得桃花之助，工作運是順利的，但財運方面恐怕本月開支會較平常多，因本月是投資月，不論作前期諮詢又或者落實去投資，都是要花一些錢的。

事業——本月得桃花之助，人緣運是好的，連帶事業運都較佳，加上本月為本年的桃花月，整體社會氣氛融洽，讓你做起事來格外順暢，這無論對開始退守的寒命人或正在找尋新路向的熱命、平命人都是有幫助的。

感情——本月為霧水桃花月，代表易聚易散，但別管那麼多吧，反正感情亦不會每一段都成功，感情來了，好歹也要試一試，至於成功與否，就由天定好了。

身體——桃花月，不論整體社會氣氛又或者是肖龍的你都是良好的，心情好，抵抗力自然上升，再加上本月並非疾病月，健康運是理想的。

是非——日月照眉端，光明在目前。這個月人緣運比上月更佳，加上整體社會氣氛較上月融洽，讓你不論出席任何場合都容易遇上快樂人。

農曆九月

本月為辛苦個人力量得財月，工作量明顯比上月多，加上是肖龍的相沖月，走動亦會較為頻繁，且本月土土相沖，亦恐防腸胃容易不適，故本月要好好調節，切勿被忙碌的工作把身體拖垮，人要懂得忙裏偷閒，方能作長久對抗，故本月在忙碌的工作後記得要盡量抽多些時間去放鬆自己。

財運——勞而有功，用力前行。本月為辛苦個人力量得財月，對收入不穩的自僱及從商的你最有幫助，財運必然能因工作量上升而相應增加，且本月為大火月，對正在退運的寒命人亦能起到正面作用。

事業——本月工作忙碌，加上是肖龍的相沖月，走動會較為頻繁，且因本月土土相沖，腸胃容易受到不良影響，故無論工作怎樣忙碌都要懂得偷閒，不要忙壞了身體而影響到日後的工作能力。

感情——本月相沖，容易影響感情，尤其是因上月霧水桃花月才認識的異性，本月算是一個大考驗，只要能跨過本月，感情才有機會延續下去，如果不想分手的話，就要好好努力了。

身體——土土相沖，胃腸不佳。每年到農曆九月，你的腸胃都特別容易出現問題，雖然本年肖龍的你腸胃並非特別差，但因本月為土旺之月，故在飲食上還是要小心一點。

是非——人事起干戈，交友事不和。本月為肖龍的相沖月，人緣運比別的生肖差，無論怎樣努力都不容易達到預期效果，既然明知吃力不討好，倒不如獨善其身，盡量減少外出應酬好了。

農曆十月

本月為辛苦個人力量得財月，工作量沒有上月的大，但財運收益卻比上月佳，加上本月為肖龍的桃花月，人緣運較上月的相沖好得多，雖然本月為本年的相穿月，整體社會氣氛不平和，但這反而對肖龍的你有好處，趁着別人是非多而自己人緣運好的月份，可以多些外出與朋友、客戶聯絡，效果必然事半功倍。

財運——機會順從事偶然，行至本月利相隨。本月不單止財運比上月佳，人緣運與健康運都勝過上個月，加上工作量沒有上月的大，壓力自然相應減少，算是一個財運順暢的月份。

事業——晴光烈烈日已昇，無限春光在江濱。本月為桃花人緣月，即使在工作上多些接觸陌生客戶，得到的反應都是讚許的多，批評的少，而且財運亦有相應上升。即使是收入穩定的上班一族，工作順利之餘更或能得到些意外收穫，算是個不錯的月份。

感情——本月為肖龍的桃花月，感情運是好的，即使對方是本年沖犯太歲的生肖，你亦能因桃花月之助而能對對方作出忍讓，不至於大吵一場。

身體——腸胃之不適已一掃而空，加上本月是肖龍的桃花月，心情亦能因人緣運暢順而好起來，其實正面情緒是很重要的，因疾病很多時是因負面情緒而引發的。

是非——山崗之路可相通，為今此處趁東風。上月之人事是非已煙消雲散，本月是肖龍的桃花月，不管外間風雨飄搖，但對肖龍的你都沒有帶來壞影響，故本月除了可以獨善其身外，即使多些外出應酬，其效果都較別的生肖為佳。

農曆十一月

本月為思想投資得財月，平命、熱命人如果想在這個月開始作出新投資，在時間上是適合的，最少能夠把握到聖誕、新年假期，令你能處於一個較佳的起步點；當然，寒命的你這段時間開始都已經不宜再作新投資，但順勢擴張是可以的，又或者在這兩個月進修一些短期課程亦無不可。

財運——雖然因思想學習投資月的影響，開支容易比平常為多，但因本月仍然是肖龍的財運月，收入也是豐厚的，即使聖誕、新年必然有額外開支，但財政依然是穩固的。

事業——熙熙攘攘，日熾月盛。本月既然是思想學習投資月，不難出現一番新景象，即使是上班一族，本月亦能因思想學習月之關係致令靈感大增，加上本月是肖龍的相合月，人緣運依然是良好的，心中如有所想亦可以大膽向老板、上司提出，被接受的機會會相當大。

感情——本月相合，感情運雖然是穩定的，但男性的肖龍者容易出現競爭對手，尤其是因本年的桃花月才開展的新感情，因雙方關係不算太穩固，在這月更要加倍維護。

身體——朝乾夕惕，負吉無咎。雖然踏進流感高峰季節，但肖龍的你健康運仍然是良好的，儘管如此，外出之時亦最好帶備一些禦寒衣物，方能免天氣突然轉冷給殺個措手不及。

是非——上下同而和，內外偏喜多。本月肖龍的人緣運仍然是良好的，即使多些外出應酬，也不會因此而惹出是非來，加上聖誕、新年假期臨近，每個人都忙於完成手頭工作放假去也，誰都無暇去惹是生非。

農曆十二月

本月亦為思想學習投資月，但農曆年假期在即，一切新計劃還是留待明年再算好了。事業方面，本月為辛苦個人力量得財月，工作量明顯比上兩個月為多，而財運亦看不到有突破，加上是思想學習投資月，即使本月不去作出新投資，開支亦會比平常多，農曆年外出考察也好，旅遊也好，額外開支是少不了的。

財運——財如冰雪，太陽一照便消溶。本月既然是思想學習投資月，即使不去投資，單單去外地旅遊或考察，或多或少都有一些額外花費，儘管是收入穩定的上班一族，不管是農曆年時舉家外遊或留港度歲，花費亦必然比平常多。

事業——欲左欲右，心中不定。因去到投資年或投資月，思緒都容易出現不穩，再加上本月進修或投資的機會不大，令到思想無處着力，唯有在工餘時多些去研究一下外國的風物誌，一來可以把思緒運用掉，二來也可以增加外遊時的樂趣。

感情——本月並無刑沖，亦非桃花月，已有另一半的你忙於籌劃農曆年假期的去向。單身者在本月能開展新感情的機會不大，唯有多些相約朋友外出，填補一下真空的感情。

身體——工作量雖然比上兩個月多，但健康狀況仍然是可以的，加上聖誕、新年假期才剛結束，前面又是農曆年假期，故實際工作的日子比平常少，況且忙碌完又到農曆年假，連腎上腺素都相應提升，病菌想入侵亦無從。

是非——每個人都在埋頭苦幹，皆無暇惹是生非，加上本月是本年的桃花月，整體社會氣氛是良好的，無需要注意任何是非。

蛇

・一九二九
・一九四一
・一九五三
・一九六五
・一九七七
・一九八九
・二〇〇一
・二〇一三

寒命人——出生於西曆八月八日後、三月六日前
（即立秋後、驚蟄前）

熱命人——出生於西曆五月六日後、八月八日前
（即立夏後、立秋前）

平命人——出生於西曆三月六日後、五月六日前
（即驚蟄後、立夏前）

肖蛇

今年為太歲刑、合年，刑代表是非多、人事不和，合代表人緣好，易得貴人扶助，故今年肖蛇的你容易出現兩極化現象，喜歡你的人會樂意扶助，針對你的人事事挑剔，故今年在人事上要好好看清形勢，多接近喜歡你的人而遠離那些搞針對的，但總的下來，今年是貴人力大而小人力弱，不是不作提防，只是小人起不了甚麼大作用。

今年為辛苦個人力量得財年，算是一個較忙碌的年份，這對收入不穩的從商、自僱者最能起到直接幫助，因收入必然能因工作量上升而有所增加。即使收入穩定的上班一族，亦能因忙碌的工作來肯定自己，最少知道自己在公司裏的利用價值仍然不少。

吉星有「天德」，逢凶化吉，此星其實是讓人減少報復心，這樣間接自能逢凶化吉。

「貴人」、「歲合」、「福德」、「福星」，這四顆都是貴人星，雖然力量不大，但四顆加起來仍然是有其作用的。

凶星「劫煞」，容易因朋友而破財，借錢擔保之事可免則免，借錢還好，因是在自己能力以內的事，擔保則恐防惹禍上身。

「卷舌」，口舌爭吵，人事不和，即使平常脾氣極好的你，今年亦容易與別人口對口、面對面地爭吵，如真的想避免的話，唯有在本年東南桃花位放一杯水、西北爭鬥位放粉紅色物件去旺人緣、化是非。

「披麻」，長輩身體務要提防，又或者可以未雨綢繆，帶長輩去檢查身體，防患於未然。

「絞煞」，無甚力量，可無需理會。

寒命人——入秋以後，金水開始進氣，喜火忌水的你，入秋前運程仍是可以的，但在這時候新發展怎樣都是不適宜，即使目前運氣尚可，亦只能沿着舊有路向發展，新投資可免則免。

熱命人——上半年仍然是以守為上，運程最快亦要入秋之後才逐漸好轉，要待至二〇一九年以後才會通順，故二〇一六至二〇一八年只宜慢步前進；上班一族如果想作新轉變，二〇一六、一七年都是可以的。

平命人——雖則一生平穩，但總結下來，二〇一六至二〇二一這六年會比二〇一五年前更為通順，故欲有新計劃、新轉變，在這段時間只有二〇一八年是不適宜的，其他年份自今年入秋以後都可以一試。

一**九二九年出生的蛇**——今年為貴人舒服懶年，整個人突然間好像沒有了動力一樣，甚麼都不想做，甚麼地方都不想去，雖然年紀已不小，但總要讓自己外出走動走動的。

一**九四一年出生的蛇**——今年為權力地位提升年，除非是仍在上班的從商者，本年在事業運上仍能夠更上一層樓，否則可能只是家裏添了小成員讓自己輩份提升了，又或更受人尊重而已。

一**九五三年出生的蛇**——今年為財運年，從商、自僱者必能因這財運年而使收入有所提升。退了休的上班一族，則可以嘗試多買一些彩票，看看能否有意外收穫，即使沒有，進貢了馬會也算是做了一點善事。

一**九六五年出生的蛇**——今年為思想學習投資年，上班一族如果想一試從商滋味，今年是好時機。生於春、夏的平命、熱命人，不論是與人合作還是獨自經營，在運程上都是可以的；但生於秋、冬的寒命人，因入秋以後運程會開始慢下來，故只宜在投資上佔較細的股份，讓別人的運氣來帶引自己，又或者專心進修新知識好了。

一**九七七年出生的蛇**——今年為辛苦個人力量得財年，對收入不穩、多勞多得工作者最有幫助，收入必然能因工作量上升而有所增加，故今年要好好把握，盡量爭取最大收益。

一九八九年出生的蛇——今年為貴人舒服懶年，整個人好像提不起勁似的，唯有盡量強迫自己努力一點，尤其是春、夏天出生的平命、熱命人，在今年入秋以後要好好把握時機。

二〇〇一年出生的蛇——今年為權力地位提升年，仍在求學的你可能是在課外活動得獎或在校內較受人注目而已，又或者入讀一間自己心儀的學校也算是一種提升。

二〇一三年出生的蛇——今年為財運年，才踏入三歲的你，可能只是父母給你灌輸一些理財的概念，又或者為你開了一個儲蓄戶口，把你的利是錢存起來而已。

財運——今年為辛苦個人力量得財年，收入不穩者必然能因工作量上升而收入有所增加，但因今年是水火互換年，寒命人適宜在上半年努力爭取，平命、熱命人則適宜在下半年才開始發力。

事業——今年為水火互換年，即是到了寒命人退，平命、熱命人進的時候，但因今年是金水運開始的第一年，金水的動力不是很大，故寒命人仍有機會緩慢進展，而熱、平命人入秋後只會慢慢好轉，不會一踏進金水年便馬上有突破。

感情——本年並非肖蛇的桃花年，單身者只能把握農曆三、五、九這三個桃花月，看看能否碰上心儀對象。已有穩定感情者，今年雖然常有小吵小鬧，但因本年是刑合之年，吵完後很快便和好如初，好像在耍花槍一樣，這樣外人可能會看不慣，但你倆卻樂在其中。

身體——本年為刑合年，肺、骨、喉嚨、氣管及皮膚容易出現不適，尤其是一向皮膚已不大好的你，今年在飲食上更加要小心，煎炸燥熱之物切記少沾，以免壞了皮膚又傷喉嚨。

是非——又刑又合，人緣運好，是非亦不少，但總結下來，貴人力量比小人之力大得多，只要多親近貴人，忽略小人，則小人想興風作浪亦無處可着力，這樣便是趨吉避凶的最佳辦法。

農曆一月

本月為貴人舒服得財月，農曆年假剛結束，工作量當然會比平常少，因為很多公司仍未完全進入狀態，有些甚至到月中才恢復啓市，雖然如此，財運卻沒有因此而減少，尤其是收入穩定的上班一族，不會因一時的工作量改變而令收入有所增減。又本月為肖蛇的三刑月，是非特別多，故在處理文件時要特別小心，慎防出錯而惹出軒然大波。

財運——財如春草，不見其生，日有所長。本月為貴人舒服得財月，工作量不大，但收入卻沒有減少，這於上班一族而言是正常的，而從商、自僱者，可能是做成一些銀碼較大的生意，不需付出太多努力而收入卻有所增加。

事業——本月為三刑月，是非必然較平常多，尤其是從商者，釐訂合約時在字眼上要加倍小心，否則出錯了會引致整個月都被煩惱纏繞，最後即使賺到了錢，但卻輸了心情。

感情——相刑月，感情亦容易受到影響，這也是正常的，因假期回來後，雙方都要進入現實世界，這當然沒有在旅行時那麼輕鬆，唯有雙方忍讓一下好了。

身體——三刑月，皮膚、腸胃都要加以注意，尤其是出生於夏天的肖蛇者，本月皮膚特別容易出現毛病，加上又是流感高峰期，令相刑月的你亦特別容易受到牽連。

是非——口舌是非，小人必多。本月可算是本年是非最多的月份，本來年假結束回到工作崗位，每個人仍懷着愉快的心情，是非應該比平常少才對，但因本月是你的相刑月，無論在私人或工作上，是非都會比別人多。

農曆二月

本月亦為貴人舒服得財月，情況雖與上月差不多，但人緣運卻比上月為佳，本月肖蛇的你並無刑沖，加上本月為本年的暗合月，整體社會氣氛比上月相沖要好得多，讓你本月能在平和的氣氛下工作，無需刻意提防是非，這不論對上班一族或是從商、自僱者都是正面的。

財運——賺錢不難也不易，財入錢出付水流。本月為財來財去月，還幸是先來財，後破財，故財來以後可以馬上買一些可以換回金錢或平常需要的物品，不致白白破財。

事業——康莊可步，安用徘徊。肖蛇的你並無刑沖，是非不多，無需刻意提防，加上本月為本年的暗合月，整體社會氣氛是良好的，同事、朋友間的相處亦明顯較為融洽，就好好享受這個工作量不大而人事又平和的一個月吧！

感情——東風解凍，景色宜人。三刑月已經過去，本月雖然不是肖蛇的桃花月，也不是相合月，對感情沒有特別幫助，但比起上月相刑已經好得多，故本月感情運是平穩的，不是如膠似漆也不是爭拗不絕，而是平淡對望的月份。

身體——本月並無刑沖，身體看不到有特別要注意的地方，即使偶爾外出應酬，健康仍然是良好無恙的，就好好享受這個健康的月份吧！

是非——除當塗之瓦礫，剪礙道之荊榛。上月之是非已煙消雲散，本月肖蛇的人緣運雖然並非特別好，但平穩無波對你來說已經足夠了。

農曆三月

本月為思想學習投資加權力地位提升月，上班一族要加倍努力，看看能否爭取到升遷，且本月為肖蛇的桃花月，人緣運明顯比別的生肖好得多，這亦能提升你的升遷機會。從商、自僱者也能趁機提升自己在行內的名聲，為日後鋪設一條更好走的路。

財運——本月財運一般而已，看不見有任何突破，即使上班一族在這兩個月爭取到升遷，但財運亦不會立即在這個月馬上提升。從商、自僱者想要提升自己在行內的名聲，外出應酬是少不了的，故開支必然會比平常多，故本月財運是難有突破的。

事業——近水樓台先得月，向陽花木易逢春。本月既然是肖蛇的桃花月，不論上班一族或從商、自僱者，在爭取別人認同時都加了不少印象分，故本月事業運容易因桃花人緣之助而暢順無阻。

感情——桃花月，對已有穩定感情者固然有幫助，對單身的你而言更是極好的消息，故本月宜多些相約好友外出，或出席一些人多的場合，看看能否因桃花月之助而碰上你的心儀對象。

身體——承接去年胃腸疾病流行年，來到此月仍然受到影響，雖然肖蛇的你先天並沒有腸胃問題，但來到這個月在飲食上還是小心一點為要，生冷及煎炸之物切記要少沾一點。

是非——桃花月，人緣運比上個月好得多，故本月宜多些外出應酬，藉此桃花月建立更好的人際關係，且本月即使多出席一些公眾場合，結果也是正面的多，負面的少。

農曆四月

本月為辛苦個人力量得財加權力地位提升月，對上班、從商及自僱的你都是正面的，上班者仍可以努力爭取升遷，從商、自僱者必能因工作量上升而收入有所增加，怕只怕本月是肖蛇的犯太歲月，個人容易產生負面情緒，這樣不論對事業、感情、人緣都會帶來壞影響。

財運——上班一族若如願地爭取到升遷，財運自然亦不遠；收入不穩定的從商、自僱者，亦能因工作量大了而收入有所增加，雖然本月因為犯太歲月而出現了負面思想，但財運卻沒有受到影響。

事業——勞而有功，用力前行。除了因犯太歲月的關係而影響到情緒外，其實本月的事業運是不錯的。上班一族可以努力爭取升遷；自僱者亦能因忙碌的月份而令到業績有正面增長；從商者亦多了接觸客戶的機會，令到洽商成功的機會也相應增加。

感情——本月為本年的刑合月，是非已經較上月多，加上又是肖蛇的犯太歲月，自己亦容易出現負面情緒影響到感情，既然如此，倒不如減少見面，勝過常常見面卻爭吵不停、破壞感情好得多。

身體——本月是肖蛇的犯太歲月，容易受負面情緒影響，除了要好好管理情緒外，皮膚問題亦要小心，因很多時皮膚問題是由免疫系統所引發的，而負面情緒正好會對個人的免疫系統產生壞影響。

是非——既然容易因本身負面情緒得罪人而不自知，最好的防備辦法是盡量減少外出應酬，工餘最多相約三數知己聚會，即使有無心之失也容易得到他們體諒。

農曆五月

本月為貴人舒服懶月，整個人突然間慢下來，好像沒有動力似的，還幸這情緒只集中在上半月，下半月開始又積極起來，尤其是生於秋、冬天的寒命人，要趁着入秋金水進氣之前盡力爭取好成績，因入秋金水進氣以後運氣會逐漸慢下來；相反，春、夏天出生的平命、熱命人反正仍要等待好運來臨，這兩個月懶一點也是無妨的。

財運—本月財運容易出現兩極化，秋、冬天出生的寒命人在這個夏天仍然可以努力爭取，趕在入秋前把運程推向更高；相反，平命、熱命人要待入秋後才會漸入佳景，故本月不要對財運太有寄望。

事業—本月緩急會因不同月份出生而有所不同，平命、熱命人寧慢毋急，因入秋以後連續有六年利你的金水運，故不必急在一時；相反，好運快將完結的寒命人要在好運結束前盡量爬升，望往後六年能把自己停留在高位之中。

感情—本月為肖蛇的霧水桃花月，不論對單身或已婚者都能起到正面作用。已婚者能藉霧水桃花之助而廣結人緣；單身者則可借助此桃花看看能否開展一段新感情，雖說霧水桃花易聚易散，但不去嘗試怎知道它能否延續下去呢？

身體—負面情緒已一掃而空，本月是肖蛇的桃花月，心情明顯比上月好得多，加上本月並非疾病月，身體健康狀況是良好的，即使在這桃花月多些外出應酬，也不會因此而惹出病來。

是非—雲開霧散，天朗氣清。犯太歲月已經過去，代之而來的是桃花月，人緣運與上月相比不可同日而語，故宜趁着這個桃花月多些與客戶聯絡打好關係，收復上月所失。

農曆六月

本月為貴人加思想學習月，工作量不大，正好讓你有時間去進修學習，尤其是已經衝刺了六年的寒命人，是時候停一停去充充電，利用餘下數年進修一點喜歡的課程來充實一下自己；而等待好運來臨的平命、熱命人亦適宜多找一些資訊，尤其是想今明兩年開始作新嘗試者，無論轉工或轉而從商，都是要仔細研究的。

財運——貴人舒服懶月，工作量比上月更輕，加上又是思想學習投資月，花費必然比平常多，一加一減之下容易出現入不敷支的情況，故本月在花錢時要用之有道，以免財政不穩。

事業——在這個月放慢一下腳步是非常適宜的，因本月是火年的最後一個火月，下月入秋以後金水開始正式進氣，不論寒、熱、平命人在此時都宜慢下來，況且，要急也不用急在這時。

感情——本月感情運是良好的，因本月是肖蛇的暗合月，雙方都感到對方的真誠，加上本月又是本年的桃花月，社會氣氛亦較為融和，單身者如在上月桃花月仍未能好好把握，這個月仍然可以多些外出，碰碰運氣，看看能否成為別人的桃花。

身體——去年腸胃疾病的影響，過了這個月便會終止，故本月在飲食上仍需節制，避免在這最後一個胃腸不佳的月份惹上疾病，故本月生冷不潔之物不沾為妙。

是非——本月為肖蛇的暗合月，人緣運即使不比上月好，但也是不錯的，加上本月是本年的桃花月，整體社會氣氛亦是良好的，故仍然可以放心多些外出應酬。

蛇

農曆七月

本月入秋以後，金水年正式開始，往後連續六年除了二〇一八年屬火以外，其餘都是屬金水的年份，故平命、熱命人由今年開始下來都是較有利的年份，如知道自己入了大運則可以大舉進攻，即使未入大運，往後幾年亦是較順利的年份；相反，寒命人在本月開始要退守，即使眼前運氣尚可，亦只宜守着舊有路向發展，新投資可免則免。

財運——本月為辛苦個人力量得財月，未有打算在此時開展新事業的，本月財運是不錯的。本月亦為肖蛇的刑合月，人緣趨兩極化，貴人不少，小人亦多，故本月宜多親近貴人，勿理小人，這樣在爭取財運時必然會較為有利。

事業——喜鵲烏鴉，同堂而叫。本月為刑合月，刑代表是非多，合代表人緣好，故本月貴人、小人齊集，加上本月為本年的犯太歲月，整體社會氣氛不太和諧，更不宜與小人爭鬥，故本月宜遠離小人，確保事業、財運不至於逆轉。

感情——本月刑合，感情時好時壞，好時如糖黐豆，有時變水溝油，旁人看來會覺得奇怪，但你們卻樂在其中，感情之事，冷暖自知，就不要理會旁人好了。

身體——本月為刑合月，皮膚、腸胃特別容易不適，加上為水火互換的月份，情緒亦容易出現不穩，且社會亦較為動盪，更加強了對情緒的不良影響，故本月除了要小心飲食，亦要嘗試盡量放鬆自己，以免因情緒影響到健康。

是非——本月是本年的犯太歲月，整體社會氣氛不太良好，加上本身肖蛇的你亦有小人是非，雖然本月亦有貴人扶助，但為免麻煩事纏身，還是減少外出應酬好了。

農曆八月

本月為辛苦個人力量得財月，又是本年的桃花月，整體社會氣氛與上月大大不同，明顯比上月融和得多，讓你能全心投入工作，努力爭取好成績。本月既然是辛苦得財月，工作量自然增多，最直接受惠的當然是自僱一族，收入能因工作量上升而有所增加；其次是從商的你，忙碌等於與客戶接觸的機會多了又或者訂單有所增加，財運能相應上升的機會亦相對增大；唯上班一族工作量大了，在這個財運月收入能增長的機會不大，唯有寄望老板會私下給你一些獎金。

財運——求之以規矩，自可成方圓。本月既然是財運月，財運自然容易提升，但本月為正財月，代表從努力工作後所獲得的財源，並非意外橫財，故本月宜好好努力工作，望能獲得更佳成績。

事業——日日推移，漸漸進步。本月既然是本年的桃花月，整體社會氣氛必然會較為融和，讓你做起事來阻力不多，可以專心完成手頭工作，整體事業算是一個不錯的月份。

感情——刑合月終於過去了，要了一個月花槍的你終於回復了正常狀態，加上本月是肖蛇的相合月，感情運明顯較上月融洽，即使常常見面亦不會出現爭拗場面。

身體——本月是肖蛇的相合月，突然遇上意外的機會不大，加上並無相刑，身體健康狀況是良好的，即使多些出席公眾場合，也不會因此而吃出病來。

是非——雲開月現，波靜風平。上月之是非已一掃而空，不管整體社會或肖蛇的你都是較為融洽的月份，故宜好好利用這個人緣月，建立各方關係。

農曆九月

本月為思想學習投資月，投資方面，熱命人最適宜，平命人次之，而寒命人則最好不要作任何新投資，因長遠看來，這幾年進展都不會太理想，反而是一些一頭半月的短期投資，這個月仍是適合。學習方面，不論是寒、熱、平命人都是可以的，正所謂做到老，學到老，其實進修是無時不可的。

財運——既然是思想學習投資月，開支自然會比平常為多，但因本月有暗財，容易有意外收穫，故在財運上算是有來有往，不是一面倒的支出，故財運在本月算是平衡的。

事業——行大道，樂堯天，天佑吉人。本月既然是思想學習投資月，只要循着正道而行，事業運是順利的。雖說本月有暗財，但不一定指從投機炒賣而所得的財富，可能只是突然間洽成一些意想不到的生意，讓財運有特殊進賬而已。

感情——本月為肖蛇的桃花月，又到了單身者要大力爭取的時候，因本月過後，本年的桃花月亦完結了，故本月宜多些相約朋友外出，多出席一些公眾場合，多給自己亮相人前的機會，這對碰上心儀對象是一定有幫助的。

身體——思想學習投資月，如無學習，亦無作新投資，思想將會無所歸，容易因此而引致失眠，而失眠之事可大可小，甚或引致免疫系統產生毛病，故本月宜盡量放鬆自己，又或者在睡前喝一點葡萄酒，這亦是有助入眠的。

是非——桃花月，不單是非比平常少，人緣運還比平常好得多，故本月宜多些外出與客戶、朋友聯絡，尤其是在轉運中的平命人、熱命人更要好好建立人際關係。

農曆十月

本月為思想學習投資加暗中權力提升月，如果落實投資一嘗做老板滋味的話，當了老板當然也算是地位提升了。本月依然是思想學習投資月，如果上月還心大心細，於此時開始，時間仍然是適合的，本月過後便要待至明年了。又本月為肖蛇的相沖月，除了走動會較為頻繁之外，亦要提防足、股、面、齒容易受傷。

財運——本月財運看不到有任何突破，加上仍然是思想學習投資月，不論投資或學習，開支仍然會比平常多，加上驛馬相沖的關係，外出的機會明顯大增，這也會是另一種額外開支。

事業——但得小利足，不辭勞苦多。本月為肖蛇的驛馬月，走動必然比平常多，不管是到外地也好，在本地也好，都較平常勞碌疲累。其實工作本來就是這樣的，有時清閒，有時辛苦，有時不勞而獲，有時又會徒勞無功。

感情——相沖月，連帶感情都容易出現變故，加上本月又是本年的相穿月，整體社會氣氛亦不太平穩，如果另一半剛好是今年沖犯太歲的生肖，在感情上更加要好好維繫。

身體——謹舟慎車，提防傾跌。本月因相沖的關係，足、股、面、齒最容易因傾跌而受傷，除了駕駛時要小心外，走路時亦要提防，以免失足跌倒，既受傷又出醜人前，身心雙重受損。

是非——剛享受完一個人緣良好的月份，本月又要因相沖而減少外出應酬了，加上本月又是本年的相穿月，整體社會爭拗亦較多，就盡量留在家中以避是非好了。

十一月

本月為財運加暗中權力提升月，不論對上班一族或從商、自僱者都能帶來好處，上班一族能因暗中權力提升而得到重用，令自己責任大了，要管的事情多了；從商、自僱者亦能因財運之幫助，可以在聖誕假期前爭取到好成績，過一個豐盛的假期。

財運——本月為偏財月，從商、自僱者容易有些意想不到的生意自動上門，不管是朋友、客戶介紹也好，舊客戶光顧也好，都能因此而獲得意外收穫。收入穩定的上班一族亦可以嘗試多買一些彩票，看看能否在假期前得到些意外收穫。

事業——方寸既定，身心安靜。年之將盡，今年快到埋單計數的時候，想改變或想嘗試從商者，大概都會等到農曆年過後才會開展行動，故這時就好好把手頭工作努力完成好了。

感情——本月為暗合月，感情是穩定的，即使籌劃聖誕、新年假期時，雙方容易出現不同意見，但這都只是各自提出想法而已，不會影響雙方關係。單身者能在本月開展新感情的機會不大，倒不如相約三數知己，共度假期。

身體——相沖月已經過去，本月一切回復正常，讓你能在最好狀態下去迎接聖誕、新年假期，因本月並無刑沖，亦非疾病月，即使在假期時偶爾放縱一下胃口，亦不會因此而惹出病來。

是非——雲散滿天光靄靄，月明四海色濃濃。本月為肖蛇的暗合月，又是本年的相合月，整體社會氣氛比上月融洽得多，讓你可以全心努力完成手頭工作放假去也，無需為處理是非而浪費時間。

農曆十二月

本月為思想投資得財月，年之將盡，在這個月開展新投資的機會更少，各人都只是沿着舊路向去走而已。唯本月是肖蛇的財運月，財運比上月更佳，但本月是正財月，並非意外橫財，這意味一切都已經在預算當中。又本月為本年的桃花月，整體社會氣氛比上月更佳，讓你能更輕鬆地盡快完成手頭工作，去過一個愉快的假期。

財運——月令帶財，不求自來。其實來到此月，一切都可能已經在結算的階段，這個月豐裕的財運是這年努力下累積而來的，上班一族亦可能因公司業績理想而獲發特別花紅，讓你能過一個豐裕的農曆年。

事業——前途自有漁人引，不必遲疑自在行。行至此月，一切都已成定局，隨着現有路向去走，收成多少都已經在預計之中，加上本月是本年的桃花月，整體社會氣氛亦佳，突然出現變故的機會不大。

感情——本月並非肖蛇的桃花月，單身者恐怕又要獨自度過農曆年了，若不願如此，亦可以趁這個本年的桃花月多些外出碰碰運氣，看看能否成為其他生肖的桃花。

身體——聖誕、新年假期才剛結束，前面又見是農曆年假，加上本月並無刑沖，亦非疾病月，身心狀態比上月更佳，只要起居作息如常，健康運是可以的。

是非——行到桃源流水處，綠楊陰裏任君眠。本月除了是肖蛇的暗合月，易有貴人暗中扶助外，亦是本年的桃花月，整體社會氣氛比上月更佳，故本月即使多些外出應酬或相約朋友夜遊，因此而惹上是非的機會卻不是很大。

・一九三〇
・一九四二
・一九五四
・一九六六
・一九七八
・一九九〇
・二〇〇二
・二〇一四

寒命人——出生於西曆八月八日後、三月六日前
（即立秋後、驚蟄前）

熱命人——出生於西曆五月六日後、八月八日前
（即立夏後、立秋前）

平命人——出生於西曆三月六日後、五月六日前
（即驚蟄後、立夏前）

肖馬

今年是驛馬年，易有遷移外出變化之動象，加上今年為水火互換年，西曆八月七日前火勢仍旺，八月七日後金水開始進氣，寒、熱、平命人皆有運轉時機，故不算平穩的年。總而言之，寒命人要好好把握上半年餘下的好運，如果想作出改變的話，以上半年比較適合；而平命、熱命人入秋以後運程會逐步轉順，有任何新嘗試或改變，最好是留待下半年才開始。

今年肖馬為辛苦個人力量得財年，最能直接受惠的是收入不穩的自僱一族，收入必能因工作量上升而相應增加；其次是從商者，今年工作較為忙碌，亦可代表接觸客戶的機會多了，做得成生意的機會亦會增加；唯上班收入穩定的你，不能因本年工作量上升而收入有所改變，唯有希望公司業績理想，能派發一些特別花紅。

吉星有「八座」，有利地位提升，但肖馬的你今年並非升遷年，能升職的機會不是很大，只有一九九〇年出生的你今年是升遷年，就好好努力吧！

凶星有「囚獄」，口舌是非及小人必多，這囚獄不代表坐牢，只代表官非、是非而已，至於官非與否，不能單靠流年生肖而定，還要整體看自己的八字的，故不用太過擔心。

其他還有「災煞」、「吊客」、「天狗」，影響不大，可以無需理會。

寒命人——大火年去到入秋時正式完結，故要好好把握上半年，看看能否把運氣推至高峰，因下半年入秋以後，一切便要開始退守，即使看見運程仍佳，亦只宜守着舊有路向發展，新投資切勿在下半年以後開展。

熱命人——六年的木火流年終於要過去了，但每一年不一定是由農曆正月開始的，故上半年好運仍然未及你身，最快也要等到入秋以後才會漸入佳景，六年都可以等待，也不要急在一時，

一切都待入秋以後才進行好了。

平命人——雖云一生平穩，但比起來總是金水年會較佳，今年入秋以後，金水開始進氣，你的好運終於來臨，如果想作新改變或新嘗試，入秋以後是適宜的。

一九三〇年出生的馬——今年為權力地位提升年，但年逾八旬的你，除非是從商者，否則能在這時有升遷的機會不大，可能只是家裏添了小成員令你輩份提高了而已。

一九四二年出生的馬——今年為財運年，如果仍有心有力的話，今年財運算是不錯，故仍可努力，又或者是今年晚輩多給你一些零用錢，又或是自己投資的收益比平常多了。

一九五四年出生的馬——今年為思想學習投資年，從商者仍可發展，而上班一族已屆退休之年，看看會否在這年投資或是進修學習，以備退休後尋找新路向。

一九六六年出生的馬——今年為辛苦個人力量得財年，對收入不穩的從商、自僱者幫助最為直接；收入穩定的上班一族，今年只是徒添勞苦而已，看不到有特殊收益。

一九七八年出生的馬——今年為貴人舒服懶年，快望見四十歲的你，在這時放慢腳步，做一個中期檢討，在時間上是適宜的，加上本年為水火互換年，往後是攻是守，都要早作準備。

一九九〇年出生的馬——今年為權力地位提升年，上班一族可以努力爭取，看看能否在這忙碌的年份更上一層樓，從商、自僱者亦可以把握機會提升自己在行內的名聲。

二〇〇二年出生的馬——今年為財運年，才踏進十四歲的你，可能只是父母多給一點零用錢而已，距離能賺錢的年紀還有一段距離。

二〇一四年出生的馬——今年為思想學習年，踏入兩歲的你，看每樣事物都是新奇的，這個思想學習年正可以滿足你強烈的好奇心。

財運——今年為辛苦個人力量得財年，對收入不穩、從事件工計錢如律師、醫生的工作最為有利，其他如保險、地產、美容化妝，甚至如我般從事命相風水等行業都能直接受惠，而最沒有幫助者為上班一族，因不會因一時的工作量上升而收入有所改變。

事業——今年為水火互換年，寒命人要開始準備退守；相反，平命、熱命人如果今年想作出轉變又或者想作新投資，入秋以後是可以的。又今年為驛馬年，外出走動的機會亦會較多，平命、熱命的你就多作嘗試好了。

感情——本年肖馬的你並非桃花生肖，能在本年結識到異性開展新感情的機會不大，唯今年是驛馬年，外出的機會相對較多，接觸陌生人的機會多了，認識到新朋友的機會亦相應增加，看看今年農曆二月、八月這兩個桃花月，能否為你帶來一段新情緣。

身體——本年為驛馬年，外出走動的機會多了，遇到損傷與意外的機會也相應增加，但肖馬的你並非相沖年，亦無損傷星，遇到意外、損傷的機會不大，只要在農曆一、七、十一這三個月稍為小心便可，其他月份即使多些外出也是無礙的。

是非——無刑、無沖、無桃花，亦非相合生肖，故本年人緣運只一般而已，難有貴人扶你一把，但今年亦非小人是非年，故無需刻意提防，即使因驛馬的關係而外出的機會多了，亦不會因此而惹上是非。

農曆一月

本月為肖馬的財運月，農曆新年假期結束回來，工作上的是非特別多，雖然本月為本年的沖太歲月，整體社會氣氛不太平穩，但因本月是肖馬的相合月，人緣比別的生肖為佳，故對你影響不大。唯本月是肖馬的驛馬月，走動會較為頻繁，駕駛者車在路上時要格外小心，方能免舟車之險。

財運——本月為肖馬的財運月，雖然因驛馬的關係難免會較奔波，但只要收入能因此而上升，奔波勞碌一點也是值得的，且才剛從農曆年假回來，身心都回復到最好狀態，一點點馳騁奔走算得上甚麼呢！

事業——本月為本年的沖驛馬月，也是肖馬的沖驛馬月，故事業特別容易出現改變，雖說今年入秋以後才適宜作出轉變，但有時也不由自己決定的，故本月就順其自然好了，真的要變亦無可避免。

感情——本月因驛馬相沖的關係，走動必然比平常多，即使因而減少雙方見面時間，但亦看不出感情上有任何要注意的地方，只要工餘時多發些問候短訊，本月感情運仍然是無礙的。

身體——本月為本年的交通意外月，又是肖馬的沖驛馬月，人在路上的時間相應較多，即使不用去外地公幹，在本地駕駛時也要格外留神，因在路上總會碰見今年沖犯太歲的生肖，只怕一不留神會被捲入意外當中。

是非——雖然本月是本年的相沖月，整體社會氣氛不太和諧，但因本月是肖馬的相合月，人緣運比別的生肖為佳，即使因驛馬的關係，多了接觸陌生人的機會，亦不會因此而惹出是非來。

農曆二月

本月為貴人舒服得財月，又是肖馬的桃花月，工作量不大，財運卻依然不錯，加上得桃花之助，人緣運明顯比上月好得多，而且整體社會氣氛又轉趨和諧，更能讓你在平和的環境下工作。本月除收入不穩的從商、自僱一族財運可以提升外，收入穩定的上班一族也能在和諧的氣氛下工作，這也算是一種得着。

財運——南北西東無不通，往來無事福相從。此月既然是肖馬的桃花月，人緣運比上月好得多，加上整體社會氣氛和諧，本月又是肖馬的財運月，就全心投入工作，望能把收益推至最高。

事業——順水行舟又遇順風相送。收入不穩者自然能夠因財運月而得益，即使收入穩定的上班一族，亦能因平和的氣氛而心情暢快，加上工作量不大，工餘後的私人時間多了，讓你能夠好好享受一下生活。

感情——桃花月，感情、人緣佳，已有另一半者記着要把桃花化作人緣。因本月正偏桃花同途，單身者不論遇上真假桃花，都是一個得益者；已有另一半的你最怕遇上霧水桃花，忽然間跟已經相識的同事、朋友走在一起，即使不給另一半發現，但也會帶來幾許風波。

身體——本月並無刑沖，一切回復正常，除了舟車之險無需刻意提防外，即使多些外出應酬，腸胃也是健康的，就好好享受一下這個健康的月份好了。

是非——桃花月，人緣佳，是非想入侵亦無從，不論在人緣交往或者在工作上都是有利的，即使多些外出交際應酬，結果都是正面的多，負面的少。

農曆三月

本月為權力地位提升月，上班一族是到你努力的時候了，如知道公司準備作內部提升，不妨努力爭取，因這兩個月都是你的升遷月，又升遷運與運氣好壞並無直接關係，最重要是看個人的升遷年，故不論寒、熱、平命人都可以努力爭取。從商、自僱的寒命人要好好把握機會，望能在入秋前更進一步；平命、熱命者亦可以先行提升自己在行內的名聲，待入秋後好運來臨時能把握得更好。

財運——本月並非財運月，但上班一族如果能爭取到升職的話，財運自然相繼而至。從商、自僱者如能提升自己在行內的名聲，洽商成功的機會自然增大，這亦是對財運有幫助的。

事業——思想學習投資加權力地位提升月，不管是努力爭取升遷或是提升自己在行內的名聲，都是可以的，但作新投資在這個時候好像不太適宜，因寒命人入秋以後運程便開始轉慢，平命、熱命的你亦不用急在一時，一切都待入秋後再進行也不遲。

感情——本月並無刑沖，亦非桃花月，感情看不見有任何變化，如在上月才開展的新感情，本月進展可能會較緩慢，至於固有的感情，本月是平穩的。

身體——去年胃腸疾病會延至此月，雖然肖馬的你先天腸胃出現問題的機會不大，但來到本月還是小心一點為上，生冷冰凍之物要少沾為妙。

是非——本月人緣運雖然沒有上月桃花月那麼好，但因本月並無刑沖，是非亦不會太多，人緣運仍然是可以的，故即使多出席一些業內活動，反應仍然是正面的。

農曆四月

本月為辛苦個人力量得財加權力地位提升月，上班一族仍然要爭取升遷，從商、自僱者除了要盡力提升自己在行內的名聲，亦要應付突然而來的沉重工作量，故本月必需加倍費神，全力投入工作，犧牲一下自己的私人時間。

財運——本月不論對上班一族或從商、自僱者都能起到正面作用。上班一族仍然可以努力爭取升遷，從商、自僱者亦能因工作量上升而令收入有所增加，故本月工作雖然忙碌但也能惠及財運的。

事業——山崗之路可相通，半為費力半成功。本月工作量突然上升，收入不穩的自僱、從商者必能因此而獲得好處，唯上班收入穩定者，總不能每個都能如願升職，故本月工作量大增，可能只是徒添忙碌而已。

感情——本月工作量明顯比春季為大，故能騰出來的私人時間必然相應減少，唯有在忙碌之餘多發些短訊問候對方，以及在工餘時盡量抽空相聚好了。

身體——又到了三夏火旺的季節了，皮膚敏感的你，來到夏天特別容易感到不適，尤其是出生於夏、秋天之間的你更容易受到影響，故本月宜多吃些清潤的食物，煎炸燥熱之物切記少沾，以免整個夏季都受到不良影響。

是非——本月工作量突然增多，連出外應酬的時間也騰不出來，即使工餘有點閒暇，都要盡量爭取時間休息，故本月談不上是非不是非。雖然本月是本年的是非月，但對忙碌的你是沒有影響的。

農曆五月

本月為肖馬的犯太歲月，每年到了農曆五月你都容易受到負面情緒影響，今年也不例外，既然肖馬的你今年是驛馬年，外出動象較平常多，如果時間許可的話，不妨放一個短假去外遊散心，又因本年不是犯太歲年，故無需要去特定方向，不論南北東西，想去就可以了。

財運——上半月工作量突然下降，你能騰出的私人時間明顯多了。受着犯太歲月的影響，容易胡思亂想，雖然下半月的工作量回升，但受情緒的影響更大，而壓力上升了不少，如時間許可，不妨放一個短暫假期，充一充電，財運就下個月再想好了。

事業——細雨沾花不發，淡雲迷日還沉。今年為水火互換年，運程容易反覆，加上本月又是肖馬的犯太歲月，情緒更容易波動，碰巧上半月為貴人舒服懶月，整個人好像提不起勁似的，可以的話就由它放慢腳步，去散散心好了。

感情——本月為肖馬的犯太歲月，感情都特別容易受到牽連，還幸只是短暫的影響，整年下來，感情運是可以的，唯這個月要好好維繫而已。

身體——日出不堪雲淡淡，花開只怕雨滂沱。肖馬的你今年並無刑沖，亦無疾病星，整體健康運是可以的，唯三夏火旺，又加上是犯太歲，本月更容易因情緒問題而引致皮膚出現不良反應，唯有自己盡量放鬆心情好了。

是非——既然自己容易受負面情緒影響，本月就盡量減少外出應酬好了，又或者在本月東北桃花位放一杯水、正北爭鬥位放粉紅色物件去旺人緣、化是非。

農曆六月

本月為貴人加思想學習投資月，投資方面，無論任何人在這時都不太適合，學習則各人都無妨。又本月為貴人舒服懶月，工作量不大，正好讓你有時間整合一下目前情緒，寒命人要決定下月開始是攻還是要開始退守，在這時要作好準備；平命、熱命者下月開始好運漸來，是想轉工還是想學習從商，這都是要自己去籌劃的。

財運——本月在事業上宜放慢腳步，故對財運不要寄予厚望，加上本月為思想學習投資月，不管往後是攻是守，都要在這時作好準備，故本月開支必然會比平常多。

事業——不如閒中尋樂，無需為錢重擔。既然本月是大火年餘氣的最後一個月，寒命人運勢已成定局，平命、熱命人則未曾開始，這時倒不如放慢腳步，看清形勢然後再作打算，事業、財運方面也不用急在一時。

感情——本月是肖馬的相合月，感情是穩定的，又本月是本年的桃花月，對單身的你亦間接有幫助，故本月宜多些外出，多出席一些公眾場合，多接觸陌生人，看看能否成為本月桃花生肖的桃花。

身體——本月仍是要小心注意胃腸之疾，本月過後，去年之影響便完全消散。其實本月肖馬的你身體健康是可以的，加上本月為肖馬的相合月，突然遇上意外的機會也不大，只要外出應酬時在飲食上稍為注意，生冷不潔之物不沾便可。

是非——本月是本年的桃花月，整體社會氣氛是良好的，加上本月又是肖馬的相合月，上月之是非已一掃而空，本月即使多些外出應酬，也不會無端惹上是非。

農曆七月

本月為辛苦個人力量得財月，對收入不穩的自僱一族最為有利，其次是從商者，上班一族本月只會徒添忙碌，收入卻不會因此而增加。又本月為本年的犯太歲月，整體社會氣氛不太平穩，加上又是金水進氣的第一個月，不論寒、熱、平命人運程都不算太通順，故即使本月是辛苦得財月，從商、自僱者亦不要太過寄予厚望。

財運——勞而有功，我且盡力。雖然本月運程不是太通順，但努力仍然是要的，只是工作過後不要太過寄予厚望；即使是平命、熱命人，在這剛踏入金水的月份，運氣的動力仍然是不足的。

事業——進退時常宜穩步，往來枝節要關心。本月金水才開始進氣，平命、熱命人好運的動力依然不足，而寒命的你又要開始退守，故在運氣方面各人都不會太強盛，加上本月為肖馬的驛馬月，唯恐走動亦會較平常多，更加重其不穩定性。

感情——本月是本年的犯太歲月，整體社會氣氛不太平穩，加上又是水火互換月，在工作上亦不宜太過進取，不如趁這驛馬月與愛侶外遊，舒散一下心中悶氣。

身體——本月為本年的犯太歲月，唯恐交通意外會較為頻繁，加上肖馬的你本月又是驛馬月，走在路上的機會亦較多，故本月要謹舟慎車，提防傾跌。

是非——本月是本年最多是非的月份，肖馬的你今年雖然不是是非生肖，但本月仍宜減少外出應酬，以免是非沾上你身，又即使同事、朋友向你吐苦水，亦要記着好好地做一個聆聽者便已經足夠。

農曆八月

本月為辛苦個人力量得財月，仍是對收入不穩的從商、自僱一族幫助較大，加上本月是肖馬的桃花月，自身人緣明顯比上月為佳，且本月又是本年的桃花月，整體社會氣氛亦較為融和。雖然上班一族本月不能因工作量上升而收入有所增加，但能夠在融洽的環境下工作，也算是一種得着。

財運——用心鑿石才成玉，着意淘沙始見金。既然是辛苦個人力量得財月，收入不穩的從商、自僱者要盡最大努力，望能在這個收入不穩定月，大力將財運提升到最高，看見收入能因工作量上升而相應增加，即使忙碌但心情仍然是愉快的。

事業——上山多費力，有樹可扳枝。本月為忙碌工作月，雖然工作上的阻力不少，但都能被你的努力衝破，加上本月是肖馬的桃花月，易有貴人從旁相助，甚麼阻力都不能對你構成影響。

感情——桃花月，感情、人緣佳，加上本月是本年的桃花月，又是肖馬的桃花月，雙重桃花之助下，單身者在這個月算是本年內最容易開展新感情的月份，如果本月在努力下仍未能成事，今年餘下的月份桃花都不會太重。

身體——本月並無刑沖，又是肖馬的桃花月，不論外在的意外或自身的疾病都沒有特別要注意的地方，即使本月多些外出與朋友遊玩，身體亦不會出現問題。

是非——意之所至，無憂無慮。本月不論是整體社會氣氛與肖馬的人緣運都是良好的，故本月宜多些相約朋友、客戶外出，打好各方關係。

農曆九月

本月為思想投資得財月，寒命人如發現目前運程尚可，則仍可以沿着舊有路向發展，但新投資可免則免；相反，熱命、平命的你，有新機會不妨放膽嘗試，不論新舊投資都是適宜的。本月亦是思想學習月，上班一族亦可趁機修讀一些短期課程，充實一下自己。

財運——既然是思想學習投資月，花費必然比平常多，但下半月仍是有暗財，故整體收入與開支是平衡的，不會因開支過度而破壞穩健的財政。

事業——前舟自有漁郎引，不用憂疑自在行。本月既然是思想學習投資月，必然容易出現新發展機會，尤其是想開始從商的平命、熱命人，要好好把握，因這兩個月是今年的最好時機，如現在開始，便可以把握到整個冬季的旺月如聖誕、新年、農曆年等等，如真的想嘗試就不要再猶疑了。

感情——本月為肖馬的相合月，感情運是穩定的，尤其是因上月桃花月才開展的新感情，必能得相合月之幫助而穩定發展，唯本月並非桃花月，單身者能在此月開展新感情的機會不大，最多也是因相合月而出現暗中心儀的對象而已，能成事的機會不大。

身體——無刑無沖，本月又不是意外的高危月，突然碰上意外的機會不大，加上又是肖馬的相合月，人緣好，是非不多，心情仍然是輕鬆愉快的，故本月無需特別為健康顧慮。

是非——相合月，人緣運不比上月差，加上本月是思想學習投資月的關係，接觸陌生人的機會明顯增多，但因得到相合人緣月之助，即使應酬較多但收回來的反應也是正面的。

農曆十月

本月是思想學習投資加暗中權力提升月，如果已踏出去開始從商當了老板，這也算是地位提升，唯本月是本年的相穿相害月，整體社會氣氛沒有上月的好，新投資者自然特別容易受到整體大局的影響而令生意不穩，唯有加倍努力及等待下月之假期來臨。

財運—重山之外問黃金，始歷艱辛後有成。本月仍然是思想學習投資月，不論是新舊投資都容易受到本月社會氣氛影響而出現阻力，但本月是肖馬的暗合月，自身人緣運是可以的，只要努力一點，自可衝破阻力而獲得應有的收益。

事業—雷聲雖大全無雨，放下心腸且自修。雖然本月整體社會氣氛不太平穩，但對肖馬的你並無影響，只要懂得持盈保泰，勿理閒事，是非便不會沾上你身，加上本月因暗合的關係容易出現貴人暗中助你一把，讓你能衝破困難開創新機。

感情—本月為暗合月，對已有穩定感情者幫助最大，必然能因暗合的關係令雙方感情更進一步，但這暗合對單身者起不了甚麼作用，即使出現了暗戀對象，能成事的機會很低。

身體—本月為本年的相穿月，不利腎、膀胱、泌尿系統，故生冷之物少沾為妙，尤其是平常泌尿系統已經有着毛病的你更要格外留神。

是非—雖然整體社會氣氛不太和諧，但肖馬的你本月仍然得貴人眷顧，是非仍難沾上你身，可如常地外出應酬，讓你在別人的是非月進一步鞏固自己的人緣運。

農曆十一月

本月為財運加暗中權力提升月，收入不穩定者仍可以繼續努力，望能爭取更好成績；上班一族亦可藉此暗中權力提升月，進一步鞏固自己在公司的地位。雖然本月是肖馬的沖太歲月，是非不免較多，但這只會對人緣之交往有負面影響，對整體工作問題不大。

財運——吉裏藏凶凶藏吉，吉凶無定需仔細。本月因相沖的關係，是非必多，人緣運明顯較差，故本月宜埋首工作，盡量減少外出應酬，這樣既能避開是非，亦能把自己的財運提升。

事業——南邊鴉鳴，北邊鵲噪，吉凶相伴。本月為財運加暗中權力提升，不論對從商、自僱或上班一族都能起正面作用。唯本月是肖馬的相沖月，是非必然較多，人緣運亦比別的生肖差，唯有埋首工作，減少應酬，望這樣能避開是非。

感情——本月為肖馬的相沖月，自身感情不太穩定，但因本月並非本年相沖月，只要另一半不是剛好肖馬肖鼠者，本月感情運只是稍差而已，不會引出軒然大波，故亦無需過分擔心。

身體——謹舟慎車，提防傾跌。本月是肖馬的相沖月，除了駕駛者在駕車時要打醒十二分精神外，走在路上亦要格外小心，否則一不小心跌倒人前，便既受傷又丟面。

是非——閉口藏舌是非多。本月除了要盡量減少外出應酬外，與人傾談之時亦不要過分堅持己見，因這樣對減少是非是沒有幫助的，況且，有時自己所堅持的也不一定全對，退後一步細看才能客觀分析。

農曆十二月

本月為思想投資得財月，對已經從商者幫助最大，但如果於此時開始起步在時機上不是很適宜，不如等過了農曆新年後再從長計議好了。又本月是本年的桃花月，整體社會氣氛融洽，加上聖誕、新年假期才剛結束，前面又是農曆年假，每個人都懷着輕鬆愉快的心情，讓你在工作之時更感愜意。

財運——月令帶財，不求自來。本月為財運月，收入不穩的從商、自僱者能直接得益，這也是正常的，但即使上班收入穩定的你，本月亦容易有意外之財，是公司分發特別花紅也好，投資上的收益也好，都能讓你或多或少都有一些意外收穫。

事業——可貞無咎，固之所宜。本月既然是本年的桃花月，工作氣氛必然比上月佳，讓你能在融洽的環境下盡快完成手頭工作，騰出時間與另一半商量一下農曆新年的度假安排。

感情——單身者如果不想再獨自過農曆年的話，本月仍可以多些外出碰碰運氣的，因本月是本年的桃花月，多出席公眾場合，看看能否成為別人的桃花，雖然成功機會不及自己的桃花月大，但既然自己是單身，一試也無妨。

身體——本月並無刑沖，工作壓力亦不大，身心狀態都已經回復正常，加上假期才剛結束，前面又是農曆年假，連鬥志都相應提升了不少，病菌想入侵也無從。

是非——雖有浮雲掛月，五更雲散復明。上月之是非已一掃而空，故本月無需為是非費神。雖然本月人緣運不錯，但因要盡快完成手頭工作去籌備年假，也不會有太多空閒時間去交際應酬。

羊

- 一九三一
- 一九四三
- 一九五五
- 一九六七
- 一九七九
- 一九九一
- 二〇〇三
- 二〇一五

寒命人——出生於西曆八月八日後、三月六日前
（即立秋後、驚蟄前）

熱命人——出生於西曆五月六日後、八月八日前
（即立夏後、立秋前）

平命人——出生於西曆三月六日後、五月六日前
（即驚蟄後、立夏前）

肖羊的你去年犯太歲，如果已經結了婚或已經有了小孩，這是正常的。但仍未結婚亦未分手的，本年上半年仍要小心，因羊年犯太歲的影響會延續至西曆八月七日才終止，八月七日之前仍要小心感情及情緒問題，駕駛者要小心駕駛，尤其是在農曆六月之時。

今年為肖羊的重桃花年，已有穩定感情者必能因桃花之助而感情更進一步；單身或已經分了手的你，本年要積極一點，因本年是紅鸞桃花年，容易碰上一段能夠發展下去的感情。

本年肖羊是貴人舒服懶年，這樣也好，經過去年犯太歲多變故的年份，今年放慢一下腳步，整合一下也是應該的。再加上本年為水火互換年，火退而水進，寒命人運程會逐漸減弱；相反，平命、熱命人會逐步提升，故放慢一下腳步，然後再決定是攻還是守也是合適的。

吉星有「陌越」，有助地位提升，但因今年為慵懶的年份，人不太積極，只有九一年出生的羊機會較大，其他肖羊者就由它慢下來好了。

「紅鸞」，桃花星，除了單身者容易因此桃花之幫助而展開一段感情外，已婚或已經有穩定感情者，亦能因此桃花之助而令人緣運大大提升，與去年犯太歲年真的不可同日而語。

凶星有「病符」，小疾病，但今年肖羊的你並非疾病年，唯上半年仍受往年犯太歲影響，除了腸胃較差外，亦要好好管理自己的負面情緒。

「歲煞」、「天煞」、「寡宿」，力量不大，可以無需理會。故本年肖羊的你只有一顆「病符」星要稍為注意，然這病符星亦是細星，力量不是很大，故本年整體健康運是可以的。

寒命人——今年開始金水進氣，寒命的你要開始退守了，如果去年並無因犯太歲影響而令事業停頓下來，本年上半年運程還是可以的，否則，現在要開始準備退守了。

熱命人——去年為火年的最後一年，又是肖羊的犯太歲年，無論運氣與心情都是負面居多，但來到本年，一切會完全改觀，今年入秋後開始六年金水流年，加上本年又是肖羊的紅鸞桃花年，無論心情與運氣都作一百八十度改變，故本年入秋以後有任何新轉變，亦是可以嘗試的。

平命人——雖云一生平穩，但相比下仍然是金水年運氣較佳。今年入秋以後除了可以擺脱去年犯太歲所帶來的負面思想外，運程亦會逐步轉佳，當中除了二〇一八年為火年之外，運氣會一直延至二〇二二年入秋才終止，當中尤其是二〇一九年後進步會更為明顯。

一九三一年出生的羊——今年為權力地位提升年，即使仍未想退下來的從商者在此時能夠再提升的機會也不大，何況是已久退休的你？可能是今年家中添了小成員使你輩份提升了，又或者是你更受晚輩尊重而已。

一九四三年出生的羊——今年為財運年，雖然已年逾七旬，但現代人一般身體較佳，如果仍是有心有力的從商、自僱一族，今年可以努力爭取；而退了休的你則可嘗試買些彩票，看看能否得一點意外收穫。

一九五五年出生的羊——今年為思想學習投資年，如已經退休的平命、熱命人想學習從商，今年入秋以後是好時機；但如果是秋、冬天出生的寒命人今年則只宜學習、進修而已。

一九六七年出生的羊——今年為辛苦個人力量得財年，對自僱者最為有利，收入必能因工作量上升而相應增加，其次是從商者，而上班一族今年工作量雖然增多，但收入恐怕如往常一樣。

一九七九年出生的羊——今年為貴人舒服懶年，工作了一段時間，現在慢下來細想一下日後去向也是適合的，因為有時生活太繁瑣，很多時候會忘記了自己當初想追求的目標，這個慵懶年正好有時間給你去細想一下。

一九九一年出生的羊——今年是權力地位提升年，如初踏足社會，自力更生，這也算是地位提升；但如果已經工作了一段時間，今年可努力一點，看看能否更上一層樓。

二〇〇三年出生的羊——今年是財運年，踏入十三歲的你，可能是家長多給你一點零用錢，讓你好好學習一下怎樣去處理金錢吧！

二〇一五年出生的羊——今年是思想學習年，開始踏入一歲的你，每樣事情都是新鮮的，這思想學習年更能增加你的好奇心。

財運——本年為貴人舒服懶年，財運不要寄予厚望，人慵懶了，收入自然下降，加上今年是水火互換年，不論從商、自僱或上班一族，都宜放慢腳步，看清形勢，然後再作打算。

事業——今年為水進火退的年份，入秋前火運仍在，寒命人仍可努力；入秋後，金水逐漸進氣，平命、熱命人開始漸入佳景，然這是金水運的第一年，其動力是不夠的，故不論何種命人今年都不適宜太過急進。

感情——去年犯太歲的你，如果已經結婚或懷孕，則今年桃花年雙方相處更佳，感情能更進一步；但如果因去年犯太歲已經分了手的話，今年桃花年便要好好努力了，且今年的桃花是紅鸞桃花，是正桃花，即可以發展下去的桃花。又今年紅鸞桃花年亦是婚嫁的年份，如果打算在本年內結婚亦是適合的。

身體——去年的情緒及皮膚、腸胃等問題，在上半年仍會對你造成困擾，入秋以後正式踏入猴年，一切將會改觀。既得桃花之助，人緣與心情都明顯好轉，身體上亦看不到有甚麼要特別注意，即使有病符星，也不會構成甚麼影響。

是非——去年犯太歲因負面情緒所帶來的是非，

會延至西曆八月七日才終止，入秋以後正式踏進猴年，得紅鸞桃花之助，人緣會逐漸好轉，是非亦會慢慢遠離，故本年在人緣交往方面，最好是集中在下半年進行。

農曆一月

本月為思想學習投資加暗中權力提升月，從商者記着要謹慎而行，不要冒險投資，因寒命人運程到入秋後便會慢下來，而平命、熱命人上半年運程仍未通順，亦不宜在這個春季開展投資，反而為以後六年金水運作好準備，去進修一些新知識卻是適宜的。上班一族則能因暗中權力提升而得到公司重用。

財運——既然是思想學習投資月，不論投資或學習或多或少都要花一點錢，加上才剛放完假回來，假期中的信用咭簽帳又是還款的時候，故本月在財政上要非常小心，以免開支過度。

事業——進不進兮退不退，進退無常常似醉。才踏進猴年的第一個月，去年犯太歲之力仍在，這不單會影響情緒，亦對運程及事業帶來負面影響，故本月宜順其自然，見步行步，新投資計劃可免則免。

感情——本月是肖羊的桃花月，單身者可以努力爭取，已有穩定感情者在本月談婚論嫁也是一個好時機，因去年犯太歲仍有影響，有喜事為「一喜擋三災」，能把負面情緒快一點沖散。

身體——本月為本年的沖太歲月，交通意外會較為頻繁，仍受着羊年犯太歲影響的你，仍算是高危生肖，故本月駕車時要打醒十二分精神，方免給意外纏身。

是非——本月是肖羊的桃花月，人緣運明顯比別的生肖為佳，雖然仍受着羊年犯太歲的負面影響，但在桃花月之幫助下，對人緣運亦能起到正面作用，讓你外出諮詢別人意見時，都容易獲得正面回應。

農曆二月

本月仍然是思想學習投資加暗中權力提升月，上班一族仍然可以藉此鞏固自己在公司的地位；從商者仍然要見機而行，不要盲目冒進，唯本月是本年的暗合月，整體社會氣氛比上月明顯較佳，加上本月又是肖羊的相合月，自身人緣運亦不差，讓想籌備投資的你在詢問別人意見時比上月更容易得到別人協助。

財運—又缺又圓天上月，半開半合雨中花。本月上班一族財運仍然正常，不會多也不會少，加上自身人緣運佳，整體社會氣氛亦較為平和，能在平和的氣氛下工作也算是一種得着。從商、自僱者，本月開銷雖然沒上月的大，但也算是比平常為多。

事業—無舵舟，循則游。雖然是思想學習投資月，但因運程仍然是一般而已，故只適宜沿着舊有路向發展，不論新投資或是轉換工作，本月都不是一個好時機。

感情—本月是肖羊的相合月，感情運是穩定的，但本月並非桃花月，單身者想在此月開展新戀情恐怕機會不大，可是今年始終你是重桃花的生肖，即使本月不是肖羊的桃花月，仍然可以多些外出碰碰運氣。

身體—本月為本年的暗合月，又是肖羊的相合月，突然遇上意外的機會不是很大，加上並無刑沖，故本月健康情況是正常的，即使多些外出應酬，也不會吃出病來。

是非—本月雖然並非桃花月，但人緣運仍然是可以的，加上整體社會氣氛亦轉趨和諧，讓你外出應酬時都特別容易得到別人之扶助，故本月更宜多些外出與各方聯絡，打好人際關係。

農曆三月

本月為辛苦個人力量得財月，財運顯著比上兩個月為佳，工作量雖然明顯地增多，但收入亦因此而上升，算是多勞多得的月份。唯本月為土旺月，先天腸胃較差的你本月在飲食上要多加注意，以免因工作壓力而引致腸胃不適，記着要盡量放鬆自己，工餘時多爭取時間休息，方能避免腸胃出問題。

財運——三陽回萬象，幽谷自生香。本月為肖羊的財運月，整體進展是不錯的，當然最直接得益者是從事件工計錢的你，收入必然能因工作量上升而有所增加；其次是從商一族；而收入穩定的上班一族，財運恐怕不會有甚麼突破。

事業——登山有路，可拾級而上。本月為辛苦個人力量得財月，工作量明顯比上兩個月多，加上去年之腸胃疾病會延至今年農曆六月止，且農曆三月亦是一個高危月，最怕是因工作壓力而導致腸胃不適，本月唯有盡力而為，不要把自己迫得太緊。

感情——本月為夫妻位相刑月，感情運不太穩定，疾病亦容易找上門來，故本月除了要避免爭吵外，雙方健康亦是要注意的。

身體——本月為土旺月，對先天有着腸胃問題的你影響最大，唯有在飲食上多加注意，生冷及煎炸燥熱之物切記少沾，工餘亦要爭取充足睡眠，方能避免腸胃之苦。

是非——小是小非，無需掛懷。本月都是一些感情上的小是非而已，對工作及人緣的交往影響不大，雖然本月並非人緣特別好的月份，但亦見不到是非臨門，就如往常一樣好了，無需刻意理會是非。

農曆四月

本月為貴人舒服得財月，工作量又回復到平常一樣，唯本月仍然是財運月，收入雖然沒有上月的好，但付出的時間也較上月少，整月下來其實也算是不錯的。又本月為肖羊的驛馬月，動象較明顯，無論公幹也好，外遊也好，都容易因驛馬月而多了變動。

財運——財如春草，不見其生，日有所長。本月為貴人舒服得財月，而且是偏財到門，故工作量並無上升，財運卻較平常為多，可能是接到一些銀碼較大的生意，讓你能輕鬆地工作而獲得不錯的收入。

事業——眉頭不掛別煩惱，無悶心間竟安舒。本月既然是貴人舒服得財月，工作量不大亦有貴人暗中扶持，即使收入穩定的上班一族亦能因工作量下降了而能夠騰出多一點私人時間去享受一下人生，也算是一種得着。

感情——本月既然是驛馬月，如時間許可就與愛侶外遊一下吧，因本月是暗合月，雙方相處是愉快的，如果因上月爭吵而破壞了關係，本月正好有時間讓你好好去修補。雖然肖羊的你本年是桃花年，但來到本月桃花依然不重，唯有等待入秋後再努力好了。

身體——雖然因驛馬的關係，本月在外面的日子多了，但身體健康狀況仍然是良好的，遇上意外、損傷的機會也不大，就好好享受一下這個驛馬月好了。

是非——前途應有漁郎度，不必停驂去問津。本月即使因驛馬而出外多了，接觸陌生人的機會亦大了，但亦不會因此而多了是非，可能是貴人月的關係吧，故本月無需為是非憂心。

農曆五月

本月為貴人力量加權力地位提升月，又到上班一族努力的時候了，雖然來到這個夏天，仍然是寒命人會較為有利，但升遷運其實與好運壞運無關，主要是看自己本年是否是升遷年，雖然今年以九一年出生的羊升遷運最佳，但其他羊如果想爭取升遷的話，其實也應該極力去爭取，即使爭取不到亦沒有損失，就努力吧！

財運——本月看不見有特殊財運，即使上班一族爭取到升遷，財運也不會那麼快顯現。從商、自僱者既然本月財運看不見有甚麼突破，就藉此地位提升月多些與客戶聯絡及多出席公眾場合，盡力提升自己在行內的名氣，這樣財運必能跟隨而至。

事業——登山有路，可拾級而上。不論從商、自僱或上班一族，都可以藉此升遷月提升自己的名氣、地位，加上本月是肖羊的貴人月，人緣運亦是好的，在爭取別人支持時也較容易，就努力爭取吧！

感情——本月是肖羊的相合月，感情運仍然是好的。雖然本月是肖羊的升遷月，但工作量依然不大，讓你可以騰出時間好好去培養感情，看看未婚的你能否在紅鸞桃花之助下而更進一步。

身體——本月是肖羊的相合月，身體健康仍然是正常的，雖然來到三夏火旺之時，皮膚、腸胃特別容易出現不適，但只要多吃些清潤的食物，健康運是可以的。

是非——明月清風，人情舒暢聽鐘聲。本月為肖羊的相合月，人緣運仍然是好的，即使在爭取各方支持時應酬未免會多一點，但反應都是良好的多，故無需為是非顧慮。

農曆六月

本月為辛苦個人力量得財加權力地位提升月，上班一族仍然可以努力爭取升遷，唯本月是肖羊的犯太歲月，去年犯太歲的影響會延至本月過後才會終止。本月最需要留意的是自己情緒，此外就是腸胃問題，故在爭取升遷時切勿太過着急，亦不要期望太大，得固然好，失則保持在原位工作，也看不見有甚麼損失。

財運——本月雖然是辛苦個人力量得財月，但如果可以的話，不要在工作上太過緊張，因去年犯太歲的負面情緒會延續至本月，故本月最要好好管理情緒。財運，過了此月再算好了。

事業——上山多費力，有樹可扳枝。本月是肖羊的犯太歲月，去年犯太歲的你本月仍受其餘氣影響，容易出現負面情緒，故不論從商、自僱或上班一族，本月都適宜放慢腳步，把工作放在一旁，想努力的話，就待至入秋後才用功好了。

感情——如果未因去年犯太歲而分手或結婚，來到此月感情仍然容易出現危機，但本月過後便正式踏上肖羊的桃花年了，故只要在本月好好維繫，過後一切便海闊天空。

身體——去年的腸胃問題會延至本月過後才會終止，故本月無論在情緒上或身體上都是要注意的。如果時間許可，最好外遊散心，當然是寒命人去東、南方，熱命人、平命人去西、北方，千萬不要去錯相反方向。

是非——閉口藏舌是非多。既然知道是犯太歲的延續，如發現去年因犯太歲影響而是非特別多的話，來到此月仍然未可放鬆，宜盡量減少外出應酬，亦可以在本月正南桃花位放一杯水、西南爭鬥位放粉紅色物件去旺人緣、化是非。

農曆七月

本月入秋以後，金水正式進氣，此後六年都是平命、熱命人的天下，生於秋、冬天的寒命人本月要開始退守，即使眼前形勢尚可，亦只能沿着舊有路向發展，新投資可免則免；相反，平命、熱命人在本月開始有任何新計劃其實都是可以嘗試的，不管是開始學習從商也好，或是轉換工作環境也好，都是適當時機。

財運——進不進兮退不退，進退無常似常醉。本月開始運程漸趨兩極化，但因本月才是金水進氣的第一個月，吉凶好壞仍然會是夾雜而來的，故本月在攻守方面要特別小心，財運方面亦不要急在一時。

事業——進退時常宜穩步，往來枝節要關心。雖然本月開始對平命、熱命人比較有利，但金水月才開始，其動力還不是很大的，故即使進攻亦只宜牛刀小試，待至二〇一九年以後才大舉進攻是較適合的時機。

感情——本月是肖羊的桃花月，已有穩定感情者婚嫁有望；單身者亦要好好把握此桃花月，多出席一些公眾場合，看看能否碰上心儀對象，開展一段適合自己的理想感情，因紅鸞桃花年所帶來的桃花一般都是比較正面的。

身體——不論負面情緒或腸胃問題，踏進此月都煙消雲散，加上本月是肖羊的重桃花月，人緣好，心情愉快，連疾病想入侵也不容易。

是非——桃花月，人緣好，是非遠離。本月是本年最重桃花的月份，故宜多些外出與客戶聯絡，打好關係，把一切因犯太歲年而失去的時機都追回來。

農曆八月

本月是進入金水年的第二個月，雖然有時不一定那麼快便感覺到運程的轉變，但有志從商的平命、熱命人在本月內開始起步，時間上其實是適宜的，因本月是貴人加思想學習投資月，無論學習或進修，都容易順利進行。又本月為本年的桃花月，整體社會氣氛亦是和諧的，讓你在進行各樣事情所遇到的阻力都不是很大。

財運——本月工作量不大，財運亦看不到有任何突破，上班一族本月最為穩定；從商一族本月有新發展機會，尤其是想在今年開始起步從商者，本月是一個好時機，故財運方面容易因本月開支多了而減少。

事業——輕風吹小舟，安穩可無憂。雖然今年下半年金水才開始進氣，其動力還不是很大，但有意從商的平命、熱命人仍可以在此時起步；相反，正在退運的寒命人則只宜沿着舊有路向發展，可進則進，不可進則停。

感情——重桃花月已經完結，但本月是本年的桃花月，單身者仍然可以多些外出碰碰運氣，看看能否成為別人的桃花。在上月桃花月才剛認識的異性，本月感情進展良好，必能跨進一步。

身體——本月主要是怕思慮過度而引致失眠，因本月是思想學習投資月，如果並無學習，亦無投資，思想將會無所歸而容易胡思亂想，引致不能入睡，唯有在睡前看些消閒書又或者喝一杯葡萄酒，可有助入睡。

是非——本月是本年的桃花月，而肖羊的你本年又是重桃花的生肖，人緣運本來就不差，不論是想作出新轉變又或者仍然守舊的你，本月多些外出與客戶、朋友聯絡都是適合的。

農曆九月

本月為辛苦個人力量得財月，來到此月工作量突然大增，讓你差點兒措手不及，唯有馬上收拾心情，全力投入工作。又本月為肖羊的相刑月，是非明顯比上兩個月多，腸胃與皮膚亦容易出現不適，在三重夾擊下，真的要打醒十二分精神，除了要全心努力工作，亦要爭取充足時間休息及盡量減少外出應酬。

財運——忙來忙去只為他人造就機會而已，上班一族本月面對排山倒海的工作，但財運卻看不見有任何特殊收益，讓你忙得很不是味兒，唯有加倍努力盡快完成手頭工作，想太多也無用。

事業——雖有是非，仍有進步。本月工作量突然增多，對從商、自僱者自能起到正面作用，尤其是收入以工作量計算的你，收入必然能因工作量上升而相應增加，讓你愈忙愈起勁，一點兒也不覺得辛苦。

感情——本月是肖羊的相刑月，雖然是桃花生肖年，但運到這相刑月，感情還是要面對不穩定的狀態，不論是因今年桃花年才結識的異性還是在以前已經認識，在冷戰時仍未分手者，本月都要想辦法好好去維繫。

身體——本月是肖羊的相刑月，腸胃已經容易出現毛病，加上工作忙碌，壓力亦明顯增加，如果不懂得去紓緩的話，不止是腸胃，皮膚也恐怕容易出現問題。

是非——得意需防失意，無心務要留心。經過兩個月的人緣好運後，本月要開始提防身邊小人了，故宜開始減少應酬，以免讓小人、是非有藉口埋身，這是避開是非、小人的最好方法。

農曆十月

本月為辛苦個人力量得財月，情況好像與上月相同，但實質上要好得多，因本月是財運月，財運明顯比上月為佳，加上本月暗合，容易有貴人暗中助你一把，讓你能專心努力工作，不用去提防是非、小人。身體方面，腸胃與皮膚毛病明顯消失，讓你又少一重掛慮。

財運——月令帶財，求之則來。本月對從商者最為有利，尤其是去到下半月，收成漸見豐盛；其次是自僱者，在上半月仍然忙碌，仍能多勞多得，但下半月會稍為慢下來；上班一族亦可嘗試買些彩票，看看會否因而獲得意外之財。

事業——盡可放馬揚鞭，自能頭頭是道。本月為辛苦得財月，又是肖羊的暗合月，事業、財運與人緣運都是可以的，即使本月是本年的相穿相害月，整體是非較多，但對肖羊的你並無壞影響。

感情——無刑無沖無桃花，感情將會是一個平淡無波的月份。其實很多時感情平淡才是常態，這樣才能細水長流地長久維持下去，新相識、新結合的激情最後亦只會轉化成平淡無波的感情，如轉化不了，一般是分手收場，然後又再去追尋。

身體——本月是本年的相穿月，對腎、膀胱、泌尿系統容易產生不良影響，尤其是女性的羊，本月生冷冰凍之物要少沾為妙，方能免腹痛之苦。

是非——外面的風風雨雨，對肖羊的你並無影響，上月之小人自己也自顧不暇，是非亦煙消雲散，本月是肖羊的貴人月，容易有貴人暗中扶你一把，讓你在風雨飄搖的月份能夠獨善其身。

農曆十一月

本月為思想投資得財月，如果已經在秋天起步，本月開始初步見到收成，但如果仍然在猶疑的話，本月亦是一個起步的適當時機，趕在聖誕假期前起步，可以把握聖誕、新年及農曆年假期的旺季，讓你能有一個豐盛的起步點，有助日後發展。又本月為肖羊的桃花月，人緣好，但又是相刑月，是非也不少，唯有辨清形勢，多靠攏喜歡你的人而遠離那些製造是非者。

財運——不管是剛起運的平命、熱命人還是要開始退守的寒命人，此月財運進展都不錯，在這零售旺季，最直接得益的是從事與旅遊、飲食相關的從商者。本月是偏財月，上班一族可能因公司業績理想而獲額外之財，是特別花紅也好，旅遊贊助也好，本月都容易有特別進賬。

事業——重新起步履，生計覓前途。本月既然是思想學習投資月，守舊者進展良好，想起步學習從商者，本月亦可一試。雖然下個月也是思想學習投資月，但因農曆年已近，不算是好時機，故若本月仍未開展，倒不如過了農曆年再作打算好了。

感情——本月雖是霧水桃花月，但因今年是肖羊的重桃花年，桃花可以由假變真，單身者如不想再孤單地度過假期，本月便要好好把握了。

身體——本月是肖羊的相刑月，皮膚、腸胃容易不適，但這相刑帶來的影響並不嚴重，無需特別小心，反而三冬流感肆虐倒是要特別提防，以免病倒了而令早已安排好的假期受到影響。

是非——雖無大害，頗多小疵。本月因相刑的關係，是非不免比平常多，但因本月是肖羊的桃花月，貴人明顯比小人的力量大得多，故一點點的小是非對整體運程並沒有大影響。

農曆十二月

本月為辛苦個人力量得財加思想學習投資月。投資方面，沿舊有路向發展仍然是可以的，但新的投資，在本月起步卻不是一個好時機，故可免則免。從商、自僱者亦能因本月工作量上升而令收入增加，加上本月又是本年的桃花月，整體社會氣氛平和，即使收入穩定的上班一族，亦能在平和的環境下盡快完成手頭工作放假去也。

財運——勞而有功，用力前行。本月既是辛苦個人力量得財月，工作量明顯比上兩個月多，最直接得益者是自僱人士，因收入必然能隨工作量上升而有所增加；其次是從商者，亦能因接觸客戶的機會多了，洽商成功的機會亦相應上升；只有收入穩定的上班一族財運難有突破。

事業——聖誕、新年假期結束，馬上便要投入忙碌的工作，尤幸前面又是農曆年假，讓你能愈忙愈起勁，即使收入穩定的上班一族，亦能因本月桃花月之助而能在平和的環境下工作，不用分神處理是非，讓你能快點完成手頭工作後，仍可以有時間計畫農曆新年假期的安排。

感情——肖羊的你本年的重桃花月都過去了，但因本月是本年的桃花月，肖羊的你不要那麼快便灰心，仍可趁本年這個桃花月多些外出，看看能否成為別人的桃花，讓你可以過一個更豐盛的假期。

身體——每年農曆十二月你的腸胃都特別容易出現不適，但因本年肖羊的你並非疾病生肖，加上並無刑沖，故本月身體健康是正常的，即使工作量大了，也不會因此而惹出病來。

是非——本月是本年的桃花月，整體社會氣氛較為和諧，加上剛從假期回到工作崗位，前面又是農曆年假，每個人皆忙於完成手頭工作放假去也，都無暇去惹是生非。

生肖增加財運方法

鼠	南面放紅色物件	馬	西面放音樂盒
牛	北面放水	羊	北面放水
虎	西南面放石頭	猴	東面放植物
兔	東北面放石頭	雞	東面放植物
龍	北面放水	狗	北面放水
蛇	西面放音樂盒	豬	南面放紅色物件

生肖增加健康運方法

鼠	西面放音樂盒	馬	東面放植物
牛	南面放紅色物件	羊	南面放紅色物件
虎	北面放水	猴	西南面放石頭
兔	北面放水	雞	東北面放石頭
龍	南面放紅色物件	狗	南面放紅色物件
蛇	東面放植物	豬	西面放音樂盒

這兩個方法可用於辦公室座位或自己之房間內。

生肖增加桃花人緣運方法

鼠 肖鼠的你，每遇兔年是你的紅鸞桃花年，然每十二年才有一年兔年，所以不是兔年的時候如果想增加自己的桃花運，可以在身上佩帶一兔形飾物或在家中正東方放一個兔形擺設即可。

牛 肖牛的你，每遇虎年是你的紅鸞桃花年，然每十二年才有一年虎年，所以不是虎年的時候如果想增加自己的桃花運，可以在身上佩帶一虎形飾物或在家中東北方放一個虎形擺設即可。

虎 肖虎的你，每遇牛年是你的紅鸞桃花年，然每十二年才有一年牛年，所以不是牛年的時候如果想增加自己的桃花運，可以在身上佩帶一牛形飾物或在家中東北方放一個牛形擺設即可。

兔 肖兔的你，每遇鼠年是你的紅鸞桃花年，然每十二年才有一年鼠年，所以不是鼠年的時候如果想增加自己的桃花運，可以在身上佩帶一鼠形飾物或在家中正北方放一個鼠形擺設即可。

龍 肖龍的你，每遇豬年是你的紅鸞桃花年，然每十二年才有一年豬年，所以不是豬年的時候如果想增加自己的桃花運，可以在身上佩帶一豬形飾物或在家中西北方放一個豬形擺設即可。

蛇 肖蛇的你，每遇狗年是你的紅鸞桃花年，然每十二年才有一年狗年，所以不是狗年的時候如果想增加自己的桃花運，可以在身上佩帶一狗形飾物或在家中西北方放一個狗形擺設即可。

馬 肖馬的你，每遇雞年是你的紅鸞桃花年，然每十二年才有一年雞年，所以不是雞年的時候如果想增加自己的桃花運，可以在身上佩帶一雞形飾物或在家中正西方放一個雞形擺設即可。

羊 肖羊的你，每遇猴年是你的紅鸞桃花年，然每十二年才有一年猴年，所以不是猴年的時候如果想增加自己的桃花運，可以在身上佩帶一猴形飾物或在家中西南方放一個猴形擺設即可。

猴 肖猴的你，每遇羊年是你的紅鸞桃花年，然每十二年才有一年羊年，所以不是羊年的時候如果想增加自己的桃花運，可以在身上佩帶一羊形飾物或在家中西南方放一個羊形擺設即可。

雞 肖雞的你，每遇馬年是你的紅鸞桃花年，然每十二年才有一年馬年，所以不是馬年的時候如果想增加自己的桃花運，可在身上佩帶一馬形飾物或在家中正南方放一個馬形的擺設即可。

狗 肖狗的你，每遇蛇年是你的紅鸞桃花年，然每十二年才有一年蛇年，所以不是蛇年的時候如果想增加自己的桃花運，可以在身上佩帶一蛇形飾物或在家中東南方放一個蛇形擺設即可。

豬 肖豬的你，每遇龍年是你的紅鸞桃花年，然每十二年才有一年龍年，所以不是龍年的時候如果想增加自己的桃花運，可以在身上佩帶一龍形飾物或在家中東南方放一個龍形擺設即可。

第五章

吉日一覽

農曆一月

正月十一日（西曆二月十八日星期四）
定午日——上頭時間—凌晨一時至三時
（沖鼠） 出門時間—上午七時至下午一時

正月廿三日（西曆三月一日星期二）
定午日——上頭時間—凌晨一時至三時
（沖鼠） 出門時間—上午九時至下午一時

農曆二月

二月初七日（西曆三月十五日星期二）
執申日——上頭時間—凌晨零時至三時
（沖虎） 出門時間—上午九時至下午一時

農曆三月

三月初六日（西曆四月十二日星期二）
成子日——上頭時間—凌晨零時至三時
（沖馬） 出門時間—上午七時至十一時

三月十八日（西曆四月二十四日星期日）
成子日——上頭時間—凌晨零時至三時
（沖馬） 出門時間—上午九時至十一時

三月廿七日（西曆五月三日星期二）
執酉日——上頭時間—凌晨零時至三時
（沖兔） 出門時間—上午七時至九時
上午十一時至下午一時

農曆四月

四月初三日（西曆五月九日星期一）
開卯日——上頭時間—凌晨零時至三時
（沖雞）　出門時間—上午九時至下午一時

四月初六日（西曆五月十二日星期四）
除午日——上頭時間—凌晨一時至三時
（沖鼠）　出門時間—上午七時至十一時

四月十二日（西曆五月十八日星期三）
危子日——上頭時間—凌晨一時至三時
（沖馬）　出門時間—上午七時至十一時

四月廿七日（西曆六月二日星期四）
開卯日——上頭時間—凌晨零時至三時
（沖雞）　出門時間—上午七時至九時
上午十一時至下午一時

農曆五月

五月初二日（西曆六月六日星期一）
除未日——上頭時間—五月初一日晚上九時
至十一時
（沖牛）　出門時間—上午九時至下午一時

五月十四日（西曆六月十八日星期六）
除未日——上頭時間—五月十三日晚上九時
至十一時
（沖牛）　出門時間—上午九時至下午一時

五月十七日（西曆六月二十一日星期二）
定戌日——上頭時間—五月十六日晚上九時至十一時
（沖龍）出門時間—上午九時至十一時

五月廿六日（西曆六月三十日星期四）
除未日——上頭時間—五月廿五日晚上九時至十一時
（沖牛）出門時間—上午九時至下午一時

農曆六月

六月初五日（西曆七月八日星期五）
成卯日——上頭時間—凌晨零時至一時
（沖雞）出門時間—上午九時至下午一時

六月十七日（西曆七月二十日星期三）
成卯日——上頭時間—凌晨零時至一時
（沖雞）出門時間—上午七時至下午一時

六月廿九日（西曆八月一日星期一）
成卯日——上頭時間—凌晨零時至一時
（沖雞）出門時間—上午十一時至下午三時

農曆七月

七月廿六日（西曆八月二十八日星期日）
開午日——上頭時間—凌晨一時至三時
（沖鼠）出門時間—上午九時至下午三時

農曆八月

八月初三日（西曆九月三日星期六）
定子日——上頭時間—凌晨零時至一時
（沖馬）　出門時間—上午七時至十一時

八月初八日（西曆九月八日星期四）
成巳日——上頭時間—凌晨零時至一時
（沖豬）　出門時間—上午七時至十一時

八月二十日（西曆九月二十日星期二）
成巳日——上頭時間—凌晨零時至三時
（沖豬）　出門時間—上午七時至九時
上午十一時至下午三時

農曆九月

九月初一日（西曆十月一日星期六）
危辰日——上頭時間—凌晨零時至三時
（沖狗）　出門時間—上午九時至十一時

九月初二日（西曆十月二日星期日）
成巳日——上頭時間—凌晨零時至三時
（沖豬）　出門時間—上午九時至十一時

九月十二日（西曆十月十二日星期三）
執卯日——上頭時間—凌晨零時至三時
（沖雞）　出門時間—上午九時至下午一時

九月十五日（西曆十月十五日星期六）
成午日——上頭時間—凌晨一時至三時
（沖鼠）　出門時間—上午九時至下午一時

九月廿七日（西曆十月二十七日星期四）
成午日——上頭時間—凌晨一時至三時
（沖鼠）　出門時間—上午九時至十一時

農曆十月

十月初六日（西曆十一月五日星期六）
執卯日——上頭時間—凌晨零時至三時
（沖雞）　出門時間—上午九時至下午一時

十月十八日（西曆十一月十七日星期四）
定卯日——上頭時間—凌晨零時至三時
（沖雞）　出門時間—上午七時至九時
上午十一時至下午一時

十月廿二日（西曆十一月二十一日星期一）
成未日——上頭時間—凌晨零時至一時
（沖牛）　出門時間—上午十一時至下午三時

十月廿四日（西曆十一月二十三日星期三）
開酉日——上頭時間—凌晨零時至一時
（沖兔）　出門時間—上午七時至九時
上午十一時至下午三時

農曆十一月

十一月初一日（西曆十一月二十九日星期二）
定卯日——上頭時間—凌晨零時至三時
（沖雞） 出門時間—上午七時至九時
上午十一時至下午三時

十一月初五日（西曆十二月三日星期六）
成未日——上頭時間—凌晨零時至一時
（沖牛） 出門時間—上午七時至九時
上午十一時至下午三時

十一月十八日（西曆十二月十六日星期五）
成申日——上頭時間—凌晨零時至三時
（沖虎） 出門時間—上午七時至十一時

農曆十二月

十二月廿五日（西曆一月二十二日星期日）
成酉日——上頭時間—凌晨零時至一時
（沖兔） 出門時間—上午七時至下午一時

農曆一月

正月十一日（西曆二月十八日星期四）
是日忌動土
定午日（沖鼠）吉時—上午十一時至下午三時
下午五時至七時

正月十七日（西曆二月二十四日星期三）
是日忌動土
開子日（沖馬）吉時—上午九時至十一時
下午五時至十一時

正月廿三日（西曆三月一日星期二）
定午日（沖鼠）吉時—上午九時至十一時
下午一時至三時

農曆二月

二月初一日（西曆三月九日星期三）
閉寅日（沖猴）吉時—上午十一時至下午一時

二月初六日（西曆三月十四日星期一）
是日忌動土
定未日（沖牛）吉時—下午三時至五時
下午七時至十一時

二月初七日（西曆三月十五日星期二）
執申日（沖虎）吉時—上午九時至十一時
下午一時至五時
下午七時至十一時

二月初十日（西曆三月十八日星期五）
成亥日（沖蛇）吉時—上午十一時至下午五時

二月十八日（西曆三月二十六日星期六）
是日忌開張
定未日（沖牛）吉時—上午九時下午三時

二月廿二日（西曆三月三十日星期三）
成亥日（沖蛇）吉時—上午十一時至下午三時
下午七時至九時

農曆三月

三月初六日（西曆四月十二日星期二）
是日忌動土
成子日（沖馬）吉時—上午七時至十一時
下午一時至五時

三月十一日（西曆四月十七日星期日）
除巳日（沖豬）吉時—上午十一時至下午三時

三月十八日（西曆四月二十四日星期日）
成子日（沖馬）吉時—上午九時至十一時
下午五時至七時

三月廿四日（西曆四月三十日星期六）
滿午日（沖鼠）吉時─上午九時至十一時
下午一時至三時
是日忌動土

三月廿七日（西曆五月三日星期二）
執酉日（沖兔）吉時─上午七時至九時
下午三時至七時
是日忌動土

農曆四月

四月初三日（西曆五月九日星期一）
開卯日（沖雞）吉時─上午九時下午一時
下午七時至九時

四月初六日（西曆五月十二日星期四）
除午日（沖鼠）吉時─下午一時至三時
下午五時至七時

四月初九日（西曆五月十五日星期日）
定酉日（沖兔）吉時─上午十一時下午三時
下午五時至七時

四月十二日（西曆五月十八日星期三）
危子日（沖馬）吉時─下午一時至七時

四月十五日（西曆五月二十一日星期六）
開卯日（沖雞）吉時─下午七時至九時
中吉─上午七時至十一時
下午三時至五時

四月廿一日（西曆五月二十七日星期五）
是日忌動土
定酉日（沖兔）吉時—上午七時至下午三時

四月廿七日（西曆六月二日星期四）
開卯日（沖雞）吉時—下午一時至五時

農曆五月

五月初一日（西曆六月五日星期日）
除午日（沖鼠）吉時—上午九時至十一時
下午一時至七時

五月初二日（西曆六月六日星期一）
是日忌開張
除未日（沖牛）吉時—上午九時至下午五時

五月初五日（西曆六月九日星期四）
是日忌動土
定戌日（沖龍）吉時—上午九時至十一時
下午一時至三時
下午七時至十一時

五月十二日（西曆六月十六日星期四）
閉巳日（沖豬）吉時—上午十一時至下午三時

五月十四日（西曆六月十八日星期六）
除未日（沖牛）吉時—上午九時至下午一時
下午三時至五時

五月十七日（西曆六月二十一日星期二）
定戌日（沖龍）吉時—上午九時至十一時
下午一時至三時

五月廿三日（西曆六月二十七日星期一）
開辰日（沖狗）吉時－上午七時至下午三時

五月廿六日（西曆六月三十日星期四）
除未日（沖牛）吉時－上午九時至下午一時

農曆六月

六月初五日（西曆七月八日星期五）
成卯日（沖雞）吉時－上午九時至下午一時
下午七時至九時

六月十三日（西曆七月十六日星期六）
定亥日（沖蛇）吉時－上午十一時至下午三時

六月十四日（西曆七月十七日星期日）
執子日（沖馬）吉時－下午一時至七時

六月十七日（西曆七月二十日星期三）
成卯日（沖雞）吉時－下午七時至九時
中吉－上午七時至下午一時
下午三時至五時

六月十九日（西曆七月二十二日星期五）
開巳日（沖豬）吉時－下午三時至九時

六月廿五日（西曆七月二十八日星期四）
定亥日（沖蛇）吉時－上午十一時至下午一時

六月廿九日（西曆八月一日星期一）
成卯日（沖雞）吉時－下午一時至五時

農曆七月

七月廿四日（西曆八月二十六日星期五）
成辰日（沖狗）吉時—上午七時至下午五時

七月廿六日（西曆八月二十八日星期日）
開午日（沖鼠）吉時—上午九時至十一時
下午一時至三時

農曆八月

八月初三日（西曆九月三日星期六）
定子日（沖馬）吉時—上午五時至十一時
下午三時至七時

八月初七日（西曆九月七日星期三）
成辰日（沖狗）吉時—上午九時至十一時
下午五時至七時

八月初八日（西曆九月八日星期四）
成巳日（沖豬）吉時—上午七時至十一時
下午三時至五時

八月十六日（西曆九月十六日星期五）
定丑日（沖羊）吉時—上午七時至下午一時
下午三時至五時

八月二十日（西曆九月二十日星期二）
成巳日（沖豬）吉時—下午三時至七時

八月廿八日（西曆九月二十八日星期三）
定丑日（沖羊）吉時—上午七時至十一時
下午三時至七時

農曆九月

九月初一日（西曆十月一日星期六）
危辰日（沖狗）吉時—上午九時至十一時
下午三時至七時

九月初二日（西曆十月二日星期日）
成巳日（沖豬）吉時—上午九時至下午三時
下午五時至九時

九月十二日（西曆十月十二日星期三）
執卯日（沖雞）吉時—上午十一時至下午三時

九月十五日（西曆十月十五日星期六）
成午日（沖鼠）吉時—上午十一時至下午七時

九月廿四日（西曆十月二十四日星期一）
執卯日（沖雞）吉時—上午十一時至下午一時

九月廿七日（西曆十月二十七日星期四）
成午日（沖鼠）吉時—上午九時至十一時
下午一時至三時

農曆十月

十月初六日（西曆十一月五日星期六）
執卯日（沖雞）吉時—上午九時至下午一時
下午七時至九時

十月十八日（西曆十一月十七日星期四）
是日忌開張
定卯日（沖雞）吉時—下午七時至九時
中吉—上午十一時至下午一時
下午三時至五時
十月廿二日（西曆十一月二十一日星期一）
成未日（沖牛）吉時—上午十一時至下午三時
下午五時至七時
十月廿四日（西曆十一月二十三日星期三）
開酉日（沖兔）吉時—上午十一時至下午五時

農曆十一月

十一月初一日（西曆十一月二十九日星期二）
定卯日（沖雞）吉時—下午一時至三時
十一月初五日（西曆十二月三日星期六）
成未日（沖牛）吉時—上午十一時至下午五時
十一月十八日（西曆十二月十六日星期五）
是日忌動土
成申日（沖虎）吉時—上午七時至十一時
下午五時至七時
十一月廿三日（西曆十二月二十一日星期三）
除丑日（沖羊）吉時—上午七時至十一時
下午五時至七時

農曆十二月

十二月初九日（西曆一月六日星期五）
定巳日（沖豬）吉時—上午五時至十一時
下午三時至五時
下午七時至九時

十二月十三日（西曆一月十日星期二）
成酉日（沖兔）吉時—上午十一時至下午一時
下午五時至七時

十二月廿一日（西曆一月十八日星期三）
定巳日（沖豬）吉時—下午三時至九時

十二月廿四日（西曆一月二十一日星期六）
危申日（沖虎）吉時—上午七時至十一時
下午三時至五時

十二月廿五日（西曆一月二十二日星期日）
成酉日（沖兔）吉時—上午七時至下午一時
下午三時至五時

大掃除需知

大掃除多數會在每年之年廿八進行，但年廿八不一定是吉日，所以亦有人會選擇在其他吉日進行。但不管選擇了哪一日，都要採用趨吉避凶之法。

如今年事事順遂，運程通順，則宜在大門口開始打掃，然後再往屋內進行，務求把旺氣留在屋內。

但如果今年運程不佳，則宜由屋之末端開始打掃至大門口，把衰氣掃出屋外。更有甚者，今年頭頭碰着黑，處處惹官非破財，則可選擇破日打掃，務求破舊立新，重新開始，但亦宜由屋之末端開始把衰氣掃出屋外。

大掃除吉日

十二月十九日（西曆一月二十八日星期四）

成酉日（沖兔）

吉時——上午九時至下午一時

下午三時至五時

十二月廿四日（西曆二月二日星期二）

除寅日（沖猴）

吉時——上午七時至十一時

下午五時至十一時

破日——如去年事事不順，已衰無可衰，可用破日作大掃除，望能破舊立新，掃走衰氣。

十二月十七日（西曆一月二十六日星期二）

破未日（沖牛）

吉時——上午九時至下午一時

下午三時至十一時

開市吉日

正月初五日（西曆二月十二日星期五）
開子日（沖馬）
吉時——上午七時九時
下午一時至三時
正月十一日（西曆二月十八日星期四）
定午日（沖鼠）
吉時——上午十一時至下午三時
下午五時至七時

第六章 猴年通勝

如何看通勝

看通勝之前首先要知道那一天是甚麼日子，有否與自己生肖相沖，如相沖則不能為用，然後再選擇吉時為用。

例如農曆年初一為「乙未」日，未為羊，與牛相沖，所以當天肖牛者不能為用。

例如農曆年初二為「丙申」日，申為猴，與虎相沖，所以當天肖虎者不能為用。

例如農曆年初三為「丁酉」日，酉屬雞，與兔相沖，所以當天肖兔者不能為用。

例如農曆年初四為「戊戌」日，戌為狗，與龍相沖，所以當天肖龍者不能為用。

十二生肖相沖

例如午日沖生肖屬鼠的人，如屬鼠遇午日則不能為用。

子（鼠）沖午（馬）
丑（牛）沖未（羊）
寅（虎）沖申（猴）
卯（兔）沖酉（雞）
辰（龍）沖戌（狗）
巳（蛇）沖亥（豬）

時辰與常用時間對照表

子時——下午11時至凌晨1時
丑時——凌晨1時至3時
寅時——凌晨3時至5時
卯時——上午5時至7時
辰時——上午7時至9時
巳時——上午9時至11時
午時——上午11時至下午1時
未時——下午1時至3時
申時——下午3時至5時
酉時——下午5時至7時
戌時——下午7時至9時
亥時——下午9時至11時

西曆二〇一六年二月（農曆正月大）

八日星期一	子凶 丑吉 寅凶 卯中 辰吉 巳吉 午吉 未吉 申凶 酉中 戌凶 亥中	忌：新船進水安床成服行喪	初一庚申木畢破	宜：春節
九日星期二	子中 丑中 寅凶 卯凶 辰吉 巳吉 午吉 未中 申凶 酉凶 戌中 亥中	忌：造酒	初二辛酉木觜危	宜：祭祀祈福交易安床破土安葬
十日星期三	子中 丑中 寅凶 卯吉 辰凶 巳吉 午中 未吉 申凶 酉中 戌吉 亥吉	忌：開市交易	初三壬戌水參成	宜：祭祀祈福出行修造動土修倉牧養安葬
十一星期四	子中 丑中 寅凶 卯吉 辰吉 巳凶 午吉 未凶 申凶 酉中 戌吉 亥吉	忌：詞訟嫁娶	初四癸亥水井收	宜：祭祀理髮捕捉
十二星期五	子吉 丑吉 寅凶 卯中 辰吉 巳中 午凶 未吉 申凶 酉中 戌中 亥中	忌：開倉出財行喪	初五甲子金鬼開	宜：祭祀入學出行會友開市修造動土栽種
十三星期六	子吉 丑吉 寅凶 卯吉 辰中 巳凶 午中 未凶 申凶 酉吉 戌中 亥中	忌：栽種動土	初六乙丑金柳閉	宜：出行安床搭廁
十四星期日	子吉 丑中 寅凶 卯吉 辰凶 巳中 午吉 未中 申凶 酉吉 戌中 亥中	忌：作灶祭祀	初七丙寅火星建	宜：拆卸
十五星期一	子中 丑中 寅凶 卯凶 辰中 巳中 午吉 未吉 申凶 酉凶 戌中 亥中	忌：理髮	初八丁卯火張除	宜：祭祀祈福嫁娶移徙開市動土安葬
十六星期二	子中 丑吉 寅凶 卯吉 辰中 巳吉 午中 未吉 申凶 酉吉 戌凶 亥中	忌：置產行喪	初九戊辰木翌滿	宜：祭祀會友理髮安床
十七星期三	子吉 丑凶 寅凶 卯中 辰中 巳中 午吉 未吉 申凶 酉中 戌中 亥凶	忌：遠行成服	初十己巳木軫平	宜：平治道塗修飾垣牆
十八星期四	子凶 丑吉 寅凶 卯中 辰中 巳中 午吉 未吉 申凶 酉吉 戌凶 亥中	忌：成服動土	十一庚午土角定	宜：祭祀祈福入學會友出行嫁娶納采移徙開市入伙安門開倉開張
十九星期五	子中 丑凶 寅凶 卯吉 辰中 巳吉 午吉 未中 申凶 酉凶 戌中 亥中	忌：造酒造醋	十二辛未土亢執	宜：祭祀嫁娶移徙動土安葬
二十星期六	子吉 丑吉 寅凶 卯吉 辰吉 巳吉 午中 未吉 申凶 酉吉 戌中 亥中	忌：安床	十三壬申金氐破	宜：破屋壞垣
廿一星期日	子吉 丑吉 寅凶 卯凶 辰吉 巳吉 午中 未凶 申凶 酉中 戌中 亥中	忌：詞訟開倉	十四癸酉金房危	宜：出行理髮修造動土安門作灶安葬
廿二星期一	子中 丑吉 寅凶 卯吉 辰凶 巳吉 午凶 未吉 申凶 酉中 戌中 亥中	忌：成服行喪	十五甲戌火心成	宜：上元祭祀出行會友開張交易納財

西曆二月（農曆正月大）

日期	子	丑	寅	卯	辰	巳	午	未	申	酉	戌	亥	忌	農曆	宜
廿三星期二	吉	吉	凶	吉	中	凶	中	吉	凶	中	中	中	嫁娶栽種	十六乙亥火尾收	理髮
廿四星期三	吉	吉	凶	中	凶	吉	凶	中	凶	吉	吉	吉	作灶動土新船進水	十七丙子水箕開	祭祀入學出行會友嫁娶裁衣開張交易移徙入伙置產修倉
廿五星期四	吉	中	凶	凶	中	吉	吉	凶	凶	吉	中	吉	理髮動土	十八丁丑水斗閉	裁衣安床立約補塞
廿六星期五	中	吉	凶	吉	吉	吉	吉	吉	凶	中	中	中	置產祭祀	十九戊寅土牛建	拆卸掃舍
廿七星期六	吉	凶	凶	吉	中	中	吉	吉	凶	凶	中	凶	開池	二十己卯土女除	會友出行嫁娶理髮立約交易動土建屋安床掃舍修倉除服
廿八星期日	凶	吉	凶	中	吉	吉	吉	吉	凶	中	凶	吉	行喪	廿一庚辰金虛滿	會友
廿九星期一	中	吉	凶	中	中	吉	吉	吉	凶	凶	吉	凶	遠行	廿二辛巳金危平	平道塗飾垣牆

西曆三月（農曆正月大）

日期	子	丑	寅	卯	辰	巳	午	未	申	酉	戌	亥	忌	農曆	宜
一日星期二	凶	吉	凶	吉	中	吉	中	吉	凶	中	中	吉	新船進水	廿三壬午木室定	祭祀祈福會友出行嫁娶納采移徙開張入伙交易修造動土成服安葬
二日星期三	吉	凶	凶	吉	中	吉	吉	凶	凶	中	吉	中	詞訟作灶	廿四癸未木壁執	入學會友出行訂婚開張修造動土安床
三日星期四	吉	吉	凶	中	吉	吉	凶	吉	凶	吉	中	中	開倉安床	廿五甲申水奎破	沐浴掃舍破屋壞垣
四日星期五	吉	吉	凶	凶	吉	凶	中	中	凶	吉	中	中	栽種蒔插	廿六乙酉水婁危	祭祀理髮修造動土作灶安葬
五日星期六	吉	中	凶	吉	凶	吉	中	中	吉	凶	吉	吉	修廚作灶開張	廿七丙戌土胃危	祭祀出行嫁娶裁衣栽種動土
六日星期日	中	吉	凶	凶	中	凶	吉	吉	中	凶	吉	吉	理髮嫁娶成服	廿八丁亥土昴成	祭祀祈福會友移徙開張交易修造動土安門作灶
七日星期一	中	吉	凶	吉	吉	吉	凶	中	吉	凶	中	中	買田置業	廿九戊子火畢收	嫁娶理髮
八日星期二	吉	凶	凶	吉	中	吉	中	凶	吉	凶	中	凶		三十己丑火觜開	祭祀祈福入學嫁娶開張動土置產

西曆二〇一六年三月（農曆二月小）

日期	九日 星期三	十日 星期四	十一 星期五	十二 星期六	十三 星期日	十四 星期一	十五 星期二	十六 星期三	十七 星期四	十八 星期五	十九 星期六	二十 星期日	廿一 星期一	廿二 星期二	廿三 星期三
子	凶	中	中	吉	凶	吉	吉	中	中	吉	凶	中	中	吉	吉
丑	吉	中	吉	中	吉	凶	吉	吉	吉	凶	吉	吉	吉	中	吉
寅	凶	凶	凶	凶	凶	凶	凶	凶	凶	凶	凶	凶	凶	凶	凶
卯	吉	吉	吉	吉	中	吉	中	凶	吉	吉	中	吉	吉	吉	中
辰	吉	中	中	吉	中	中	凶	中	凶	中	中	中	中	中	吉
巳	中	吉	吉	吉	中	凶	吉	中	中	凶	中	吉	中	中	中
午	吉	吉	中	中	凶	中	中	吉	吉	吉	凶	吉	中	中	凶
未	中	中	中	凶	吉	中	吉	吉	吉	吉	吉	凶	吉	凶	吉
申	凶	中	凶	吉	中	吉	吉	中	吉	吉	吉	吉	凶	中	中
酉	凶	凶	凶	凶	凶	凶	凶	凶	凶	凶	凶	凶	凶	凶	凶
戌	凶	吉	凶	吉	中	吉	吉	中	中	中	凶	中	吉	吉	凶
亥	中	中	吉	凶	中	吉	吉	吉	中	凶	中	吉	中	中	吉
忌	祭祀祈福針灸	動土	行喪	詞訟動土	開倉出財	栽種動土成服	新船進水作灶安床	理髮開張	買田置業築隄	嫁娶成服詞訟	問卜	造酒動土行喪	祭祀	詞訟	開倉出財成服
農曆	初一庚寅木參閉	初二辛卯木井建	初三壬辰水鬼除	初四癸巳水柳滿	初五甲午金星平	初六乙未金張定	初七丙申火翌執	初八丁酉火軫破	初九戊戌木角危	初十己亥木亢成	十一庚子土氐收	十二辛丑土房開	十三壬寅金心閉	十四癸卯金尾建	十五甲辰火箕除
宜	日食開張動土入伙	祭祀會友出行	出行理髮掃舍	祭祀祈福會友開張交易安門安床作灶	平治道塗修飾垣牆	祭祀祈福入學會友出行訂婚赴任開張入伙出伙拆卸安門修廚作灶	祭祀祈福出行會友嫁娶修造動土開張入伙蓋屋安葬	破屋壞垣	訂婚納采交易動土安床作灶	祭祀祈福入學出行會友納采理髮裁衣修造動土開張入伙作灶栽種	理髮日值四離餘事不注	祭祀	拆卸	會友出行立約交易	祭祀祈福會友出行嫁娶裁衣納采理髮移徙修造動土栽種掃舍

西曆三月（農曆二月小） 西曆四月（農曆二月小）

日期	時辰吉凶	忌	干支	宜
廿四星期四	子吉丑吉寅凶卯中辰中巳凶午中未中申吉酉凶戌吉亥凶	栽種動土	十六乙巳火斗滿	祭祀會友嫁娶裁衣開張作灶補塞
廿五星期五	子凶丑中寅凶卯中辰凶巳吉午吉未中申吉酉凶戌吉亥吉	作灶	十七丙午水牛平	平道飾垣
廿六星期六	子中丑凶寅凶卯凶辰中巳吉午吉未吉申中酉凶戌中亥吉	理髮栽種開張針灸	十八丁未水女定	祭祀祈福會友出行移徙修造動土入伙開倉安葬
廿七星期日	子中丑吉寅凶卯中辰吉巳吉午中未吉申吉酉凶戌中亥中	置產安床	十九戊申土虛執	理髮掃舍出行修造動土
廿八星期一	子吉丑凶寅凶卯凶辰吉巳吉午吉未吉申吉酉凶戌中亥凶	開張嫁娶	二十己酉土危破	求醫治病破屋壞垣
廿九星期二	子凶丑吉寅凶卯中辰凶巳中午吉未吉申吉酉凶戌凶亥中	栽種	廿一庚戌金室危	祭祀立約交易嫁娶安床修造動土安門
三十星期三	子中丑吉寅凶卯吉辰中巳凶午吉未吉申中酉凶戌吉亥中	嫁娶除服	廿二辛亥金壁成	入學會友出行裁衣開張入伙交易動土安門作灶安床修倉
卅一星期四	子吉丑吉寅凶卯吉辰吉巳吉午凶未吉申凶酉凶戌中亥中		廿三壬子木奎收	理髮栽種
一日星期五	子吉丑吉寅凶卯中辰吉巳吉午中未凶申吉酉凶戌吉亥中	詞訟動土	廿四癸丑木婁開	祭祀祈福入學訂婚裁衣出行會友移徙赴任求醫修造建屋作灶安床
二日星期六	子中丑中寅凶卯中辰吉巳中午凶未吉申凶酉凶戌吉亥中	開倉祭祀	廿五甲寅水胃閉	拆卸掃舍
三日星期日	子中丑中寅凶卯吉辰中巳凶午中未吉申吉酉凶戌吉亥吉	栽種	廿六乙卯水昴建	出行會友
四日星期一	子吉丑中寅凶卯中辰凶巳吉午中未中申吉酉吉戌凶亥吉	作灶修廚成服行喪	廿七丙辰土畢除	祭祀出行動土掃舍栽種
五日星期二	子中丑吉寅凶卯凶辰中巳吉午吉未吉申中酉吉戌凶亥凶	理髮遠行除服	廿八丁巳土觜除	祭祀祈福會友嫁娶納采移徙開張修造動土栽種
六日星期三	子凶丑中寅凶卯吉辰中巳吉午中未吉申吉酉吉戌凶亥中	買田置業	廿九戊午火參滿	會友出行理髮開張

西曆二〇一六年四月（農曆三月大）

		忌		宜
七日星期四	子中 丑凶 寅凶 卯吉 辰中 巳吉 午吉 未吉 申吉 酉中 戌凶 亥凶	新船進水	初一己未火井平	平道飾垣
八日星期五	子凶 丑吉 寅凶 卯中 辰吉 巳吉 午吉 未吉 申吉 酉中 戌凶 亥中	安床	初二庚申木鬼定	掃舍安門成服除服安葬
九日星期六	子中 丑中 寅凶 卯凶 辰吉 巳吉 午吉 未中 申中 酉凶 戌凶 亥中	造酒動土	初三辛酉木柳執	祭祀掃舍理髮醫病除服安葬
十日星期日	子中 丑中 寅凶 卯吉 辰凶 巳吉 午中 未吉 申凶 酉中 戌凶 亥吉		初四壬戌水星破	求醫治病破屋壞垣
十一星期一	子中 丑中 寅凶 卯吉 辰吉 巳凶 午吉 未凶 申中 酉中 戌凶 亥吉	詞訟嫁娶	初五癸亥水張危	理髮
十二星期二	子吉 丑吉 寅凶 卯中 辰吉 巳中 午凶 未吉 申吉 酉中 戌凶 亥中	開倉出財問卜動土	初六甲子金翌成	祭祀祈福入學出行嫁娶裁衣醫病開張入伙交易納財安床作灶安葬
十三星期三	子吉 丑吉 寅凶 卯吉 辰中 巳凶 午中 未凶 申吉 酉吉 戌凶 亥中	栽種蒔插	初七乙丑金軫收	祭祀捕捉
十四星期四	子吉 丑中 寅凶 卯吉 辰凶 巳中 午吉 未中 申凶 酉吉 戌凶 亥中	作灶祭祀	初八丙寅火角開	拆卸掃舍
十五星期五	子中 丑中 寅凶 卯凶 辰中 巳中 午吉 未吉 申中 酉凶 戌凶 亥中	理髮開池	初九丁卯火亢閉	祭祀裁衣移徙修造動土安葬
十六星期六	子中 丑吉 寅凶 卯吉 辰中 巳吉 午中 未吉 申吉 酉吉 戌凶 亥中	買田置業	初十戊辰木氐建	祭祀裁衣修飾垣牆
十七星期日	子吉 丑凶 寅凶 卯中 辰中 巳中 午吉 未吉 申吉 酉中 戌凶 亥凶	遠行成服	十一己巳木房除	會友理髮掃舍出行修造動土開張入伙作灶
十八星期一	子凶 丑吉 寅凶 卯中 辰中 巳中 午吉 未吉 申吉 酉吉 戌凶 亥中	服藥	十二庚午土心滿	出行會友開張安葬
十九星期二	子中 丑凶 寅凶 卯吉 辰中 巳吉 午吉 未中 申吉 酉凶 戌凶 亥中	造酒造醋	十三辛未土尾平	平治道塗
二十星期三	子吉 丑吉 寅凶 卯吉 辰吉 巳吉 午中 未吉 申凶 酉吉 戌凶 亥中	安床	十四壬申金箕定	祭祀祈福入學開張立約交易入倉安門成服除服安葬
廿一星期四	子吉 丑吉 寅凶 卯凶 辰吉 巳吉 午中 未凶 申吉 酉中 戌凶 亥中	詞訟栽種動土	十五癸酉金斗執	祭祀祈福嫁娶醫病理髮建屋安門安床捕捉安葬

西曆四月（農曆三月大）

日期	時辰	忌	農曆	宜
廿二星期五	子中 丑吉 寅凶 卯吉 辰凶 巳吉 午凶 未吉 申吉 酉中 戌凶 亥中	開倉出財	十六甲戌火牛破	求醫治病破屋壞垣
廿三星期六	子吉 丑吉 寅凶 卯吉 辰中 巳凶 午中 未吉 申中 酉中 戌凶 亥中	栽種嫁娶	十七乙亥火女危	理髮掃舍
廿四星期日	子吉 丑吉 寅凶 卯中 辰凶 巳吉 午凶 未中 申中 酉吉 戌凶 亥吉	修廚作灶詞訟	十八丙子水虛成	祭祀祈福出行嫁娶納采裁衣醫病開張入伙交易修造動土修倉安葬
廿五星期一	子吉 丑中 寅凶 卯凶 辰中 巳吉 午吉 未凶 申中 酉吉 戌凶 亥吉	理髮開倉出財	十九丁丑水危收	會友出行嫁娶納采移徙赴任修造動土置產牧養安葬
廿六星期二	子中 丑吉 寅凶 卯吉 辰吉 巳吉 午吉 未吉 申凶 酉中 戌凶 亥中	祭祀祈福	二十戊寅土室開	拆卸掃舍
廿七星期三	子吉 丑凶 寅凶 卯吉 辰中 巳中 午吉 未吉 申中 酉凶 戌凶 亥凶	除服	廿一己卯土壁閉	祭祀祈福嫁娶開張交易作安床補塞
廿八星期四	子凶 丑吉 寅凶 卯中 辰吉 巳吉 午吉 未吉 申中 酉中 戌凶 亥吉	動土	廿二庚辰金奎建	祭祀會友
廿九星期五	子中 丑吉 寅凶 卯中 辰中 巳吉 午吉 未吉 申中 酉凶 戌凶 亥凶	遠行	廿三辛巳金婁除	理髮開張交易安床
三十星期六	子凶 丑吉 寅凶 卯吉 辰中 巳吉 午中 未吉 申凶 酉中 戌凶 亥吉	動土	廿四壬午木胃滿	會友出行嫁娶納采開張入伙開倉安葬

西曆五月（農曆三月大）

日期	時辰	忌	農曆	宜
一日星期日	子吉 丑凶 寅凶 卯吉 辰中 巳吉 午吉 未凶 申中 酉中 戌凶 亥中	服藥詞訟	廿五癸未木昴平	平治道塗修飾垣牆
二日星期一	子吉 丑吉 寅凶 卯中 辰吉 巳吉 午凶 未吉 申吉 酉吉 戌凶 亥中	開倉安床	廿六甲申水畢定	理髮掃舍建屋安門成服安葬
三日星期二	子吉 丑吉 寅凶 卯凶 辰吉 巳凶 午中 未中 申吉 酉吉 戌凶 亥中	栽種動土修倉開張	廿七乙酉水觜執	祭祀祈福出行開張入伙嫁娶納采求醫移徙安門作灶安床成服安葬
四日星期三	子吉 丑中 寅凶 卯吉 辰凶 巳吉 午中 未中 申吉 酉吉 戌凶 亥吉	修廚作灶	廿八丙戌土參破	破屋壞垣日值四絕餘事不注
五日星期四	子中 丑吉 寅凶 卯凶 辰中 巳凶 午吉 未吉 申中 酉吉 戌吉 亥凶	理髮整甲嫁娶	廿九丁亥土井破	破屋壞垣
六日星期五	子中 丑吉 寅凶 卯吉 辰吉 巳吉 午凶 未中 申吉 酉吉 戌中 亥凶	新船進水	三十戊子火鬼危	會友出行嫁娶裁衣動土作灶安葬

西曆二〇一六年五月（農曆四月小）

日期	時辰吉凶	忌	農曆	宜
七日星期六	子吉 丑凶 寅凶 卯吉 辰中 巳吉 午中 未凶 申吉 酉吉 戌中 亥凶	詞訟捕捉	初一己丑火柳成	祭祀祈福求嗣會友訂婚納采醫病開張交易修造動土栽種安葬
八日星期日	子凶 丑吉 寅凶 卯吉 辰吉 巳中 午中 未中 申凶 酉中 戌凶 亥凶	祭祀動土	初二庚寅木星收	拆卸掃舍
九日星期一	子中 丑中 寅凶 卯吉 辰中 巳吉 午吉 未中 申中 酉凶 戌吉 亥凶	造酒開池	初三辛卯木張開	祭祀祈福入學會友出行嫁娶移徙開張入伙交易修造動土修倉置產
十日星期二	子中 丑吉 寅凶 卯吉 辰中 巳吉 午中 未中 申凶 酉吉 戌凶 亥凶		初四壬辰水翌閉	
十一星期三	子吉 丑中 寅凶 卯吉 辰吉 巳吉 午中 未凶 申吉 酉中 戌吉 亥凶	詞訟遠行	初五癸巳水軫建	會友裁衣
十二星期四	子凶 丑吉 寅凶 卯中 辰中 巳中 午凶 未吉 申中 酉吉 戌中 亥凶	開倉出財搭廁	初六甲午金角除	祭祀祈福出行嫁娶納采移徙掃舍求醫修造動土開張入伙除服安葬
十三星期五	子吉 丑凶 寅凶 卯吉 辰中 巳凶 午中 未中 申吉 酉中 戌吉 亥凶	栽種行喪	初七乙未金亢滿	祭祀掃舍
十四星期六	子吉 丑吉 寅凶 卯中 辰凶 巳吉 午中 未吉 申吉 酉吉 戌吉 亥凶	作灶安床	初八丙申火氐平	祭祀會友嫁娶裁衣開張動土平道
十五星期日	子中 丑吉 寅凶 卯凶 辰中 巳中 午吉 未吉 申中 酉吉 戌中 亥凶	理髮整甲栽種蒔插	初九丁酉火房定	出行嫁娶納采移徙開張入伙立約交易納財修造動土修倉安葬
十六星期一	子中 丑吉 寅凶 卯吉 辰凶 巳中 午吉 未吉 申吉 酉中 戌中 亥凶	買田置業	初十戊戌木心執	祭祀祈福嫁娶移徙理髮動土安床
十七星期二	子吉 丑凶 寅凶 卯吉 辰中 巳凶 午吉 未吉 申吉 酉中 戌中 亥凶	嫁娶除服	十一己亥木尾破	破屋壞垣
十八星期三	子凶 丑吉 寅凶 卯中 辰中 巳中 午凶 未吉 申吉 酉吉 戌凶 亥凶	問卜新船進水	十二庚子土箕危	祭祀會友出行嫁娶納采移徙修造動土開張入伙安床作灶栽種安葬
十九星期四	子中 丑吉 寅凶 卯吉 辰中 巳吉 午吉 未凶 申吉 酉凶 戌中 亥凶	造酒作灶詞訟	十三辛丑土斗成	祭祀祈福入學出行嫁娶納采開張交易醫病修造動土修倉築隄安葬
二十星期五	子中 丑吉 寅凶 卯吉 辰中 巳中 午中 未吉 申凶 酉中 戌吉 亥凶	祭祀	十四壬寅金牛收	捕捉
廿一星期六	子吉 丑中 寅凶 卯吉 辰中 巳中 午中 未凶 申中 酉凶 戌吉 亥凶	詞訟	十五癸卯金女開	會友出行訂婚開張入伙安床動土作灶

	西曆五月（農曆四月小）										西曆六月（農曆四月小）			
日期	廿二星期日	廿三星期一	廿四星期二	廿五星期三	廿六星期四	廿七星期五	廿八星期六	廿九星期日	三十星期一	卅一星期二	一日星期三	二日星期四	三日星期五	四日星期六
子	吉	吉	凶	中	中	吉	凶	中	吉	吉	中	中	中	中
丑	吉	吉	中	凶	吉	凶	吉	吉	吉	吉	中	中	中	吉
寅	凶	凶	凶	凶	凶	凶	凶	凶	凶	凶	凶	凶	凶	凶
卯	中	中	中	凶	中	凶	中	吉	吉	中	中	吉	中	凶
辰	吉	中	凶	中	吉	吉	凶	中	吉	吉	吉	中	凶	中
巳	中	凶	吉	吉	吉	吉	中	凶	吉	吉	中	凶	吉	吉
午	凶	中	吉	吉	中	吉	吉	吉	凶	中	凶	中	中	吉
未	吉	中	中	吉	吉	吉	吉	吉	吉	凶	吉	吉	中	吉
申	中	吉	吉	中	吉	吉	吉	中	凶	吉	凶	吉	吉	中
酉	吉	吉	吉	吉	中	中	中	凶	中	吉	吉	凶	吉	吉
戌	凶	吉	吉	中	中	中	凶	吉	中	吉	吉	吉	凶	吉
亥	凶	凶	凶	凶	凶	凶	凶	凶	凶	凶	凶	凶	凶	凶
忌	開倉出財	栽種遠行	修廚作灶	理髮行喪	置產安床	動土栽種蒔插築隄	修廚作灶	嫁娶		詞訟裁衣新船進水	開倉祭祀	栽種	作灶修廚	理髮遠行
	十六甲辰火虛閉	十七乙巳火危建	十八丙午水室除	十九丁未水壁滿	二十戊申土奎平	廿一己酉土婁定	廿二庚戌金胃執	廿三辛亥金昴破	廿四壬子木畢危	廿五癸丑木觜成	廿六甲寅水參收	廿七乙卯水井開	廿八丙辰土鬼閉	廿九丁巳土柳建
宜	祭祀建屋安床作灶補塞安葬	祭祀會友嫁娶納采醫病	移徙訂婚會友理髮動土安床掃舍	祭祀會友	掃舍平治道塗	祭祀祈福嫁娶出行移徙開張入伙交易納財開倉掃舍成服安葬	祭祀祈福求嗣嫁娶裁衣納采醫病移徙修造動土安床捕捉栽種安葬	破屋壞垣	理髮訂婚立約交易	入學會友出行醫病開張交易修造動土安床作灶築隄修倉安葬	拆卸掃舍	祭祀入學會友出行嫁娶納采理髮移徙交易修造動土開張入伙置產	修造動土建屋安門安床	會友

西曆二〇一六年六月（農曆五月小）

日期	子	丑	寅	卯	辰	巳	午	未	申	酉	戌	亥	忌	農曆	宜
五日星期日	凶	中	凶	吉	中	吉	中	吉	吉	吉	中	中	置產搭廁	初一戊午火星除	祭祀出行動土開張入伙安葬
六日星期一	凶	凶	凶	吉	中	吉	吉	吉	吉	中	中	凶	除服行喪開張交易	初二己未火張除	祭祀祈福會友出行嫁娶掃舍入伙修造動土安床作灶修倉栽種
七日星期二	凶	吉	凶	中	吉	吉	吉	吉	吉	中	凶	中	安床新船進水	初三庚申木翼滿	祭祀祈福出行裁衣理髮開張納財動土掃舍安葬
八日星期三	凶	中	凶	凶	吉	吉	吉	中	中	凶	中	中	造酒	初四辛酉木軫平	理髮掃舍平道飾垣
九日星期四	凶	中	凶	吉	凶	吉	中	吉	凶	中	吉	吉	動土	初五壬戌水角定	祭祀會友嫁娶納采開張入伙安門作灶
十日星期五	凶	中	凶	吉	吉	凶	吉	凶	中	中	吉	吉	詞訟嫁娶	初六癸亥水亢執	祭祀捕捉
十一星期六	凶	吉	凶	中	吉	中	凶	吉	吉	中	中	中	開倉出財	初七甲子金氐破	破屋壞垣
十二星期日	凶	吉	凶	吉	中	凶	中	凶	吉	吉	中	中	栽種蒔插	初八乙丑金房危	祭祀理髮修造動土移柩安葬
十三星期一	凶	中	凶	吉	凶	中	吉	吉	凶	吉	中	中	祭祀作灶	初九丙寅火心成	拆卸掃舍
十四星期二	凶	中	凶	凶	中	中	吉	吉	中	凶	中	中	理髮	初十丁卯火尾收	祭祀
十五星期三	凶	吉	凶	吉	中	吉	中	吉	吉	吉	凶	中	買田置業	十一戊辰木箕開	祭祀祈福入學會友出行訂婚納采裁衣醫病移徙赴任開張動土作灶
十六星期四	凶	凶	凶	中	中	中	吉	吉	吉	中	中	凶	遠行除服行喪	十二己巳木斗閉	祭祀開張入伙築隄安門作灶栽種牧養動土
十七星期五	凶	吉	凶	中	中	中	吉	吉	吉	吉	凶	中	動土	十三庚午土牛建	修飾垣牆
十八星期六	凶	凶	凶	吉	中	吉	吉	中	吉	凶	中	中	造酒除服行喪	十四辛未土女除	祭祀祈福會友出行嫁娶納采移徙掃舍開張入伙交易修造動土修倉
十九星期日	凶	吉	凶	吉	吉	吉	中	吉	凶	吉	中	中	裁衣安床	十五壬申金虛滿	出行開張動土除服安葬

西曆六月（農曆五月小）

西曆七月（農曆五月小）

日期	子	丑	寅	卯	辰	巳	午	未	申	酉	戌	亥	忌	干支	宜
二十星期一	凶	吉	凶	凶	吉	吉	中	凶	吉	中	中	中	詞訟成服	十六癸酉金危平	理髮日值四離餘事不注
廿一星期二	凶	吉	凶	吉	凶	吉	凶	吉	中	中	中	中	開倉出財蒔插栽種	十七甲戌火室定	祭祀祈福會友嫁娶入學立約交易動土開張入伙
廿二星期三	凶	吉	凶	吉	中	凶	中	吉	中	中	中	中	栽種嫁娶	十八乙亥火壁執	理髮掃舍
廿三星期四	凶	中	凶	中	凶	吉	凶	中	中	吉	吉	吉	修廚作灶	十九丙子水奎破	破屋壞垣
廿四星期五	凶	中	凶	凶	中	吉	吉	凶	中	吉	中	吉	理髮除服行喪	二十丁丑水婁危	祭祀出行裁衣修造動土安床
廿五星期六	凶	吉	凶	吉	吉	吉	吉	吉	凶	中	中	中	置產祭祀	廿一戊寅土胃成	拆卸掃舍
廿六星期日	凶	凶	凶	吉	中	中	吉	吉	中	凶	中	凶	開池	廿二己卯土昴收	祭祀捕捉
廿七星期一	凶	吉	凶	中	吉	吉	吉	吉	中	中	凶	吉		廿三庚辰金畢開	入學出行會友醫病移徙動土開張入伙作灶置產
廿八星期二	凶	吉	凶	中	中	吉	吉	吉	中	凶	吉	凶	遠行除服	廿四辛巳金觜閉	築隄安門修廚作灶修倉
廿九星期三	凶	吉	凶	吉	中	吉	中	吉	凶	中	中	吉	動土	廿五壬午木參建	立約交易
三十星期四	凶	凶	凶	吉	中	吉	吉	凶	中	中	吉	中	詞訟除服成服行喪	廿六癸未木井除	入學會友出行赴任嫁娶理髮修造動土開張入伙安門作灶
一日星期五	凶	吉	凶	中	吉	吉	凶	吉	吉	吉	中	中	開倉出財安床	廿七甲申水鬼滿	祭祀出行嫁娶裁衣移徙開張交易動土補塞除服安葬
二日星期六	凶	吉	凶	凶	吉	凶	中	中	吉	吉	中	中	栽種蒔插	廿八乙酉水柳平	理髮掃舍平道飾垣
三日星期日	凶	中	凶	吉	凶	吉	中	中	吉	吉	吉	吉	修廚作灶	廿九丙戌土星定	祭祀出行嫁娶納采移徙立約交易動土修倉成服安葬

西曆二〇一六年七月（農曆六月大）

日期	吉凶時	忌	農曆	宜
四日星期一	子凶 丑吉 寅凶 卯凶 辰中 巳凶 午吉 未吉 申中 酉吉 戌吉 亥吉	理髮嫁娶	初一丁亥土張執	祭祀修造動土安床
五日星期二	子凶 丑吉 寅凶 卯吉 辰吉 巳吉 午凶 未中 申吉 酉吉 戌中 亥中	置產開張	初二戊子火翌破	破屋壞垣
六日星期三	子凶 丑凶 寅凶 卯吉 辰中 巳吉 午中 未凶 申吉 酉吉 戌中 亥凶	修倉栽種	初三己丑火軫危	訂婚裁衣動土安床
七日星期四	子凶 丑凶 寅凶 卯吉 辰吉 巳中 午中 未中 申凶 酉中 戌凶 亥中	祭祀	初四庚寅木角危	拆卸
八日星期五	子中 丑凶 寅凶 卯吉 辰中 巳吉 午吉 未中 申中 酉凶 戌吉 亥中	造酒開池	初五辛卯木亢成	祭祀祈福入學出行嫁娶移徙開張入伙交易修造動土安床修倉安葬
九日星期六	子中 丑凶 寅凶 卯吉 辰中 巳吉 午中 未中 申凶 酉吉 戌凶 亥吉		初六壬辰水氐收	納財捕捉栽種
十日星期日	子吉 丑凶 寅凶 卯吉 辰吉 巳吉 午中 未凶 申吉 酉中 戌吉 亥凶	詞訟除服	初七癸巳水房開	會友訂婚理髮裁衣醫病安床作灶
十一星期一	子凶 丑凶 寅凶 卯中 辰中 巳中 午凶 未吉 申中 酉吉 戌中 亥中	開倉針灸	初八甲午金心閉	祭祀破土安葬
十二星期二	子吉 丑凶 寅凶 卯吉 辰中 巳凶 午中 未中 申吉 酉中 戌吉 亥吉	栽種動土行喪	初九乙未金尾建	祭祀出行赴任嫁娶開張安床
十三星期三	子吉 丑凶 寅凶 卯中 辰凶 巳吉 午中 未吉 申吉 酉吉 戌吉 亥吉	修廚作灶安床	初十丙申火箕除	祭祀掃舍理髮醫病開張交易動土除服安葬
十四星期四	子中 丑凶 寅凶 卯凶 辰中 巳中 午吉 未吉 申中 酉吉 戌中 亥吉	理髮針灸新船進水	十一丁酉火斗滿	祭祀裁衣掃舍修造動土安門作灶牧養成服除服安葬
十五星期五	子中 丑凶 寅凶 卯吉 辰凶 巳中 午吉 未吉 申吉 酉中 戌中 亥中	買田置業	十二戊戌木牛平	嫁娶
十六星期六	子吉 丑凶 寅凶 卯吉 辰中 巳凶 午吉 未吉 申吉 酉中 戌中 亥凶	嫁娶除服成服修廚	十三己亥木女定	祭祀祈福出行納采移徙立約交易修造動土開張入伙修倉安床栽種
十七星期日	子凶 丑凶 寅凶 卯中 辰中 巳中 午凶 未吉 申吉 酉吉 戌凶 亥中	問卜修倉	十四庚子土虛執	出行開張入伙裁衣安床捕捉除服安葬動土
十八星期一	子中 丑凶 寅凶 卯吉 辰中 巳吉 午吉 未凶 申吉 酉凶 戌中 亥吉	造酒	十五辛丑土危破	求醫治病破屋壞垣

西曆八月（農曆六月大）		西曆七月（農曆六月大）												

日期	子	丑	寅	卯	辰	巳	午	未	申	酉	戌	亥	忌	農曆	宜
十九星期二	中	凶	凶	吉	中	中	中	吉	凶	中	吉	中	祭祀	十六壬寅金室危	拆卸掃舍
二十星期三	吉	凶	凶	吉	中	中	中	凶	中	凶	吉	中	詞訟船進水	十七癸卯金壁成	入學出行會友嫁娶醫病動土開張入伙交易修造修倉成服安葬
廿一星期四	吉	凶	凶	中	吉	中	凶	吉	中	吉	凶	吉	開倉出財	十八甲辰火奎收	會友出行嫁娶裁衣納采動土安葬
廿二星期五	吉	凶	凶	中	中	凶	中	中	吉	吉	吉	凶	栽種遠行除服	十九乙巳火婁開	祭祀開張入伙入學納采建屋安門作灶動土
廿三星期六	凶	凶	凶	中	凶	吉	吉	中	吉	吉	吉	吉	修廚作灶	二十丙午水胃閉	掃舍除服
廿四星期日	中	凶	凶	凶	中	吉	吉	吉	中	吉	中	吉	理髮動土	廿一丁未水昴建	赴任交易蓋屋
廿五星期一	中	凶	凶	中	吉	吉	中	吉	吉	中	中	中	置產安床	廿二戊申土畢除	祭祀理髮入伙嫁娶求醫治病牧養
廿六星期二	吉	凶	凶	凶	吉	吉	吉	吉	吉	中	中	凶	成服新船進水	廿三己酉土觜滿	祭祀祈福出行嫁娶納采移徙開張修造安床作灶開倉
廿七星期三	凶	凶	凶	中	凶	中	吉	吉	吉	中	凶	中	動土	廿四庚戌金參平	平道飾垣
廿八星期四	中	凶	凶	吉	中	凶	吉	吉	中	凶	吉	中	造酒嫁娶除服	廿五辛亥金井定	祭祀祈福入學出行開張入伙納采移徙立約交易修造動土修倉作灶
廿九星期五	吉	凶	凶	吉	吉	吉	凶	吉	凶	中	中	中		廿六壬子木鬼執	理髮成服破土安葬
三十星期六	吉	凶	凶	中	吉	吉	中	凶	吉	吉	吉	中	詞訟開業	廿七癸丑木柳破	破屋壞垣
卅一星期日	中	凶	凶	中	吉	中	凶	吉	凶	吉	吉	中	開倉祭祀	廿八甲寅水星危	拆卸掃舍
一日星期一	中	凶	凶	吉	中	凶	中	吉	吉	凶	吉	吉	栽種蒔插開池	廿九乙卯水張成	祭祀入學裁衣嫁娶納采醫病移徙開張入伙交易修造動土交易安葬
二日星期二	中	凶	凶	中	凶	吉	中	中	吉	吉	凶	吉	作灶動土	三十丙辰水翌收	捕捉

西曆二〇一六年八月（農曆七月小）

日期	子	丑	寅	卯	辰	巳	午	未	申	酉	戌	亥	忌	農曆	宜
三日星期三	中	凶	凶	凶	中	吉	吉	吉	中	吉	吉	凶	理髮遠行	初一丁巳土軫開	祭祀入學會友訂婚
四日星期四	凶	凶	凶	吉	中	吉	中	吉	吉	吉	中	中	置業針灸	初二戊午火角閉	祭祀
五日星期五	中	凶	凶	吉	中	吉	吉	吉	吉	中	中	凶	動土除服行喪	初三己未火亢建	會友出行嫁娶移徙開張納財安床牧養
六日星期六	凶	凶	凶	中	吉	吉	吉	吉	吉	中	凶	中	開倉安床	初四庚申木氐除	掃舍日值四絕餘事不注
七日星期日	中	凶	凶	凶	吉	吉	吉	中	中	凶	中	中	造酒	初五辛酉木房除	理髮掃舍動土作灶安葬
八日星期一	中	中	凶	吉	凶	吉	中	吉	凶	中	吉	吉	行喪	初六壬戌水心滿	祭祀祈福會友出行嫁娶納采修造動土修倉
九日星期二	中	中	凶	吉	吉	凶	吉	凶	中	中	吉	吉	詞訟嫁娶	初七癸亥水尾平	祭祀平道飾垣
十日星期三	吉	吉	凶	中	吉	中	凶	吉	吉	中	中	中	開倉成服	初八甲子金箕定	祭祀祈福出行嫁娶納采移徙開張動土安門作灶
十一星期四	吉	吉	凶	吉	中	凶	中	凶	吉	吉	中	中	栽種修廚	初九乙丑金斗執	會友捕捉牧養
十二星期五	吉	中	凶	吉	凶	中	吉	中	凶	吉	中	中	作灶祭祀	初十丙寅火牛破	破屋壞垣
十三星期六	中	中	凶	凶	中	中	吉	吉	中	凶	中	中	理髮動土	十一丁卯火女危	祭祀祈福出行會友嫁娶立約交易安床作灶成服安葬
十四星期日	中	吉	凶	吉	中	吉	中	吉	吉	吉	凶	中	買田置業新船進水	十二戊辰木虛成	祭祀祈福求嗣裁衣會友訂婚開張立約交易移徙修造動土修倉安葬
十五星期一	吉	凶	凶	中	中	中	吉	吉	吉	中	中	凶	遠行成服	十三己巳木危收	會友嫁娶納采移徙開張交易修造動土開倉栽種
十六星期二	凶	吉	凶	中	中	中	吉	吉	吉	吉	凶	中		十四庚午土室開	會友入學訂婚修造動土
十七星期三	中	凶	凶	吉	中	吉	吉	中	吉	凶	中	中	造酒針灸	十五辛未土壁閉	祭祀出行動土安床作灶

西曆八月（農曆七月小）

		忌		宜
十八星期四	子吉 丑吉 寅凶 卯吉 辰吉 巳吉 午中 未吉 申凶 酉吉 戌中 亥中	安床動土	十六壬申金奎建	祭祀會友嫁娶裁衣移徙開張安葬
十九星期五	子吉 丑吉 寅凶 卯凶 辰吉 巳吉 午中 未凶 申吉 酉中 戌中 亥中	詞訟	十七癸酉金婁除	祭祀祈福求嗣訂婚裁衣納采理髮修造動土修倉掃舍成服安葬
二十星期六	子中 丑吉 寅凶 卯吉 辰凶 巳吉 午凶 未吉 申中 酉中 戌中 亥中	開倉出財	十八甲戌火胃滿	會友理髮裁衣栽種牧養
廿一星期日	子吉 丑吉 寅凶 卯吉 辰中 巳凶 午中 未吉 申中 酉中 戌中 亥中	嫁娶除服	十九乙亥火昴平	修飾垣牆
廿二星期一	子吉 丑吉 寅凶 卯中 辰凶 巳吉 午凶 未中 申中 酉吉 戌吉 亥吉	作灶修廚問卜栽種	二十丙子水畢定	祭祀祈福會友嫁娶納采移徙赴任開張立約交易修造動土修倉安葬
廿三星期二	子吉 丑中 寅凶 卯凶 辰中 巳吉 午吉 未凶 申中 酉吉 戌中 亥中	理髮整甲	廿一丁丑水觜執	嫁娶納采動土修倉安葬
廿四星期三	子中 丑吉 寅凶 卯吉 辰吉 巳吉 午吉 未吉 申凶 酉中 戌中 亥中	祭祀祈福	廿二戊寅土參破	破屋壞垣
廿五星期四	子吉 丑凶 寅凶 卯吉 辰中 巳中 午吉 未吉 申中 酉凶 戌中 亥凶	動土開池	廿三己卯土井危	會友訂婚納采理髮開張交易納財成服
廿六星期五	子凶 丑吉 寅凶 卯中 辰吉 巳吉 午吉 未吉 申吉 酉中 戌凶 亥吉	成服行喪	廿四庚辰金鬼成	祭祀祈福訂婚納采醫病開張入伙交易修造動土安門作灶安床入倉
廿七星期六	子中 丑吉 寅凶 卯中 辰中 巳吉 午吉 未吉 申中 酉凶 戌吉 亥凶	遠行	廿五辛巳金柳收	會友訂婚嫁娶開張立約交易作灶
廿八星期日	子凶 丑吉 寅凶 卯吉 辰中 巳吉 午中 未吉 申凶 酉中 戌中 亥吉	補塞	廿六壬午木星開	祭祀祈福會友出行開張入伙嫁娶納采修造動土置產栽種
廿九星期一	子吉 丑凶 寅凶 卯吉 辰中 巳吉 午吉 未凶 申中 酉中 戌吉 亥中	詞訟作灶	廿七癸未木張閉	動土
三十星期二	子吉 丑吉 寅凶 卯中 辰吉 巳吉 午凶 未吉 申吉 酉吉 戌中 亥中	開倉安床	廿八甲申水翌建	出行赴任嫁娶裁衣掃舍牧養
卅一星期三	子吉 丑吉 寅凶 卯凶 辰吉 巳凶 午中 未中 申吉 酉吉 戌中 亥中	栽種蒔插	廿九乙酉水軫除	祭祀理髮掃舍安門成服除服破土安葬

西曆二〇一六年九月（農曆八月大）

日期	時辰（子至巳）	時辰（午至亥）	忌	日柱	宜
一日星期四	子吉 丑中 寅凶 卯吉 辰凶 巳吉	午中 未中 申吉 酉吉 戌吉 亥吉	作灶行喪	初一丙戌土角滿	日食
二日星期五	子中 丑吉 寅凶 卯凶 辰中 巳凶	午吉 未吉 申中 酉吉 戌吉 亥吉	理髮嫁娶	初二丁亥土亢平	出行會友牧養
三日星期六	子中 丑吉 寅凶 卯吉 辰吉 巳吉	午凶 未中 申吉 酉吉 戌中 亥中	修置產室	初三戊子火氐定	祭祀會友出行嫁娶裁衣納采移徙修造動土開張入伙安葬
四日星期日	子吉 丑凶 寅凶 卯吉 辰中 巳吉	午中 未凶 申吉 酉吉 戌中 亥凶	裁衣	初四己丑火房執	栽種
五日星期一	子凶 丑吉 寅凶 卯吉 辰吉 巳中	午中 未中 申凶 酉中 戌凶 亥中	祭祀	初五庚寅木心破	破屋壞垣
六日星期二	子中 丑中 寅凶 卯吉 辰中 巳吉	午吉 未中 申中 酉凶 戌吉 亥中		初六辛卯木尾危	會友訂婚理髮置產安床立約交易安葬
七日星期三	子中 丑吉 寅凶 卯吉 辰中 巳吉	午中 未中 申凶 酉吉 戌凶 亥吉	新船進水	初七壬辰水箕成	祭祀開張入伙入學訂婚動土安葬
八日星期四	子吉 丑中 寅凶 卯凶 辰吉 巳吉	午中 未凶 申吉 酉中 戌吉 亥凶	成服詞訟遠行	初八癸巳水斗成	祭祀祈福入學訂婚嫁娶裁衣移徙開張入伙交易納財修造動土修倉
九日星期五	子凶 丑吉 寅凶 卯凶 辰中 巳中	午凶 未吉 申中 酉吉 戌中 亥中	開倉出財	初九甲午金牛收	祭祀嫁娶理髮捕捉
十日星期六	子吉 丑凶 寅凶 卯凶 辰中 巳凶	午中 未中 申吉 酉中 戌吉 亥吉	栽種動土除服	初十乙未金女開	祭祀祈福出行入學會友嫁娶移徙赴任開張納財牧養
十一星期日	子吉 丑吉 寅凶 卯凶 辰凶 巳吉	午中 未吉 申吉 酉吉 戌吉 亥吉	修廚作灶安床	十一丙申火虛閉	出行裁衣理髮掃舍入伙蓋屋安葬
十二星期一	子中 丑吉 寅凶 卯凶 辰中 巳中	午吉 未吉 申中 酉吉 戌中 亥吉	理髮動土	十二丁酉火危建	祭祀掃舍安葬
十三星期二	子中 丑吉 寅凶 卯凶 辰凶 巳中	午吉 未吉 申吉 酉中 戌中 亥中	買田置業行喪	十三戊戌木室除	出行理髮醫病掃舍赴任修造動土築隄安床作灶作陂栽種
十四星期三	子吉 丑凶 寅凶 卯凶 辰中 巳凶	午吉 未吉 申吉 酉中 戌中 亥凶	嫁娶成服	十四己亥木壁滿	祭祀會友出行裁衣移徙開張動土
十五星期四	子凶 丑吉 寅凶 卯凶 辰中 巳中	午凶 未吉 申吉 酉吉 戌凶 亥中	修廚	十五庚子土奎平	祭祀平道飾垣

西曆九月（農曆八月大）

日	星期	子	丑	寅	卯	辰	巳	午	未	申	酉	戌	亥
十六	星期五	中	吉	凶	凶	吉	吉	吉	凶	吉	凶	中	吉
十七	星期六	中	吉	凶	凶	中	中	中	吉	凶	中	吉	中
十八	星期日	吉	中	凶	凶	中	中	中	凶	中	凶	吉	中
十九	星期一	吉	吉	凶	凶	吉	中	凶	吉	中	吉	凶	吉
二十	星期二	吉	吉	凶	凶	中	凶	中	中	吉	吉	吉	凶
廿一	星期三	凶	中	凶	凶	凶	吉	吉	中	吉	吉	吉	吉
廿二	星期四	中	凶	凶	凶	中	吉	吉	吉	中	吉	中	吉
廿三	星期五	中	吉	凶	凶	吉	吉	中	吉	吉	中	中	中
廿四	星期六	吉	凶	凶	凶	吉	吉	吉	吉	吉	中	中	凶
廿五	星期日	凶	吉	凶	凶	凶	中	吉	吉	吉	中	凶	中
廿六	星期一	中	吉	凶	凶	中	凶	吉	吉	中	凶	吉	中
廿七	星期二	吉	吉	凶	凶	吉	吉	凶	吉	凶	中	中	中
廿八	星期三	吉	吉	凶	凶	吉	吉	中	凶	吉	吉	吉	中
廿九	星期四	中	中	凶	凶	吉	中	凶	吉	凶	吉	吉	中
三十	星期五	中	中	凶	凶	中	凶	中	吉	吉	凶	吉	吉

忌

日	忌	干支
十六	造酒成服	十六辛丑土婁定
十七	祭祀	十七壬寅金胃執
十八	詞訟	十八癸卯金昴破
十九	開張裁衣開倉出財	十九甲辰火畢危
二十	栽種遠行除服成服	二十乙巳火觜成
廿一	作灶	廿一丙午水參收
廿二	理髮動土補塞	廿二丁未水井開
廿三	置產安床	廿三戊申土鬼閉
廿四	動土修廚	廿四己酉土柳建
廿五	除服行喪	廿五庚戌金星除
廿六	嫁娶	廿六辛亥金張滿
廿七		廿七壬子木翌平
廿八	詞訟栽種新船進水	廿八癸丑木軫定
廿九	開倉祭祀	廿九甲寅水角執
三十	栽種	三十乙卯水亢破

宜

日	宜
十六	會友出行納財動土開張入伙理髮裁衣修倉入倉安門修廚作灶
十七	拆卸掃舍
十八	破屋壞垣
十九	納采入伙安床修廚作灶捕捉
二十	祭祀祈福求嗣入學會友嫁娶納采醫病移徙開張入伙交易修造動土
廿一	祭祀日值四離餘事不注
廿二	祭祀
廿三	嫁娶裁衣理髮掃舍補塞安葬
廿四	出行成服安葬
廿五	會友出行嫁娶納采理髮掃舍移徙動土修倉納財牧養
廿六	會友出行移徙修造動土安床補塞
廿七	平道飾垣栽種
廿八	祭祀祈福出行嫁娶裁衣移徙赴任開張入伙修造動土安門作灶安葬
廿九	拆卸掃舍
三十	破屋壞垣

西曆二〇一六年十月（農曆九月大）

日期	子	丑	寅	卯	辰	巳	午	未	申	酉	戌	亥	忌	農曆	宜
一日星期六	中	中	凶	凶	凶	吉	中	中	吉	吉	凶	吉	修廚作灶新船進水	初一丙辰土氐危	祭祀入學訂婚嫁娶立約交易修造動土開張入伙建屋安門成服安葬
二日星期日	中	吉	凶	凶	中	吉	吉	吉	中	吉	吉	凶	理髮遠行成服	初二丁巳土房成	祭祀祈福會友嫁娶納采移徙開張入伙立約交易修造動土安床修倉
三日星期一	凶	中	凶	凶	中	吉	中	吉	吉	吉	中	中	置產	初三戊午火心收	祭祀捕捉
四日星期二	中	凶	凶	凶	中	吉	吉	吉	吉	中	中	凶	動土補塞	初四己未火尾開	入學會友出行移徙牧養
五日星期三	凶	吉	凶	凶	吉	吉	吉	吉	吉	中	凶	中	安床針灸	初五庚申木箕閉	祭祀入學出行立約建屋作灶補塞安葬
六日星期四	中	中	凶	凶	吉	吉	吉	中	中	凶	中	中	動土	初六辛酉木斗建	出行掃舍
七日星期五	中	中	凶	凶	凶	吉	中	吉	凶	中	吉	吉	成服	初七壬戌水牛除	祭祀出行裁衣理髮掃舍修造動土建屋安門安床
八日星期六	中	中	凶	吉	凶	凶	吉	凶	中	中	吉	吉	詞訟嫁娶動土	初八癸亥水女除	會友入伙理髮掃舍作灶
九日星期日	吉	吉	凶	中	凶	中	凶	吉	吉	中	中	中	開倉出財修倉	初九甲子金虛滿	祭祀會友出行
十日星期一	吉	吉	凶	吉	凶	凶	中	凶	吉	吉	中	中	栽種蒔插	初十乙丑金危平	作灶平道塗飾垣牆
十一星期二	吉	中	凶	吉	中	中	吉	中	凶	吉	中	中	祭祀作灶	十一丙寅火室定	拆卸掃舍
十二星期三	中	中	凶	凶	凶	中	吉	吉	中	凶	中	中	理髮整甲開池	十二丁卯火壁執	祭祀祈福會友出行訂婚嫁娶修造動土開張入伙安床捕捉成服安葬
十三星期四	中	吉	凶	吉	凶	吉	中	吉	吉	吉	凶	中	買田置業	十三戊辰木奎破	破屋壞垣
十四星期五	吉	凶	凶	中	凶	中	吉	吉	吉	中	中	凶	遠行除服	十四己巳木婁危	嫁娶納采安床動土
十五星期六	凶	吉	凶	中	凶	中	吉	吉	吉	吉	凶	中	搭廁詞訟	十五庚午土胃成	祭祀祈福出行嫁娶納采移徙醫病開張入伙交易修造動土修倉安葬

西曆十月（農曆九月大）

日期	星期	子	丑	寅	卯	辰	巳	午	未	申	酉	戌	亥	干支	忌	宜
十六	星期日	中	凶	凶	吉	凶	吉	吉	中	吉	凶	中	中	十六辛未土昴收	動土	捕捉嫁娶納財
十七	星期一	吉	吉	凶	吉	凶	吉	中	吉	凶	吉	中	中	十七壬申金畢開	安床新船進水	祭祀祈福入學出行理髮移徙醫病動土修置產室栽種
十八	星期二	吉	吉	凶	凶	凶	吉	中	凶	吉	中	中	中	十八癸酉金觜閉	詞訟針灸	理髮掃舍補塞動土作灶安葬
十九	星期三	中	吉	凶	吉	凶	吉	凶	吉	中	中	中	中	十九甲戌火參建	開倉動土	祭祀建屋
二十	星期四	吉	吉	凶	吉	凶	凶	中	吉	中	中	中	中	二十乙亥火井除	嫁娶除服	理髮掃舍
廿一	星期五	吉	中	凶	中	凶	吉	凶	中	中	吉	吉	吉	廿一丙子水鬼滿	修廚作灶	祭祀出行嫁娶裁衣開張動土安葬
廿二	星期六	吉	中	凶	凶	凶	吉	吉	凶	中	吉	中	吉	廿二丁丑水柳平	整甲理髮	平治道塗
廿三	星期日	中	吉	凶	吉	凶	吉	吉	吉	凶	中	中	中	廿三戊寅土星定	置業祭祀	掃舍
廿四	星期一	吉	凶	凶	吉	凶	中	吉	吉	中	凶	中	凶	廿四己卯土張執	開池除服	祭祀祈福會友嫁娶納采裁衣醫病開張入伙建屋安床動土
廿五	星期二	凶	吉	凶	中	凶	吉	吉	吉	中	中	凶	吉	廿五庚辰金翌破	開張	破屋壞垣
廿六	星期三	中	吉	凶	中	凶	吉	吉	吉	中	凶	吉	凶	廿六辛巳金軫危	遠行	會友嫁娶裁衣移徙交易動土安床
廿七	星期四	凶	吉	凶	吉	凶	吉	中	吉	凶	中	中	吉	廿七壬午木角成	搭廁	祭祀祈福出行移徙嫁娶納采醫病修造動土開張入伙安床開倉安葬
廿八	星期五	吉	凶	凶	吉	凶	吉	吉	凶	中	中	吉	中	廿八癸未木亢收	服藥詞訟	捕捉
廿九	星期六	吉	吉	凶	中	凶	吉	凶	吉	吉	吉	中	中	廿九甲申水氐開	開倉安床補塞	祭祀祈福入學出行移徙開張醫病裁衣動土置產室栽種
三十	星期日	吉	吉	凶	凶	凶	凶	中	中	吉	吉	中	中	三十乙酉水房閉	栽種針灸	理髮掃舍安葬

西曆二〇一六年十一月（農曆十月小）

卅一	星期一	子吉	丑中	寅凶	卯吉	辰凶	巳吉	午中	未中	申吉	酉吉	戌吉	亥吉	忌：修廚作灶行喪動土	初一丙戌土心建
一日	星期二	子中	丑吉	寅凶	卯凶	辰凶	巳凶	午吉	未吉	申中	酉吉	戌吉	亥吉	忌：理髮嫁娶	初二丁亥土尾除
二日	星期三	子中	丑吉	寅凶	卯吉	辰凶	巳吉	午凶	未中	申吉	酉吉	戌中	亥中	忌：買田置業	初三戊子火箕滿
三日	星期四	子吉	丑凶	寅凶	卯吉	辰凶	巳吉	午中	未凶	申吉	酉吉	戌中	亥凶	忌：除服行喪	初四己丑火斗平
四日	星期五	子凶	丑吉	寅凶	卯吉	辰凶	巳中	午中	未中	申凶	酉中	戌凶	亥中	忌：祭祀	初五庚寅木牛定
五日	星期六	子中	丑中	寅凶	卯吉	辰凶	巳吉	午吉	未中	申中	酉凶	戌吉	亥中	忌：造酒開池	初六辛卯木女執
六日	星期日	子中	丑吉	寅凶	卯吉	辰凶	巳吉	午中	未中	申凶	酉吉	戌凶	亥吉	忌：	初七壬辰水虛破
七日	星期一	子吉	丑中	寅凶	卯吉	辰凶	巳凶	午中	未凶	申吉	酉中	戌吉	亥吉	忌：開張詞訟遠行	初八癸巳水危破
八日	星期二	子凶	丑吉	寅凶	卯中	辰中	巳凶	午凶	未吉	申中	酉吉	戌中	亥中	忌：開倉出財	初九甲午金室危
九日	星期三	子吉	丑凶	寅凶	卯吉	辰中	巳凶	午中	未中	申吉	酉中	戌吉	亥吉	忌：栽種蒔插捕捉	初十乙未金壁成
十日	星期四	子吉	丑吉	寅凶	卯中	辰凶	巳凶	午中	未吉	申吉	酉吉	戌吉	亥吉	忌：作灶安床	十一丙申火奎收
十一	星期五	子中	丑吉	寅凶	卯凶	辰中	巳凶	午吉	未吉	申中	酉吉	戌中	亥吉	忌：理髮	十二丁酉火婁開
十二	星期六	子中	丑吉	寅凶	卯吉	辰凶	巳凶	午吉	未吉	申吉	酉中	戌中	亥中	忌：買田置業	十三戊戌木胃閉
十三	星期日	子吉	丑凶	寅凶	卯吉	辰中	巳凶	午吉	未吉	申吉	酉中	戌中	亥凶	忌：嫁娶動土	十四己亥木昴建
十四	星期一	子凶	丑吉	寅凶	卯中	辰中	巳凶	午凶	未吉	申吉	酉吉	戌凶	亥中	忌：問卜	十五庚子土畢除

宜

卅一	祭祀祈福會友出行訂婚嫁娶納采移徙開張交易建屋安床牧養
一日	建屋安床掃舍
二日	理髮安床
三日	修廚作灶
四日	拆卸
五日	祭祀祈福入學出行嫁娶納采移徙醫病修造動土開張入伙作灶安葬
六日	破屋壞垣日值四絕餘事不注
七日	破屋壞垣
八日	祭祀會友出行嫁娶動土作灶安葬
九日	祭祀祈福求嗣入學會友出行訂婚嫁娶納采裁衣修造動土安葬
十日	理髮掃舍捕捉
十一	祭祀入學掃舍開張修造動土入伙安門作灶安床栽種
十二	修造動土
十三	出行會友
十四	祭祀祈福出行會友嫁娶納采移徙開張交易動土安葬

西曆二〇一六年十一月（農曆十月小）

日期	星期	時辰吉凶	忌	農曆干支	宜
十五	星期二	子中 丑吉 寅凶 卯吉 辰中 巳凶 午吉 未凶 申吉 酉凶 戌中 亥吉	造酒	十六辛丑土觜滿	會友理髮
十六	星期三	子中 丑吉 寅凶 卯吉 辰中 巳凶 午中 未吉 申凶 酉中 戌吉 亥中	祭祀	十七壬寅金參平	拆卸掃舍
十七	星期四	子吉 丑中 寅凶 卯吉 辰中 巳凶 午中 未凶 申中 酉凶 戌吉 亥中	詞訟開池開張	十八癸卯金井定	會友出行訂婚嫁娶納采移徙修造動土入伙修倉牧養破土安葬
十八	星期五	子吉 丑吉 寅凶 卯中 辰吉 巳凶 午凶 未吉 申中 酉吉 戌凶 亥吉	開倉出財動土	十九甲辰火鬼執	祭祀嫁娶裁衣納采醫病移徙建屋安床作灶牧養安葬
十九	星期六	子吉 丑吉 寅凶 卯中 辰中 巳凶 午中 未中 申吉 酉吉 戌吉 亥凶	栽種遠行	二十乙巳火柳破	破屋壞垣
二十	星期日	子凶 丑中 寅凶 卯中 辰凶 巳凶 午吉 未中 申吉 酉吉 戌吉 亥吉	修廚作灶除服	廿一丙午水星危	祭祀祈福理髮掃舍修造動土捕捉
廿一	星期一	子中 丑凶 寅凶 卯凶 辰中 巳凶 午吉 未吉 申中 酉吉 戌中 亥吉	理髮詞訟捕捉	廿二丁未水張成	入學會友訂婚嫁娶納采裁衣開張入伙修造動土建屋作灶修倉安葬
廿二	星期二	子中 丑吉 寅凶 卯中 辰吉 巳凶 午中 未吉 申吉 酉中 戌中 亥中	置產安床	廿三戊申土翌收	掃舍
廿三	星期三	子吉 丑凶 寅凶 卯凶 辰吉 巳凶 午吉 未吉 申吉 酉中 戌中 亥凶		廿四己酉土軫開	祭祀入學出行嫁娶裁衣開張入伙修造動土建屋作灶修倉安床
廿四	星期四	子凶 丑吉 寅凶 卯中 辰凶 巳凶 午吉 未吉 申吉 酉中 戌凶 亥中	作灶	廿五庚戌金角閉	
廿五	星期五	子中 丑吉 寅凶 卯吉 辰中 巳凶 午吉 未吉 申中 酉凶 戌吉 亥中	嫁娶	廿六辛亥金亢建	祭祀理髮
廿六	星期六	子吉 丑吉 寅凶 卯吉 辰吉 巳凶 午凶 未吉 申凶 酉中 戌中 亥中	成服除服	廿七壬子木氐除	出行理髮掃舍求醫治病開張交易修造動土建屋安門作灶安床牧養
廿七	星期日	子吉 丑吉 寅凶 卯中 辰吉 巳凶 午中 未凶 申吉 酉吉 戌吉 亥中	詞訟行喪	廿八癸丑木房滿	作灶理髮
廿八	星期一	子中 丑中 寅凶 卯中 辰吉 巳凶 午凶 未吉 申凶 酉吉 戌吉 亥中	開倉祭祀	廿九甲寅水心平	拆卸掃舍

西曆二〇一六年十二月（農曆十一月大）

西曆十一月（農曆十一月大）

廿九星期二	子中	丑中	寅凶	卯吉	辰中	巳凶	午中	未吉	申吉	酉凶	戌吉	亥吉	栽種蒔插開池	初一乙卯水尾定	祭祀祈福會友出行嫁娶納采移徙開張入伙交易修造動土修倉安葬
三十星期三	子中	丑中	寅凶	卯中	辰凶	巳凶	午中	未中	申吉	酉吉	戌凶	亥吉	作灶動土行喪	初二丙辰土箕執	嫁娶裁衣理髮求醫治病捕捉

西曆十二月（農曆十一月大）

一日星期四	子中	丑吉	寅凶	卯凶	辰中	巳凶	午吉	未吉	申中	酉吉	戌吉	亥凶	遠行理髮	初三丁巳土斗破	破屋壞垣
二日星期五	子凶	丑中	寅凶	卯吉	辰中	巳凶	午中	未吉	申吉	酉吉	戌中	亥中	買田修置產室	初四戊午火牛危	祭祀會友出行開張交易修造動土安門作灶成服安葬
三日星期六	子中	丑凶	寅凶	卯吉	辰中	巳凶	午吉	未吉	申吉	酉中	戌中	亥凶	詞訟修廚作灶	初五己未火女成	祭祀祈福入學會友嫁娶開張入伙交易納財修造動土築隄修倉安葬
四日星期日	子凶	丑吉	寅凶	卯中	辰吉	巳凶	午吉	未吉	申吉	酉中	戌凶	亥中	安床	初六庚申木虛收	會友裁衣理髮納財動土栽種安葬
五日星期一	子中	丑中	寅凶	卯凶	辰吉	巳凶	午吉	未中	申中	酉凶	戌中	亥中	造酒補塞	初七辛酉木危開	祭祀入學理髮求醫治病掃舍修造動土作灶交易
六日星期二	子中	丑中	寅凶	卯吉	辰凶	巳凶	午中	未吉	申凶	酉中	戌吉	亥吉		初八壬戌水室閉	祭祀修造動土修置產室
七日星期三	子中	丑中	寅凶	卯吉	辰吉	巳凶	午凶	未凶	申中	酉中	戌吉	亥吉	嫁娶除服行喪	初九癸亥水壁閉	理髮建屋安床作灶築隄
八日星期四	子吉	丑吉	寅凶	卯中	辰吉	巳中	午凶	未吉	申吉	酉中	戌中	亥中	開倉動土	初十甲子金奎建	祭祀立約交易
九日星期五	子吉	丑吉	寅凶	卯吉	辰中	巳凶	午凶	未凶	申吉	酉吉	戌中	亥中	栽種行喪	十一乙丑金婁除	祭祀出行嫁娶裁衣移徙修造動土
十日星期六	子吉	丑中	寅凶	卯吉	辰凶	巳中	午凶	未中	申凶	酉吉	戌中	亥中	祭祀作灶	十二丙寅火胃滿	拆卸掃舍
十一星期日	子中	丑中	寅凶	卯凶	辰中	巳中	午凶	未吉	申中	酉凶	戌中	亥中	理髮	十三丁卯火昴平	平道修飾垣牆
十二星期一	子中	丑吉	寅凶	卯吉	辰中	巳吉	午凶	未吉	申吉	酉吉	戌凶	亥中	買田置業栽種蒔插	十四戊辰木畢定	祭祀祈福出行會友入學嫁娶納采赴任開張交易修造動土作灶安葬
十三星期二	子吉	丑凶	寅凶	卯中	辰中	巳中	午凶	未吉	申吉	酉中	戌中	亥凶	遠行除服	十五己巳木觜執	祭祀捕捉動土安門置業作灶

忌 / 宜

西曆十二月（農曆十一月大）

日期	星期	子	丑	寅	卯	辰	巳	午	未	申	酉	戌	亥	忌	農曆	宜
十四	星期三	凶	吉	凶	中	中	中	凶	吉	吉	吉	凶	中		十六庚午土參破	破屋壞垣
十五	星期四	中	凶	凶	吉	中	吉	凶	中	吉	凶	中	中	造酒	十七辛未土井危	捕捉立約交易安床除服
十六	星期五	吉	吉	凶	吉	吉	吉	凶	吉	凶	吉	中	中	安床動土	十八壬申金鬼成	祭祀祈福入學出行嫁娶納采移徙裁衣開張入伙安門作灶成服安葬
十七	星期六	吉	吉	凶	凶	吉	吉	凶	凶	吉	中	中	中	詞訟成服	十九癸酉金柳收	理髮掃舍捕捉栽種
十八	星期日	中	吉	凶	吉	凶	吉	凶	吉	中	中	中	中	開倉出財	二十甲戌火星開	祭祀祈福會友訂婚開張交易納財修造動土置產作灶安門
十九	星期一	吉	吉	凶	吉	中	凶	凶	吉	中	中	中	中	栽種嫁娶	廿一乙亥火張閉	
二十	星期二	吉	吉	凶	中	凶	吉	凶	中	中	吉	吉	吉	作灶動土	廿二丙子水翌建	飾垣日值四離餘事不注
廿一	星期三	吉	中	凶	凶	中	吉	凶	凶	中	吉	中	吉	理髮行喪	廿三丁丑水軫除	祭祀動土開張入伙
廿二	星期四	中	吉	凶	吉	吉	吉	凶	吉	凶	中	中	中	置業祭祀	廿四戊寅土角滿	拆卸掃舍
廿三	星期五	吉	凶	凶	吉	中	中	凶	吉	中	凶	中	凶	開池	廿五己卯土亢平	理髮平道飾垣
廿四	星期六	凶	吉	凶	中	吉	吉	凶	吉	中	中	凶	吉	栽種修置產室	廿六庚辰金氐定	祭祀祈福會友嫁娶納采修造動土建屋安門作灶修倉安葬
廿五	星期日	中	吉	凶	中	中	吉	凶	吉	中	凶	吉	凶	遠行	廿七辛巳金房執	會友訂婚修造動土安門
廿六	星期一	凶	吉	凶	吉	中	吉	凶	吉	凶	中	中	吉		廿八壬午木心破	破屋壞垣
廿七	星期二	吉	凶	凶	吉	中	吉	凶	凶	中	中	吉	中	詞訟行喪	廿九癸未木尾危	入學納采立約交易
廿八	星期三	吉	吉	凶	中	吉	吉	凶	吉	吉	吉	中	中	開倉安床動土	三十甲申水箕成	祭祀祈福出行嫁娶裁衣納采開張理髮移徙成服安葬

西曆二〇一七年一月（農曆十二月大）

西曆十二月（農曆十二月大）

日期	廿九星期四	三十星期五	卅一星期六	一日星期日	二日星期一	三日星期二	四日星期三	五日星期四	六日星期五	七日星期六	八日星期日	九日星期一	十日星期二	十一星期三	十二星期四
時辰	子吉 丑吉 寅凶 卯凶 辰吉 巳凶 午凶 未中 申吉 酉吉 戌中 亥中	子吉 丑中 寅凶 卯吉 辰凶 巳吉 午凶 未中 申吉 酉吉 戌吉 亥吉	子中 丑吉 寅凶 卯凶 辰中 巳凶 午凶 未吉 申中 酉吉 戌吉 亥吉	子中 丑吉 寅凶 卯吉 辰吉 巳吉 午凶 未中 申吉 酉吉 戌中 亥中	子吉 丑凶 寅凶 卯吉 辰中 巳吉 午凶 未凶 申吉 酉吉 戌中 亥凶	子凶 丑吉 寅凶 卯吉 辰吉 巳中 午凶 未中 申凶 酉中 戌凶 亥中	子中 丑中 寅凶 卯吉 辰中 巳吉 午凶 未中 申中 酉凶 戌吉 亥中	子中 丑吉 寅凶 卯吉 辰中 巳吉 午凶 未凶 申凶 酉吉 戌凶 亥吉	子吉 丑中 寅凶 卯吉 辰吉 巳吉 午中 未凶 申吉 酉中 戌吉 亥凶	子凶 丑吉 寅凶 卯中 辰中 巳中 午凶 未凶 申中 酉吉 戌中 亥中	子吉 丑凶 寅凶 卯吉 辰中 巳凶 午中 未凶 申吉 酉中 戌吉 亥吉	子吉 丑吉 寅凶 卯中 辰凶 巳吉 午中 未凶 申吉 酉吉 戌吉 亥吉	子中 丑吉 寅凶 卯凶 辰中 巳中 午吉 未凶 申中 酉吉 戌中 亥吉	子中 丑吉 寅凶 卯吉 辰凶 巳中 午吉 未凶 申吉 酉中 戌中 亥中	子吉 丑凶 寅凶 卯吉 辰中 巳凶 午吉 未凶 申吉 酉中 戌中 亥凶
忌	栽種蒔插	修廚作灶補塞	理髮嫁娶	置產動土	除服成服行喪	祭祀		築隄	詞訟遠行成服	開倉出財	栽種開張	修廚作灶安床	理髮整手足甲詞訟	置產除服	嫁娶修廚
農曆	初一乙酉水斗收	初二丙戌土牛開	初三丁亥土女閉	初四戊子火虛建	初五己丑火危除	初六庚寅木室滿	初七辛卯木壁平	初八壬辰水奎平	初九癸巳水婁定	初十甲午金胃執	十一乙未金昴破	十二丙申火畢危	十三丁酉火觜成	十四戊戌木參收	十五己亥木井開
宜	祭祀掃舍捕捉	祭祀祈福入學訂婚裁衣修造動土置產安門	築隄動土作灶補塞修倉	修飾垣牆	會友出行嫁娶納采理髮掃舍開張交易動土修造	拆卸掃舍	修飾垣牆	納財捕捉安葬	會友訂婚嫁娶納采立約交易納財修造動土開張入伙作灶修倉	祭祀出行理髮動土掃舍成服安葬	破屋壞垣	祭祀祈福理髮掃舍開張交易動土栽種安葬	祭祀入學出行嫁娶納采移徙開張入伙交易修造動土修倉成服安葬	捕捉栽種	祭祀祈福入學會友理髮求醫治病安床

西曆一月（農曆十二月大）

十三	星期五	子凶 丑吉 寅凶 卯中 辰中 巳中 午凶 未凶 申吉 酉吉 戌凶 亥中	動土	十六庚子土鬼閉	裁衣立約交易安葬
十四	星期六	子中 丑吉 寅凶 卯吉 辰中 巳吉 午吉 未凶 申吉 酉凶 戌中 亥吉	新船進水	十七辛丑土柳建	會友訂婚安床開倉納財牧養
十五	星期日	子中 丑吉 寅凶 卯吉 辰中 巳中 午中 未凶 申凶 酉中 戌吉 亥中	祭祀	十八壬寅金星除	拆卸掃舍
十六	星期一	子吉 丑中 寅凶 卯吉 辰中 巳中 午中 未凶 申中 酉凶 戌吉 亥中	詞訟開池	十九癸卯金張滿	祭祀嫁娶理髮作灶補塞安葬
十七	星期二	子吉 丑吉 寅凶 卯中 辰吉 巳中 午凶 未凶 申中 酉吉 戌凶 亥中	開倉出財	二十甲辰火翌平	平治道塗修飾垣牆
十八	星期三	子吉 丑吉 寅凶 卯中 辰中 巳凶 午中 未凶 申吉 酉吉 戌吉 亥凶	遠行栽種成服	廿一乙巳火軫定	祭祀祈福會友嫁娶納采立約交易修造動土開張入伙安門作灶修倉
十九	星期四	子凶 丑中 寅凶 卯中 辰凶 巳吉 午吉 未凶 申吉 酉吉 戌吉 亥吉	作灶修廚	廿二丙午水角執	理髮捕捉安葬
二十	星期五	子中 丑凶 寅凶 卯凶 辰中 巳吉 午吉 未凶 申中 酉吉 戌中 亥吉	理髮開張	廿三丁未水亢破	破屋
廿一	星期六	子中 丑吉 寅凶 卯中 辰吉 巳吉 午中 未凶 申吉 酉中 戌中 亥中	置產安床成服	廿四戊申土氐危	祭祀祈福裁衣動土開張入伙立約交易納財開倉出財捕捉栽種牧養
廿二	星期日	子吉 丑凶 寅凶 卯凶 辰吉 巳吉 午吉 未凶 申吉 酉中 戌中 亥凶	詞訟成服行喪	廿五己酉土房成	祭祀出行嫁娶納采移徙醫病理髮掃舍動土開張入伙交易築隄修倉
廿三	星期一	子凶 丑吉 寅凶 卯中 辰凶 巳中 午吉 未凶 申吉 酉中 戌凶 亥中	開倉	廿六庚戌金心收	祭祀捕捉
廿四	星期二	子中 丑吉 寅凶 卯吉 辰中 巳凶 午吉 未凶 申中 酉凶 戌吉 亥中	嫁娶	廿七辛亥金尾開	祭祀入學會友理髮
廿五	星期三	子吉 丑吉 寅凶 卯吉 辰吉 巳吉 午凶 未凶 申凶 酉中 戌中 亥中	動土	廿八壬子木箕閉	理髮建屋
廿六	星期四	子吉 丑吉 寅凶 卯中 辰吉 巳吉 午中 未凶 申吉 酉吉 戌吉 亥中	詞訟行喪	廿九癸丑木斗建	會友安床交易
廿七	星期五	子中 丑中 寅凶 卯中 辰吉 巳中 午凶 未凶 申凶 酉吉 戌吉 亥中	開倉祭祀	三十甲寅水牛除	拆卸掃舍

人怕出名豬怕肥，你想唔理都要理

自從出了名以後，認做我師兄弟妹的人不計其數，有些還大膽認做我師父，國內當然有不少，我在微博上都不知已讓人問過多少次；而國外的也因山高皇帝遠，可以胡扯亂說。近日還有一個說話歪嘴的，竟「名正言順」地在報章說是我師父，可能這些人的腦袋都想壞了，或者是想從中得到好處，迷惑民眾。我初出道之時，現職這行業的大多尚未出道，我在一九九〇年已經在行內成名，傳統算命已算到出神入化，吸引不少從事這行的人慕名學習來上課。及至九二至九四年間更創立了寒熱命，又發明了蘇派風水，這是功是過留待後世評論好了。

其實我的學習過程早已在《瘋蘇 BLOG BLOG 趣》一書詳述，但為着以正視聽，不得不厭其煩地在這裏再說一遍——

風水——一九八四、八五年間跟陳老師學習「玄空大卦」，這是用來看陰宅所用，至於九宮飛星是當時與一玄學發燒友關師父互相研究印證，後來自己再把八宅飛星融會貫通，變成了今天的「蘇派風水」。

八字——一九八二年跟吳晚軒老師學習兩年，期間是一對一教授的，師生關係最重。八三、八四年間再跟孫老師學了八堂，但只上了五堂已盡學了他所有知識。吳老師是書本派，當時對八字已經研究了三十年；孫老師是江湖派，其中很多秘訣當時是千金難求，故我把書本派、江湖派兩者長處習於一身，既重理論分析（書本派）亦重驗證（江湖派）。

八四年開始教授八字，八六年開始開班授徒，至九零年間已經在行內聲名鵲起，還做了算命幕後大批發，每月所批的批籤有一二百份之多，由於不是面對面看見客戶的，後來批判的時候在不知不覺間把八字變成不是用水，就是用火，發明了寒熱命自己也不知道。

掌相——這是最後才學習的，因為別人知我懂得玄學術數，每次都把掌伸出來叫我看，我說不懂都說到不想說了，就在八五年跟蘇老師學了二十多三十個小時掌相，總算把手相學回來了。

面相——這是我最早接觸的，因我小時候居住在旺角砵蘭街，那時那裏最多就是棺材舖與看相的小店，耳濡目染下從小產生了興趣。八三年在廟街擺攤子時，就是我負責幫人看相，老師幫人算八字當作陪我爭取實習經驗，如沒記錯的，在廟街擺檔該到八七年七月我去西藏前才正式結束。期間八六年正式開班教授面相八字，首批學生有兩個還是一起學習掌相的同學，由於當時大家年紀還小，不會以師徒相稱，他們在我處學完八字之後說：以前他們也跟一個葉姓老師學過面相，教得不錯，叫我不妨去聽聽。就這樣在他們陪伴之下上了十多堂課，我的學習生涯就是這樣了。

後來的故事相信大家都耳熟能詳，不用我細講了，故以後再有人冒認做我師父、師叔，你們就自己去分辨好了！

蘇民峰二〇一六猴年運程

作者

蘇民峰

策劃 / 編輯

梁美媚

造型攝影

Leung Sai Kuen

美術統籌及設計

Amelia Loh

美術設計

Charlotte Chau

出版者

圓方出版社

香港鰂魚涌英皇道 1065 號東達中心 1305 室

電話：2564 7511

傳真：2565 5539

電郵：marketing@formspub.com

網址：http://www.formspub.com

http://www.facebook.com/formspub

發行者

香港聯合書刊物流有限公司

香港新界大埔汀麗路 36 號

中華商務印刷大厦 3 字樓

電話：2150 2100

傳真：2407 3062

電郵：info@suplogistics.com.hk

承印者

中華商務彩色印刷有限公司

香港新界大埔汀麗路 36 號

出版日期

二〇一五年九月第一次印刷

版權所有 · 不准翻印

All rights reserved.

Copyright ©2015 Forms Publications

ISBN 978-988-8325-83-2

Published in Hong Kong

瀏覽網站

會員申請

蘇民峰作品

風水

風生水起 - 巒頭篇
風生水起 - 理氣篇
風生水起 - 例證篇
風生水起 - 商業篇
玄學錦囊 - 風水天書
生活風水點滴
家宅風水基本法
如何選擇風水屋
Fung Shui by Observation
Encyclopedia of Fung Shui
Fung Shui - A Guide to Daily Applications
A Complete Guide to Feng Shui
Feng Shui - A Key to Prosperous Business
Feng Shui Guide for Daily Life

相學

觀相知人 (全新修訂版)
玄學錦囊 - 相掌篇
觀掌知心 (入門篇)
掌丘掌紋篇
掌紋續篇
中國掌相
談情説相
相學全集（卷一至卷四）
The Essential Face Reading
Practical Face Reading and Palmistry
The Hills and Lines
More on Palm Lines
Essential Palm Reading

八字

八字論命
八字 • 萬年曆
八字 • 萬年曆 (袖珍本)
• 八字入門捉用神
• 八字進階論格局看行運
• 八字秘法全集

其他

峰狂遊世界
瘋蘇 Blog Blog 趣
蘇民峰美食遊蹤
So Romantic Kitchen - 密蜜煮
師傅開飯
「峰」生水起精讀班 - 面相篇 (DVD) 第一輯
「峰」生水起精讀班 - 面相篇 (DVD) 第二輯
「峰」生水起精讀班 - 掌相篇 (DVD) 第一輯
「峰」生水起精讀班 - 掌相篇 (DVD) 第二輯
「峰」生水起精讀班 (DVD) 第一輯
「峰」生水起精讀班 (DVD) 第二輯
40 日峰狂嘆世界 (DVD)
蘇民峰傳奇 Vol.1
蘇民峰傳奇 Vol.2

姓名學

玄學錦囊 - 姓名篇

八字秘法 全集

「八字秘法」可稱為「江湖訣」，是玄學大師蘇民峰師傅三十多年來經驗所得，期間經過不斷鑽研、實踐、驗證，以淺顯易明的文字，配以實例，逐一印證和解釋秘訣要義。

《八字秘法全集》命例超過四百個，分成兩冊，涵蓋家庭、健康、感情、財富等方面的論斷，更附論命基本知識，以饗八字新手。

由蘇民峰師傅獨創的「五行化動土局」，能化解風水上煞氣最強的「動土煞」。動土煞者，住宅對之輕則損傷、疾病，重則手術；辦公室見之，則會影響生意。

本套裝內附：音樂盒一個；石春一顆；水杯兩隻；富貴豆四顆及紅色LED燈一盞。

「五行化動土局套裝」全以用家角度出發，讀者只需將五行物件連同托盤取出，再將之置於看到動土方的窗邊，即完成布局，方便快捷。加上動土局小巧而不佔空間，非常適合現代家居使用。

www.masterso.com

www.masterso.com

MasterSo.com

教授玄學、風水、面相、掌相及八字入門知識，

提供網上風水、網上八字、網上改名、網上擇日

及網上流年命相，方便海外人士。

收費會員，可享用多項優惠。

請即登入 www.masterso.com